Rhaid i Bopeth Newid

Rhaid i Bopeth Newid

Grahame Davies

Argraffiad cyntaf – 2004

ISBN 1 84323 412 2

Dymuna'r cyhoeddwyr gydnabod cymorth
Cyngor Llyfrau Cymru.

Argraffwyd yng Nghymru gan
Wasg Gomer, Llandysul, Ceredigion SA44 4JL

Hwn yw'r ffyddlondeb eithaf:
ymlyniad gwlatgar at genedl farw.

Simone Weil

Diolchiadau

Mae'r digwyddiadau yn hanes bywyd Simone Weil wedi eu seilio ar ffaith, a phobl go-iawn yw'r prif gymeriadau bron i gyd. Seiliais yr hanes ar waith ymchwil a wneuthum ar gyfer gradd Doethuriaeth yn Adran y Gymraeg, Prifysgol Cymru, Coleg Caerdydd. Wrth nofeleiddio hanes Weil, rwyf wedi dibynnu ar lu o erthyglau a llyfrau gwahanol, a nodaf yma er gwybodaeth rai o'r gweithiau a fydd fwyaf defnyddiol i'r sawl a hoffai wybod mwy am y ffigwr hynod hwn: *Utopian Pessimist: the Life and Thought of Simone Weil*, gan David McLellan, (Poseidon, Efrog Newydd, 1990); *Simone Weil: Portrait of a Self-Exiled Jew*, gan Thomas Nevin (University of North Carolina Press, 1991); *Three Outsiders: Pascal, Kierkegaard, Simone Weil*, gan Diogenes Allen, (Cowley, Cambridge, Massachussetts, 1983) a *Simone Weil: A Life,* gan Simone Petrement, (Pantheon, Efrog Newydd, 1976), a ysgrifennwyd gan ffrind agos a chyfoediwr i Weil. Ymhlith y casgliadau mwyaf adnabyddus o waith Weil ei hun, ceir: *Gravity and Grace*, (*La Pesanteur et la Grace)* a olygwyd gan ei ffrind Gustav Thibon; *Waiting for God* (*L'Attente de Dieu*), a olygwyd gan ei ffrind Y Tad Perrin, a *The Need for Roots* (*L'Enracinement*), yr ysgrifennodd T.S. Eliot ragarweiniad enwog iddo. Ceir pwyslais ar Gatholigrwydd Weil yn y casgliadau hynny, ond teg yw nodi y ceir dehongliadau amrywiol iawn o safbwyntiau Weil gan olygyddion eraill. Am astudiaeth o Weil yn y Gymraeg, gweler hefyd *Sefyll yn y Bwlch* (Gwasg Prifysgol Cymru, Caerdydd, 1999), gan yr awdur presennol. Yn hanes Meinwen Jones, dychmygol yw pob cymeriad a sefyllfa, a damweiniol yw unrhyw debygrwydd i unrhyw berson go-iawn. Carwn ddiolch o galon i Bethan Mair o Wasg Gomer am ei chefnogaeth a'i chymorth amhrisiadwy. Rwy'n ddyledus hefyd i Mark Woods ac i Ynyr Williams am awgrymiadau allweddol wrth imi ddyfeisio'r prosiect hwn ac i'r darllenwyr a wnaeth awgrymiadau gwerthfawr iawn ar y cynnwys a'r arddull. Diolchaf i Sally fy ngwraig ac i'm merched Haf ac Alaw am eu hamynedd, eu cefnogaeth a'u cariad wrth imi weithio ar y llyfr. Cyflwynaf y llyfr hwn i bawb sy'n gweithio – mewn unrhyw fodd – dros ddiogelwch, lles a ffyniant yr iaith Gymraeg.

Ymlwybrodd y golofn o filwyr drwy Neufchateau gan lenwi'r awyr boeth â'r llwch a godid gan eu sgidiau trymion. Roedd y Rhyfel Mawr yn symud i'w drydydd haf. Mor agos oedd Neufchateau at y ffrynt fel na thalodd ei frodorion unrhyw sylw arbennig i un fintai arall o filwyr yn dychwelyd o'r frwydr.

Rhyddhaodd un milwr ifanc ei hun o'r golofn. Tynnodd ddarn o bapur o'i boced a darllen y cyfeiriad oedd arno; wedyn, fe edrychodd i fyny ar y tŷ ar draws y ffordd. Aeth draw ato a chanu'r gloch.

Agorwyd y drws, ac fe gyfarchwyd y milwr gan ŵr a gwraig yn eu canol oed cynnar. Croesawyd ef i'r tŷ. Y tu allan, martsiodd y golofn heibio.

Yn y cyntedd, edrychodd y milwr o'i amgylch yn anghyfforddus. Roedd hwn yn dŷ crandiach na'r rhai yr arferai gael mynediad iddynt. Ond roedd y penteulu'n awyddus i'w wneud yn gysurus.

'M'sieur,' meddai. 'Gadewch imi gyflwyno'r teulu Weil.'

Roedd tinc o rywbeth estron yn ei acen. Beth yn union? Anodd oedd bod yn sicr. Roedd y milwr ifanc yn bell o'i gartref yn y Languedoc, ac roedd wedi cwrdd â chymaint o wahanol fathau o Ffrancwyr erbyn hyn, heb sôn am y milwyr o'r trefedigaethau a oedd wedi eu galw i atgyfnerthu ymdrech Ffrainc i gadw ei ffiniau rhag y 'Bosche'.

Wrth y fynedfa i'r ystafell fyw, gwyliai dau blentyn ifanc ef yn dawel; bachgen oddeutu deg oed, yn effro a deallus ei olwg, a merch denau oddeutu saith oed, ei hwyneb gwelw wedi hanner ei guddio mewn cwmwl o wallt tywyll. Y tu ôl iddynt, drwy ddrws y patio, roedd gardd heulog.

'Y fi yw'r Doctor Bernard Weil,' meddai'r penteulu, gyda ffug urddas. 'Meddyg ym myddin Ffrainc. Dyma fy ngwraig, Madame Selma Weil, y swyddog sy'n gyfrifol am y ffrynt cartref ym mhob peth – heblaw . . . *pethau meddygol!*

'A dyma'r ddau y buoch chi'n gohebu â nhw.' Amneidiodd at y plant. 'André, athrylith y teulu, a Simone, ein breuddwydiwr bach.'

Nodiodd y milwr. Yn blentyn amddifad ei hun, daethai i adnabod y teulu Weil drwy gynllun swyddogol lle cafodd milwyr heb deuluoedd eu mabwysiadu gan bobl a fuasai'n rhoi iddynt y gefnogaeth a'r cysuron a gâi milwyr eraill drwy eu perthnasau. Meddyliodd y milwr fod Simone yn edrych fel petai wedi ei brifo braidd gan ddisgrifiadau ei thad. Ond nid oedd yn sicr. Aethai Dr Weil yn ei flaen, yn fwy ffurfiol ac yn fwy o ddifrif yn awr.

'Byddwch yn adnabod y plant yn barod drwy eu llythyrau a'u rhoddion.'

'Ie, m'sieur.'

'Efallai nad oes gynnoch chi eich teulu eich hun. Ond, os gwelwch yn dda, byddwn yn falch pe baech yn ystyried y lle hwn bellach yn gartref ichi.'

Diolchodd y milwr iddo. Gwenodd Simone arno'n swil.

*   *   *

'Meinwen, plis. Jyst dipyn bach o golur.'

Roedd Jayne yn casáu'r hen rwtîn yma. Bob tro y deuai Meinwen i'r stiwdio i wneud tŵ-wê – peth a wnâi yn aml – roedd rhaid iddi gocsian a'i pherswadio dim ond er mwyn cael rhoi tamaid bach o bowdwr ar ei hwyneb. Rhywbeth yn ymwneud â'i hymwrthodiad â phob rhagrith oedd o, tybiodd Jayne. Beth bynnag oedd o, roedd yn niwsans iddi hi.

''Mond tamaid bach, Meinwen, ty'd 'laen.'

'Meinwen' oedd hi i bawb yng Nghymru, neu yn hytrach i bawb a siaradai Gymraeg, ac i ryw gylch llai o rai a ymddiddorent mewn pethau Cymreig er na fedrent yr iaith. O ran y 70% arall o'r boblogaeth, doedden nhw ddim yn ei hadnabod o gwbl, nac fel 'Meinwen' na chwaith fel 'Miss

Meinwen Jones'. Ac nid oedd y materion diwylliannol a oedd o dragwyddol bwys iddi hi'n tarfu arnyn nhw'r un iot; ddim mwy nag y buasai brwydrau rhyw Indiad brodorol yn amddiffyn ei gynefin yn yr Amason. Mewn gwirionedd, buasai ganddynt dipyn mwy o ddiddordeb ym mrwydr yr Indiad yn Ne America nag ym mrwydr Meinwen yng ngorllewin Cymru.

Doedd Jayne yn ddim os nad yn broffesiynol. Doedd neb yn mynd ar *Wales on Wednesday* gyda rhyw sglein afiach ar eu hwynebau. Roedd hi wedi rhoi colur ar dywysogion ac arlywyddion, ar sêr ffilm ac ar gyn-garcharorion. Pa mor anfoddog bynnag fo'r cwsmer, doedd ond rhaid dod o hyd i'r allwedd iawn er mwyn eu darbwyllo. Gweniaith a wnâi'r tro bron yn ddieithriad – roedd y rhan fwyaf o'i chwsmeriaid yn selébs o ryw fath, wedi'r cyfan. Ond roedd rhai eraill – megis Meinwen, a eisteddai'n ddi-wên yn yr ystafell werdd – angen mwy o gyfrwystra na hynny er mwyn cymryd eu perswadio. Roedd gan Meinwen lai o ots am ei diwyg personol nag oedd ganddi hyd yn oed am fywyd y selébs yn y copi o'r cylchgrawn *Hello*! a orweddai heb ei ddarllen ar y bwrdd coffi o'i blaen. I Meinwen, dim ond yr achos oedd yn bwysig. Dyna oedd yr allwedd, meddyliodd Jayne.

Aeth i'w chwrcwd yn ymyl Meinwen a gostwng ei llais yn gyfrinachaidd.

'Meinwen,' sibrydodd, 'petait ti'n edrych dy orau, hwyrach y byddai'n gwneud lles i'r achos.'

Edrychodd Meinwen arni â golau yn ei llygaid am y tro cyntaf, gan chwilio llygaid Jayne am wreichionen rhyw gred oedd ganddynt yn gyffredin. Mor ddidwyll oedd ei hedrychiad fel y teimlai Jayne yn aflonydd, fel petai hi wedi ei dal gan olwg ddidrugaredd plentyn. Ond fe'i gorfododd ei hun i ddal llygaid Meinwen, ac fe geisiodd roi golwg arwyddocaol i'w llygaid hithau, gan obeithio y byddai'n dangos drwy liw ei lensau-cyffwrdd newydd. Ar ôl eiliadau hirion, gwelodd Jayne fod

Meinwen yn cwblhau ei fersiwn hi o sganio retinol, yn ei chofrestru hi fel cyfaill a'i bod wedi ei derbyn mor ddigwestiwn â chyfrifiadur a lyncodd y cyfrinair cywir. Gyda rhyddhad mewnol, gwelodd Jayne fod Meinwen yn nodio'i phen.

Amneidiodd Jayne i Meinwen ddod trwodd i gadair y stafell golur; ymestynnodd am ei chompact, a chyffwrdd y gruddiau gwelwon sgleiniog gyda'i chemegion brown-golau. Buasai model yn falch o'r esgyrn gruddiau hyn, meddyliodd. Ond, erbyn meddwl, on'd oedd amlinell yr esgyrn ychydig yn rhy amlwg? A'r llygaid tywyll didwyll yna, mae'n rhaid eu bod nhw'n cael peth o'u dyfnder o'r cysgod ysgafn oddi tanynt. Roedd y ferch yn amlwg yn rhy denau o lawer. Ond ers pryd y bu Meinwen yn poeni am beth felly? Hawliau menywod, caethwasiaeth plant, masnach deg, diarfogi niwcliar, lloches i ffoaduriaid. Dyna oedd ei phethau hi. A oedd 'na unrhyw achos radical na fuodd Meinwen yn ymgyrchu drosto? A'r iaith, wrth gwrs: bob amser yr heniaith druan dan fygythiad. Yr iaith oedd y lliw cefndir sylfaenol i'w *palette* enfysaidd o achosion.

Ers pryd y bu hi wrthi? Bu Jayne yn y swydd hon ers pymtheg mlynedd, a gallai gofio Meinwen bryd hynny. Yr un steil gwallt bachgennaidd, di-siâp, yr un siwmper yn ffitio lle cyffyrddai, a'r un math o sgidiau heicio hyll. Doedd gan y ferch yr un iot o synnwyr ffasiwn. Nid merch oedd hi erbyn hyn, chwaith. Beth oedd ei hoedran hi? Edrychai tua 25, ond mae'n rhaid ei bod yn tynnu at ei deugain. Yn y dyddiau pan arweiniai griwiau o fyfyrwyr i orchuddio arwyddion uniaith Saesneg â phaent gwyrdd, roedd y papurau Saesneg wedi bathu enw iddi hi: *'The Green Goddess'*. Roedd y papurau Cymraeg – am unwaith gyda llai o gytseinedd ond mwy o wirionedd – wedi ei bedyddio: 'Y Forwyn Werdd'. Roedd yr enw wedi glynu. Addas iawn, hefyd, ym mhob ystyr, meddyliodd Jayne, wrth roi'r cyffyrddiad bach olaf o golur ar ruddiau difrycheulyd y ddelw ddifynegiant o'i blaen.

Ychydig yn nes ymlaen y diwrnod hwnnw, a'i iwnifform wedi'i frwsio, a'i wallt wedi'i gribo, eisteddai'r milwr wrth y bwrdd cinio gyda'r teulu. Ceisiodd beidio â syllu wrth i'r gweision ddod â'r bwyd at y bwrdd. Yn y pellter gallai glywed y gynnau mawrion yn grymial yn isel.

'Felly. Fydd Verdun yn dal i sefyll hebddoch chi?' gofynnodd Dr Weil, yn sgyrsiol.

'Fe safith hi, Doctor. Wnawn ni fyth adael iddi syrthio. Ddim ar ôl cymaint o aberth.'

Nodiodd Dr Weil.

'Wyddoch chi,' aeth y milwr ymlaen. 'Pan aethon ni i'r lein roedden ni'n hanner cant o fechgyn o'r un dref. Nawr, does 'na 'mond . . .'

Ataliodd ei hun, gan edrych yn anghyfforddus at y plant wrth y bwrdd.

'Os gwelwch yn dda. Ewch ymlaen,' meddai Dr Weil. 'Dydyn ni ddim yn cuddio'r pethau hyn rhag y plant. Mae'n rhaid iddyn nhw ddysgu sut mae bywyd. Dyna pam dwi wedi dewis eu cael nhw gyda mi, mor agos at y ffrynt. Mae Madame Weil yn mynd â nhw i f'ysbyty bob dydd i ymweld â'r cleifion.'

Roedd y syndod i'w weld ar wyneb y milwr.

'Ein gobaith ni,' esboniodd Dr Weil, 'yw y byddan nhw, o wybod am ddioddefaint, yn dod i werthfawrogi cariad.'

Ysytyriodd y milwr hyn. Roedd ar fin dechrau siarad unwaith eto, er, efallai, ychydig yn fwy gofalus y tro hwn. Ond roedd y gweision wedi gosod y ddysglaid olaf ar y bwrdd. Roedd y pryd yn barod.

'Nawr! Y bwyd!' meddai Dr Weil.

Gan feddwl mai arwydd eu bod am ddweud gras oedd hwn, fe ymgroesodd y milwr a gwyro'i ben.

Bu tawelwch. Ciledrychodd y teulu Weil ar ei gilydd. Ni wnaethant ymgroesi.

Agorodd y milwr ei lygaid, ac yna edrych o'i amgylch mewn embaras.

Gwenodd Madame Weil. 'Mae'n ddrwg gen i. Ddylwn i fod wedi dweud wrthych chi. Iddewon ydyn ni. Doeddwn i ddim yn bwriadu peri embaras.'

Edrychodd Dr Weil ato dros ei sbectol, gyda ffug-ymddiheuriad eironig: 'Doeddech chi ddim eisiau ham beth bynnag, nac oeddech?'

Chwarddodd pawb.

'Mae fy ngwraig a minnau'n dod o gefndir Iddewig,' meddai Dr Weil. 'Ond ry'n ni'n rhyddfrydol. Dy'n ni ddim yn arfer yr un grefydd fel teulu – Iddewig na Christnogol. Nawr, gadewch inni fwyta.'

Doedd dim pwynt gofyn i Meinwen dacluso'i dillad. Roedd ei darbwyllo hi i wisgo colur yn fuddugoliaeth o bwys ynddi'i hun. O leia mi fyddai'r sgidiau hyll 'na allan o'r golwg o dan y ddesg ar y set. Pwy arall oedd ar y rhaglen heno? Edrychodd Jayne yn ôl i'r stafell werdd, lle roedd dau ffigwr arall yn eistedd erbyn hyn. Dau gyfarwydd. Syr Anthony Thomas, AC, arweinydd grŵp Ceidwadwyr y Cynulliad. Y *Group Captain* oedd enw chwareus y wasg arno, a hynny oherwydd ei gyfnod yn yr RAF. Wedyn dyna John Sayle, y colofnydd papur newydd. Gwelodd Sayle fod Jayne yn edrych i'w gyfeiriad, ac fe gamodd ef yn syth at y stafell golur.

'Esgusodwch fi,' dywedodd Meinwen yn dawel, gan geisio llithro allan mewn modd mor ddisylw â phosib.

'Escusio fi!' paradïodd Sayle, gan wthio heibio iddi.

'*Bloody hell, Jayne*,' meddai, wrth iddo gwympo i'r gadair golur. '*I've just done a radio interview. I had to wear some sodding translation headphones. I felt like the bloody Mekon*.'

Roedd y gymhariaeth wedi'i gwastraffu ar Jayne. Yn 35 oed, roedd hi'n rhy ifanc i gofio Dan Dare, *Pilot of the Future* o gylchgrawn yr *Eagle*, a'i arch-elyn, yr aliwn clustffonog penfawr a elwid y Mekon.

I Dan Dare, y 'Dyfodol' oedd 1999. Cofiai Sayle y dyfodol hwnnw'n dda iawn. Byd uwch-dechnolegol gyda Phrydain Fawr yn rheoli'r gofod fel unwaith y rheolai'r moroedd; dyfodol lle roedd eich gelynion yn gyfleus o afluniaidd a gwyrdd. Roedd y 'dyfodol' hwnnw rai blynyddoedd yn y gorffennol bellach. Nid oedd 1999 wedi dod ag iwtopia neo-ymerodraethol Dan Dare i fodolaeth; nid oedd ychwaith wedi dod â'r baradwys sosialaidd y breuddwydiodd Sayle amdani yn ystod ei blentyndod yn y Cymoedd. Yn hytrach, fe ddaeth ag agoriad y Cynulliad Cenedlaethol, datblygiad yr oedd Sayle wedi'i wrthwynebu â'i holl galon a chyda phob sillaf o'i huotledd fel colofnydd papur dyddiol. Ond roedd wedi methu, a dyna Gymru bellach yn ysgwyddo baich y siop siarad fewnblyg a chostus hon, fel y disgrifiodd ef y peth yn ei golofn. A'r hyn a fu'n fwy fyth o dân ar groen Sayle oedd bod cymaint o siarad y siop yma yn Gymraeg. Na, nid byd Dan Dare oedd Prydain 2004 – ond o leiaf roedd gelynion Sayle yn dal yn wyrdd.

Gyda'i sbwng bach, fe ddabiodd Jayne y powdwr i'r rhychau dyfnion ar wyneb Sayle. Beth oedd ei oedran? Mae'n rhaid ei fod yng nghanol ei bum degau, ond yn edrych yn hŷn.

Plentyn y chwe degau oedd Sayle, ac os oedd ei wyneb wedi symud yn bendant i'w chweched degawd, roedd ei wleidyddiaeth wedi aros yn gadarn yn y dyddiau hynny lle bu myfyrwyr yn gwrthryfela a lle bu gobaith am i'r dosbarth gweithiol ddod yn ddosbarth llywodraethol. Dyddiau pan oedd caledi bywyd yn nyffryn Sirhywi wedi hogi ei newyn ef am weld un frawdoliaeth lafur ryngwladol. Newyn gwleidyddol oedd hwn, wrth gwrs, nid un llythrennol. Llyfrgellydd, nid glöwr, oedd tad Sayle, ac ni phrofasai wir galedi erioed. Ond roedd gan lawer o fechgyn eraill ei bentref dadau o lowyr. Ac roedd Sayle ei hun wedi bod i lawr pwll glo – unwaith, pan ganiatawyd iddo, fel gohebydd, ddilyn gwleidydd ar ymweliad dan ddaear. Nid oedd y ffaith ei fod ef ei hun wedi byw am chwarter canrif mewn maestref neilltuol o gysurus yng Nghaerdydd wedi gwneud dim i leihau'r teyrngarwch a deimlai tuag at gymunedau ei ieuenctid, gweledigaeth ddilychwin nad oedd ef yn caniatáu i unrhyw adnabyddiaeth fwy diweddar o'r cymunedau hynny ei difwyno.

'*I'll have to have an interpreter to talk to Meinwen as well before long, Jayney,*' meddai, yn ddigon uchel i wneud yn sicr y câi ei glywed yn yr ystafell werdd. '*The Welsh Language Board won't like people like me making her speak the hated Saxon tongue.*'

Ar ôl treulio blynyddoedd yn cynnal ymson colofn farn ei bapur newydd, roedd Sayle wedi dod i dybio y rhennid ei ragfarnau gan bawb – pawb, hynny yw, ac eithrio ychydig o wleidyddion – cenedlaetholwyr gan mwyaf, ond ambell i Dori eithafol hefyd, ac hyd yn oed ambell i rebel o Lafurwr. Gwleidyddion o'r fath oedd yr aliwns anghyfliw, afluniaidd a gâi eu deifio ganddo yn ei golofn bob wythnos gyda'i holl asbri Dan Dare-aidd. Heno byddai'n deifio Meinwen, ac, fel arfer, ef fyddai'n ennill.

'*Thank you, love,*' meddai gan sythu. '*I'll make way for Wing Commander Flak now.*' Ond doedd dim casineb go iawn yn ei dynnu coes ar y Tori. '*Ready for take-off,*' galwodd ar Syr Anthony, ac aeth yn ei ôl at yr ystafell werdd.

Eisteddodd Sayle i lawr yn gartrefol yn ymyl Meinwen. Ei anwybyddu wnaeth hi, gan syllu'n syth o'i blaen.

'*Cheer up, love,*' meddai. '*It might never happen.*' Wedyn fe chwarddodd. '*Except, in your case, it will!*'

*   *   *

Yr un olaf am heno, meddyliodd Jayne, wrth i Syr Anthony gerdded i mewn, gan wenu, yn plygu ei *Daily Telegraph* wrth ddod.

'Noswaith dda, Jayne.'

'Noswaith dda, Syr Anthony.' Tori o'r hen deip oedd ef, ac yn ogystal â'i gefndir milwrol roedd hefyd yn dirfeddiannwr. Yn syth o '*central casting,*' fel y dywedir yn y diwydiant darlledu pan mae rhywun yn cydymffurfio â'r stereodeip. Cyn i Lafur ddod i rym ym 1997, roedd wedi cadeirio sawl cwango dan drefn Geidwadol yr hen Swyddfa Gymreig. Ni fuasai hyd yn oed ei ffrindiau pennaf wedi honni iddo gael y swyddi yna drwy unrhyw beth heblaw'r nepotistiaeth wleidyddol fwyaf digywilydd. Ond, ar ôl iddo redeg y sefydliadau yna am rai blynyddoedd, ni fyddai hyd yn oed ei elyn pennaf wedi honni iddo eu rhedeg nhw'n wael. Roedd ganddo ddawn fel rheolwr: cadeirio, dosbarthu gwaith, gwneud penderfyniadau – doi'r pethau hynny'n hawdd iddo. Pan ddaeth y Cynulliad Cenedlaethol i fodolaeth, fe ail-ddyfeisiodd ei hun, gan ailafael yn y Gymraeg a ddysgasai ar fferm ei rieni yn sir Ddinbych bum degawd yn ôl. Bellach ef oedd arweinydd grŵp y Ceidwadwyr, ac fe'u llywiai gyda'r un sicrwydd diymdrech ag yr oedd wedi'i arddangos yn ei yrfaoedd blaenorol.

'Nawr, os cofia i'n iawn, roedd eich merch yn sefyll ei harholiadau TGAU pan welais i chi ddwetha, Jayne, 'yn doedd?' meddai. 'Sut wnaeth hi?'

'Saith A a phump A Seren,' meddai Jayne, yn falch o gael peidio siarad am wleidyddiaeth.

'Bendigedig. Mae'n siŵr eich bod chi wrth eich bodd.'

'Ydw. Ond mae'n rhaid bod yr arholiadau 'ma'n mynd yn haws. Ges i drafferth cael wyth pàs.'

'Ah, Jayne. Dan y Toriaid oedd hwnna. Doedden ni ddim yn credu mewn gwneud pethau'n rhy hawdd, wyddoch chi.'

Gwenodd Jayne. Gorffennodd ei gwaith powdro. Doedd dim llawer o angen y gwaith hwnnw yn achos wyneb Syr Anthony. Pa mor boeth bynnag fyddai'r goleuadau, pa mor ffyrnig bynnag y ddadl, nid oedd byth yn edrych yn unrhyw beth heblaw'n drwsiadus ac yn ddigyffro. Edrychodd ar y cloc. Deg munud ac fe fydden nhw ar yr awyr.

Wedi cinio, gafaelodd Simone yn llaw y milwr a'i arwain ef allan i'r ardd heulog. Gwyliodd Dr a Madame Weil o'r patio wrth i'r dyn ifanc a'r plentyn gerdded law-yn-llaw o dan y coed yn heulwen niwlog yr hwyrddydd.

Y ddwy law yna, meddyliodd Dr Weil: un a arferai ddal gwn a bidog, y llall na arferai ddal dim byd mwy peryglus nag ysgrifbin.

Eisteddai Simone a'r milwr ar fainc yn yr ardd, yn sgwrsio'n ddwys. Rhoddodd Dr Weil ei freichiau o amgylch ei wraig a'i dal yn dynn. Yn y pellter roedd y gynnau mawrion yn daran isel.

Gweithred ddefodol, bron iawn, oedd y cyfweliad. Byddai'r cyflwynydd, Jonathan Rees, yn gwneud darn-i-gamera dechreuol i amlinellu pwnc y drafodaeth, ac wedyn byddai'n cerdded draw i eistedd rhwng y panelwyr. Gofynnai gwestiwn i bob un yn ei dro, a byddai ganddynt ryw funud neu ddau yr un i roi eu hatebion. Digon syml oedd y rhifyddeg: pedwar cwestiwn yn esgor ar bedwar ateb o ryw ddwy funud yr un, a dyna eich rhaglen wedi ei llenwi'n hawdd. Bob hyn a hyn, os oedd yn lwcus, byddai'r panelwyr yn mynd i ddadlau, ac fe geid rhywfaint o ymrafael y tu hwnt i gyfyngiadau'r fformiwla cwestiwn-ac-ateb. Roedd siawns go lew o hynny heno, gyda Sayle a Meinwen ar y panel.

Roedd Sayle wedi ymlacio. Byth ers i garfan wrth-Gymreig ym Mhlaid Lafur Cymru sylweddoli mai tacteg wleidyddol benigamp oedd pardduo'u gwrthwynebwyr o genedlaetholwyr drwy wneud i bob cefnogaeth i'r iaith Gymraeg ymddangos fel petai'n gyfystyr â hiliaeth, roedd y gystadleuaeth wedi troi'n gyflafan. Nid bod pob Llafurwr yn defnyddio'r arfau hynny o bell ffordd. Yn wir, roedd llawer o'r Aelodau Llafur yn llawer rhy bleidiol i'r Gymraeg at ddant Sayle. Ond i'r lleiafrif oedd yn fodlon chwarae'n fudr, roedd bron yn rhy hawdd – roedd yn Gatraeth bellach ar unrhyw ymgyrchydd iaith. Y cyfan oedd ei angen oedd gadael iddyn nhw rwdlan am ychydig gan sôn am gymunedau a diwylliant, ac wedyn gallech eu difa nhw'n llwyr drwy eu galw'n *'fundamentally racist'*. Wedyn, a chithau wedi taflu cyhuddiad gwaetha'r Byd Gorllewinol atynt, gallech eistedd yn ôl a gwylio wrth iddyn nhw faglu dros eu geiriau wrth geisio gwadu'r haeriad. Ac os byth yr edrychent fel pe baent ar fin adfer eu hachos, doedd ond rhaid taflu'r llinell yna bod Saunders Lewis yn wrth-Semitydd ac yn cefnogi Hitler, a dyna chi ar ben eich digon. Pa angen dadlau pan oedd y fuddugoliaeth wrth law mor hawdd bob tro? Roedd y ffaith fod y cenedlaetholwyr yn dod yn ôl dro ar ôl tro i ddadlau'n gyhoeddus ar bwnc yr iaith yn ei atgoffa o ddywediad Dr Johnson, sef bod gobaith yn drech na phrofiad.

Buasai'n anoddach pe buasai unrhyw wleidyddion craff yn eu plith, meddyliodd Sayce, rhai a fyddai'n barod i luchio baw pan oedd yn siwtio, neu a fyddai'n ddigon call ag i hoelio sylw ar y pwnc wrth wraidd y dadleuon ac nid ar y cyhuddiadau arwynebol. Ond roedd pob wan jac ohonyn nhw'n gynnyrch y gydwybod Anghydffurfiol Gymraeg, ac roedden nhw'n boenus o naïf – yn anrhydeddus, yn egwyddorol ac yn ddidwyll mewn dadl. Dibynnent am eu llwyddiant ar yr hyn a welent fel gwirionedd syml eu haeriadau, didwylledd eu hargyhoeddiadau a chyfiawnder eu hachos. Bwa a saeth yn erbyn peirianddrylliau oedd peth felly. Truenus, petaech chi'n caniatáu i chi'ch hun feddwl am y peth. Roedd yn ei atgoffa o'r hyn a ddarllenodd mewn papur newydd unwaith am Fyddin yr Ysbryd Glân yn Uganda. Roedd y gwrthryfelwyr yma wedi iro'u cyrff ag olew cnau yn y gred y byddai hyn yn eu hamddiffyn yn erbyn bwledi ac yn eu galluogi i ymosod, heb arfau, ar eu gormeswyr. Afraid dweud mai byr – er yn fywiog – fu eu gwrthryfel. Neu dyna ichi'r Azteciaid. Ymladd er mwyn cymryd carcharorion wnaethon nhw, ymladd er mwyn lladd wnaeth y *conquistadores*. Doedd yr Azteciaid ddim yn fodlon newid eu tactegau. Dyfalwch pwy enillodd.

Gwyddai Sayle yn iawn nad oedd yr ymgyrchwyr yn hiliol. O ran y bobl a gyhuddwyd ganddo o hiliacth yn ei golofn wythnos ar ôl wythnos, buasai'n well ganddynt farw cyn gadael i syniad hiliol groesi eu meddyliau; gwyddai ef hynny'n iawn. Ond, er eu gonestrwydd, roedd eu nod o warchod yr iaith Gymraeg yn dal Cymru'n ôl, yn llenwi'r mannau trafod cyhoeddus gyda dadleuon ynglŷn â diwylliant oedd yn rhwym o ddiflannu'n hwyr neu'n hwyrach, yn lle gadael i'r wlad ddelio gyda materion go-iawn fel iechyd ac ysgolion. Un pwnc yn unig, sef dyfodol yr iaith, oedd yn eu cymell mewn gwirionedd, a Duw a helpo'r wlad pe bai'r Taliban ieithyddol yma yn dod i rym. Os oedd angen cyhuddiadau o hiliaeth i gael y mater hwn oddi ar yr agenda cyhoeddus, wel boed felly. Beth bynnag, roedd yn gas ganddo eu hunan-gyfiawnder, y rhagdybiaeth – waeth beth a ddywedent i'r gwrthwyneb – mai nhw oedd y gwir Gymry, a bod pobl fel ef yn rhyw fath o fwngrels. Cymro oedd ef, ac ni fyddai'n gadael i'r *woollybacks* yma wneud iddo deimlo fel dinesydd eilradd, a hynny dim ond am na fedrent dderbyn bod dyddiau eu diwylliant wedi eu rhifo. Dyheai am y dydd y câi lorio Meinwen unwaith ac am byth, fel na ddeuai hi yn ôl i ddadlau byth eto. Ryw ddydd. Am y tro, arhosodd am ei gyfle i daro'r ergyd farwol yn y ddadl heno. Meddyliodd Sayle am y gymhariaeth honno gyda'r Taliban. Roedd 'na bosibiliadau yn fan 'na. Wrth lunio'i erthyglau, gallai fod mor ddyfeisgar ag unrhyw ieithgi Cymraeg, a'r un mor fyw i'r siawns o chwarae ar eiriau. Y 'Taffyban,' dyna fe. Gwnâi hwnnw'r tro i'r dim – os nad heno, yna o leiaf yn ei golofn nesaf. Chwarddodd yn fewnol ar ei ddyfeisgarwch ei hun.

Ymarferodd Jonathan Rees ei linc am y tro olaf. Dechreuodd y rheolwr llawr gyfrif. Tri, dau un. Ar yr awyr.

Cyrhaeddodd Simone a'i mam yn eu cerbyd o flaen yr ysbyty milwrol. Dringodd y ddwy i lawr, gan ddadlwytho dau fag mawr o barseli yr un.

Wrth iddynt groesi i glaearwch cyntedd yr ysbyty, daeth yr arogl cyfarwydd i'w cyfarfod. Gwrth-heintydd, rhwymynnau ffres, chwys. Synau cyfarwydd lleisiau'n atseinio, sŵn traed yn brysio, iwnifformau startslyd yn siffrwd, drysau'n clepian yn y coridorau. Aethant i fyny'r grisiau i ward y newydd-ddyfodiaid.

Agorwyd y drws ar fyd o boen. Nid oedd yr un bod dynol yn y gwelyau'n gyflawn. Dynion wedi colli breichiau a choesau, dynion gyda'u pennau mewn rhwymynnau. Cerddodd nyrs heibio gan ddal bowlen o ddillad gwaedlyd. Gwnaeth Madame Weil ymdrech i wisgo golwg o effeithiolrwydd siriol. Mewn gwrthgyferbyniad, aeth Simone yn fwy tawel, yn fwy astud na'i harfer hyd yn oed. Cariodd y fam a'r ferch eu parseli o wely i wely.

Pwrpasol a diffwdan oedd Madame Weil, fel pe bai'r ffaith iddi gwrdd â'r dynion ifainc hyn o dan y ffasiwn amgylchiadau y peth mwyaf naturiol yn y byd. Murmurodd y milwyr clwyfedig eu diolchiadau, y rheiny ohonynt oedd yn gallu siarad. Ni ddywedodd Simone air, dim ond tynnu'r parseli allan o'i bag fesul un i'w mam. Wrth i'w mam oedi i siarad ag un o'r milwyr llai clwyfedig na'r rhelyw, fe edrychodd Simone ar y dyn yn y gwely nesaf. Roedd un llewys ei grys yn wag, a'i law arall yn belen o rwymynnau. Dangosai blaenau tri bys drwy'r defnydd gwyn. Bron yn anfwriadol, fe sylweddolodd Simone fod ei llaw ei hun yn crwydro at y llaw glwyfedig, gan ddymuno cysuro drwy gyffwrdd. Edrychodd y milwr arni drwy ei boen, ysgytiodd ei ben yn dyner a symudodd ei law ymaith.

* * *

'Good evening, and welcome to Wales on Wednesday. *It's been described as the most dangerous game in Wales – that is, the controversy that has broken out over the future of the*

Welsh language. Well, I'm going to risk getting caught in the crossfire tonight as I host a debate between three of the leading protagonists in that discussion.'

Cymro Cymraeg oedd Jonathan Rees, er na fuasai neb wedi tybio hynny o wrando ar ei acen. Yn ei ieuenctid, fe fu hyd yn oed yn aelod o Gymdeithas yr Iaith. Ond byrhoedlog fu ei weithgaredd gwleidyddol. Dwy weithred yn unig a fu yn ei yrfa fel ymgyrchydd: mynychodd un cyfarfod lle na throdd neb arall i fyny, a cheisiodd gymryd rhan mewn protest, ond cyrhaeddodd yn rhy hwyr ac roedd y cyfan wedi gorffen. Ni adnewyddodd ei aelodaeth ar ôl yr un flwyddyn honno. Wedyn, o gael ei dderbyn yn ddeunaw oed i Brifysgol Rhydychen, fe sianelwyd ei egnïon yn barhaol i rigol parchusrwydd. Gyda'r ymgyrchwyr yr oedd ei galon o hyd, er bod ei arddull bywyd, ei gyfrif banc a'i ddillad costus yn ei bellhau'n fwy bob blwyddyn. Serch hynny, oddi mewn i derfynau cadarn yr egwyddor o ddidueddrwydd proffesiynol – egwyddor a reolai ei fywyd fel llw mynach – yr oedd am geisio'i orau glas heno i wneud yn sicr y câi safbwynt Meinwen chwarae teg.

Aeth ymlaen i esbonio i'r gwylwyr fel yr oedd ei westeion y noson honno i gyd wedi cymryd rhan mewn dadleuon ynglŷn â dyfodol cymunedau Cymraeg. Ni fyddai neb yn gwadu, meddai, nad oedd mewnfudo sylweddol, o Loegr yn bennaf, yn digwydd yn yr ardaloedd hynny, a bod pobl leol yn ei chael hi'n anodd i brynu tai. Y cwestiwn oedd, beth, os unrhyw beth, y gellid ei wneud ynglŷn â'r sefyllfa. Aeth i'w sedd, a chyflwyno'r gwesteion fesul un. Wedyn, fe roddwyd ychydig funudau i bob un ddadlau ei achos.

Syr Anthony a siaradodd gyntaf, gan ddweud fel yr oedd yn gwerthfawrogi'r Gymraeg fel rhan o ddiwylliant Prydain, ond ei fod yn amau ai deddf eiddo, fel yr oedd yr ymgyrchwyr yn ei hargymell, oedd yr ateb. Gwella economi'r ardaloedd hynny oedd y ffordd ymlaen, meddai.

Tro Meinwen oedd hi nesaf. Esboniodd fel yr oedd

deddfau eiddo'n gyffredin drwy Ewrop er mwyn gwarchod cymunedau difreintiedig rhag cael eu hecsbloetio gan gymdogion cyfoethocach. Dywedodd sut yr oedd deddf o'r fath yn hanfodol yng Nghymru os nad oedd diwylliant oedd yn ymestyn yn ôl dros ddwy fil o flynyddoedd yn mynd i gael ei ddifa yn enw hawl pobl gyfoethog i ddianc o'r dinasoedd a mwynhau golygfeydd brafiach. Cwestiwn o gyfiawnder naturiol syml ydoedd.

'*Simple natural racism.*' Tro Sayle oedd hi yn awr, a dyma ef yn mynd yn syth am yr ergyd i lorio Meinwen. Casineb at bopeth Saesneg, ymwrthodiad ag amrywiaeth ddiwylliannol, plaid a sefydlwyd gan wrth-Semitydd, yn gul, yn llwythol, yn ffasgaidd ac yn benderfynol o wthio'r Gymraeg i lawr corn gyddfau pawb.

Rhyw gwpl o funudau a gymerodd y cyfan. Y cyhuddiad o hiliaeth oedd *'smart weapon'* newydd gwleidyddiaeth Gymreig. Nid oedd byth yn methu, nid oedd byth yn achosi niwed i neb heblaw'r targed, ac roedd y person a'i taniodd yn cael teimlo'n rhinweddol yn y fargen. Yr arf perffaith. Gadawodd Sayle i Meinwen weld awgrym o'i wên fodlon wrth iddo orffen.

Roedd Meinwen wedi hen ddysgu sut i gadw ei thymer, ac i beidio â chodi i'r abwyd. Ond ei hateb gorau yn yr achosion yma oedd lladmeryddiaeth ddwysach a mwy angerddol fyth. Ymbiliodd am chwarae teg, am warchodaeth i'r difreintiedig.

Edrychodd Sayle arni gyda golwg y gobeithiai oedd yn cyfleu dirmyg yn gymysg â thosturi. '*More help for the privileged, you mean,*' meddai. '*For an elite self-serving clique who want to run Wales for their own benefit and shut everyone else out.*'

Gwyddai nad hyn oedd calon y gwir. Gwyddai'n iawn fod y cymunedau yr oedd Meinwen yn ceisio'u gwarchod ymysg rhai tlotaf Ewrop, heb sôn am Gymru. Gwyddai'r ystadegau i gyd; nid ffŵl mohono. Ond nid oedd am golli ei ddadl chwaith. Ac nid oedd wedi gwneud hynny. Ef yn ddiau oedd wedi cael y gorau o'r ornest.

Roedd y sioe drosodd. Diffoddwyd goleuadau'r stiwdio. Fe ddadglipiodd Sayle ei feicroffôn radio.

'*I enjoyed that*,' chwarddodd.

'*You're just a liar*,' meddai Meinwen. '*Most Welsh-speakers aren't privileged. They're among the most marginalised people in Wales. You're just trying to make them sound like an elite so you can attack them and sound like you're doing everyone a favour.*'

'*I* am *doing them a favour*,' atebodd Sayle. '*I'm saving them from being dictated to by a bunch of single-issue fanatics. A liar? Haven't you ever heard the expression "All's fair in love and politics"? Mind you, I suppose you wouldn't know much about love or politics, would you?*'

Cerddodd i ffwrdd.

Daeth Jonathan Rees draw at Meinwen. Roedd mewn penbleth. Ac yntau'n dyheu am gael dilysiad moesol a gwladgarol gan rywun mor egwyddorol â Meinwen, sut oedd modd ido gyfleu cydymdeimlad ac ar yr un pryd fynegi'r ffaith ei fod yn broffesiynol o ddiduedd? Penderfynodd y byddai'n defnyddio ieithwedd niwtral, gan obeithio y byddai ei edrychiad a goslef ei lais yn cyfleu ei gydymdeimlad diffuant, a hynny heb adael unrhyw ôl fforensig o'i ddaliadau personol.

'Diolch am eich cyfraniad, Meinwen,' meddai, gan geisio llwytho'r ymadrodd stoc gyda mwy o drymder arwyddocâd nag yr oedd byth wedi cael ei gynllunio i'w ddwyn.

Roedd Meinwen wedi defnyddio'i chyflenwad o eiriau am y noson. Ni chododd ei llygaid i gwrdd â rhai Rees wrth iddi roi'r meicroffôn radio yn ôl i'r technegydd a gadael y stiwdio heb air pellach. Cuddiodd Rees ei siom o'i gwylio hi'n mynd.

Aeth Meinwen yn syth i'r ystafell ymolchi gan olchi'r colur oddi ar ei gruddiau fel petai'n faw. Roedd hi'n prisio didwylledd golygon rhywun bron cymaint â didwylledd eu cymhellion. Dim ond gyda gonestrwydd llwyr a llym yr oedd hi'n barod i gwrdd â'r byd. Syllodd ei hwyneb sgleiniog lân yn ôl ati o'r drych.

Llanwyd gardd tŷ'r teulu Weil yn Neufchateau â gweiddi'r plant. Roedd yr hydref wedi cyrraedd, ac roedd Simone ac Andre yn esgus ymladd yn y pentyrrau dail. Edrychodd Simone i fyny gan chwerthin wrth iddi glywed cloch y drws ffrynt yn canu. Brwsiodd y dail oddi ar ei dillad gan gamu ar draws y lawnt ac i fyny'r grisiau at y patio.

Ar ben draw'r cyntedd, gwelodd ei mam a'i thad yn siarad â'r postmon. Roedd ef yn rhoi rhywbeth iddynt. Teligram. Gwelodd ei mam yn edrych ar y darn papur am eiliad, yna'n rhoi ei llaw at ei cheg. Rhoddodd ei gŵr ei fraich amdani. Wrth i'w rhieni gau'r drws a throi, darllenodd Simone y newyddion ar eu hwynebau. Trodd a rhedeg allan i'r ardd.

Cerddodd Dr a Mrs Weil at ffenestri'r patio ac edrych allan. Ar waelod yr ardd, gwelsant y fainc. Eisteddai Simone yno ei hun. Gwelent ei chorff yn ysgwyd wrth iddi feichio crio.

Arhosai Dewi am Meinwen yng nghyntedd y ganolfan ddarlledu. Roedd wedi gwylio'r rhaglen ar y teledu yno. Safodd i fyny wrth iddi gyrraedd, ond ni cheisiodd ei chofleidio na'i chusanu. Gwyddai o hir brofiad nad da ganddi gael ei chyffwrdd, hyd yn oed gan ei chyfaill hynaf ac agosaf, sef ef ei hun.

'Da iawn, Meinwen.' meddai. 'Mi lwyddaist ti i gael y dadleuon drosodd yn wych.'

Nid atebodd Meinwen. Roedd ei hedrychiad yn ddigon i ddweud ei bod hi'n adnabod celwydd, hyd yn oed un caredig. Wedyn, fe dynerodd. Roedd hi'n gwerthfawrogi'r caredigrwydd, o leiaf. Un caredig oedd Dewi bob amser.

'Ty'd 'laen, beth am inni fynd i Glwb Ifor,' meddai yntau. 'Gawn ni dacsi.'

Casâi Meinwen deithio mewn tacsi yng Nghaerdydd. Yn aml, roedd y ffaith syml fod y gyrrwr yn codi rhywun o weithle lle roedd nifer uchel o siaradwyr Cymraeg, neu'n mynd â nhw i gyrchfan Gymraeg, yn ddigon i wneud iddo ddechrau rantio yn erbyn yr iaith. Roedd gormod o lawer o'r gyrwyr fel petaent yn cael eu syniadau'n syth o golofn Sayle. Ac roedd hi wedi cael digon ar Sayle am un noson. Am un bywyd. Ond doedd hi ddim yn teimlo awydd cerdded heno, chwaith. Nodiodd ei chydsyniad.

'OK,' meddai, 'ond elli di jyst fynd â fi i'r fflat, plîs? 'Dwi ddim yn teimlo awydd mynd i Glwb Ifor.'

'Wrth gwrs.'

Doedd Dewi ddim yn gallu gwrthod unrhyw beth i Meinwen. Roedd o wedi'i hadnabod hi ers dyddiau coleg, bron i ugain mlynedd yn ôl. Cyd-ymgyrchwyr fuont ers hynny, wedi priodi, nid â'i gilydd, na chwaith â neb arall, ond â'r achos. Serch hynny, er gwaethaf parodrwydd Dewi i gael ei arestio a mynd i'r carchar, nid oedd ganddo yr un dycnwch â Meinwen i wynebu prawf drwy gamera. Roedd ei pharodrwydd hi i gael ei chroesholi'n ddidrugaredd dro ar ôl tro yn gwneud iddo ei hedmygu hyd yn oed yn fwy. I'r ddau ohonynt, roedd yr achos gwleidyddol wedi hen feddiannu'r gofod yn eu bywydau a lenwir, ym mywydau pobl eraill, gan waith, gyrfa a theulu. Byw o brotest i brotest oedden nhw, gyda phob ymgyrch newydd yn amsugno'r egni yr oedd y rhan fwyaf o bobl yn ei roi i'w gyrfaoedd. Yr iaith fregus, ddiymgeledd, oedd â chymaint o angen swcwr a gofal, oedd eu plentyn dirprwyol. Ond plentyn anabl oedd hi, un a fyddai angen eu gofal am byth.

Am rai blynyddoedd, bu Meinwen a Dewi'n rhannu tŷ gyda thri ymgyrchydd arall yn y bryniau uwchben Porthmadog. Erbyn hyn, serch hynny, roedd Dewi'n rhentu'i fflat ei hun yn y dref. Dywedai fod hynny'n fwy cyfleus. Mewn gwirionedd, roedd wedi symud yno oherwydd iddo gredu mai'r peth gorau oedd i gadw rhywfaint o bellter rhyngddo a Meinwen. Roedd wedi dysgu'r wers boenus nad oedd pwynt closio ati'n ormodol yn emosiynol. Brwydr yr iaith oedd ei blaenoriaeth gyntaf ac olaf. Cyn belled â bod y frwydr yn y cwestiwn, hen ymgyrchwyr oedden nhw. Dedfrydau carchar ac ymddangosiadau llys oedd cerrig milltir eu bywydau; polisïau, ystadegau a phrosiectau oedd eu mân siarad cyffredin.

Yn hyn oll, Meinwen oedd maen prawf Dewi o ran realaeth a gwirionedd. Nid oedd hi byth yn diffygio, byth yn colli'r ffydd, byth yn rhoi'r gorau. Meddyliodd amdani fel yr oedd wedi ei hadnabod yn y coleg. Doedd hi ddim yn edrych ddiwrnod yn hŷn. Weithiau, meddyliodd pe bai Meinwen yn newid, byddai yntau'n colli'i gyfeiriad, fel cwmpawd pe diffoddid grym magnetaidd pegwn y gogledd. Ond roedd diffoddiad felly'n debycach o ddigwydd na bod Meinwen yn debyg o newid. Fel pob cwmpawd, tynfa a grym y gogledd a'i rheolai.

Teithiodd y tacsi i lawr Heol yr Eglwys Gadeiriol. Sylwodd Meinwen ar boster yr ymgyrch iaith ar y wal. 'Os yw'r Gymraeg i fyw, rhaid i bopeth newid!' Dyna osodiad dewr i ryfeddu, neu un naïf ar y diawl, gan ddibynnu ar eich safbwynt. Heno, y naïfrwydd a deimlai Meinwen, nid y dewrder. Beth oedd o'n ei olygu, beth bynnag? Ar un adeg bu'r nod yn syml: disgiau treth Cymraeg, arwyddion ffyrdd, ffurflenni swyddogol, addysg. Anghyfiawnderau syml yn gofyn am dactegau syml. Ac roedden nhw wedi llwyddo; fe gawsent y ffurflenni a'r arwyddion a'r ysgolion, a hynny i raddau a fuasai wedi ymddangos yn anghredadwy dri deg mlynedd ynghynt. Ond yn union fel y dechreuodd y frwydr honno ddwyn ffrwyth, fe ddaeth yn amlwg bod y cadarnleoedd oedd wedi cynhyrchu siaradwyr Cymraeg ers dau fileniwm yn cyrraedd cyflwr o ddirywiad marwol. Nant allfudo'r Cymry ifanc yn troi'n afon lydan; afonig mewnfudo'r Saeson yn troi'n ddilyw. O'r braidd fod yr un tŷ yn y Gymru Gymraeg yn mynd ar y farchnad na werthid ef maes o law i fewnfudwr yn manteisio ar gynnydd y prisiau tai yn Llundain, Birmingham, neu Duw a ŵyr ble arall, ac yn ei heglu hi am awyr lanach a thirwedd harddach Cymru. Mwyafrif oedd y mewnfudwyr mewn sawl ardal, gyda'r ychydig o Gymry oedd yn weddill yn cael eu hystyried gan y newydd-ddyfodiaid – os oedden nhw'n ymwybodol ohonynt o gwbl – fel rhyw hen wladwyr rhyfedd oedd rhywsut yn ddigon di-chwaeth i anharddu'r lle drwy aros o gwmpas. Ni allasai Stalin fod wedi disodli poblogaeth gyfan mewn modd mor drylwyr. Hon oedd y broses gymhathu fwyaf a brofwyd gan unrhyw gymuned leiafrifol yn Ewrop ers yr ail ryfel byd. Ac fe gyflawnwyd y cyfan mewn modd perffaith gyfreithlon, gyda llyfr sieciau, fan Pickfords, a'r fframiau ffenestri pren-caled yr oedd pob mewnfudwr fel petaent yn eu gosod ar eu heiddo'n syth fel arwydd fod perchennog newydd wedi cymryd meddiant. Pe bai'r rhaglen deledu 'na, *Pawb â'i Farn* eisiau recordio yn un o'r ardaloedd yma, bydden nhw'n cael trafferth bellach hel digon o Gymry i wneud cynulleidfa. Efallai dylen nhw newid yr enw i *Pawb â'i Ffrâm.*

Roedd y Mudiad wedi sylweddoli nad oedden nhw bellach yn wynebu targed cyson rhyw sefydliad gwleidyddol gelyniaethus, a hynny mewn cymdeithas oedd fel arall yn sefydlog. Roedd eu diwylliant yn cael ei ddiwreiddio'n llwyr drwy rym cyfalaf symudol a phwerau globaleiddio. Dyna pam y dyfeisiwyd eu harwyddair: 'Rhaid i bopeth newid'. Heno fe swniai hynny'n anobeithiol a phathetig. Roedd popeth *yn* newid, roedd hynny'n sicr. Ond yn newid yn y modd anghywir.

Aethant heibio'r Cayo Arms, a ailenwyd yn ddiweddar, ac yn feiddgar, ar ôl cyn-arweinydd y *Free Wales Army*; aethant heibio i ddeugain o fusnesau eraill a enwyd ar ôl llefydd a phobl nad oedd ganddynt unrhyw gysylltiad â Chymru. Dros Bont Caerdydd, heibio'r fynedfa i Stryd Womanby, lle roedd clybwyr ar eu ffordd i Glwb Ifor Bach, unig glwb nos Cymraeg y brifddinas, ac un a oroesai nawr yn unig drwy gwtogi ei nosweithiau Cymraeg i'r isafswm posib. Heibio goleuadau Stryd y Frenhines, a cherflun Aneurin Bevan. Yr enw Cymreigaidd, y wleidyddiaeth Brydeinllyd. Ac eto, be ddywedodd Bevan unwaith am yr iaith Gymraeg? '*It will not die. We will not let it.*' Roedd Meinwen yn gresynu peidio â dyfynnu hynny i Sayle yn gynharach heno. *Esprit d'escalier* yw peth felly. Neu *esprit de taxi* yn yr achos hwn . . .

Roedd yr ymadrodd Ffrangeg yn ei hatgoffa o Simone Weil, ei harwres. Daethai ar draws gwaith yr athronydd gyntaf oll ar ei chwrs coleg bron i ugain mlynedd yn ôl. Roedd y Ffrances yn ysbrydoliaeth i genedlaetholwyr Cymraeg. Fe'i hedmygodd Meinwen hi'n ddigwestiwn byth ers hynny. Yn ddiweddar, wrth i'r frwydr dros barhad ei diwylliant ddod yn rhan o ymdrech fyd-eang, fe gafodd fod Simone yn golygu mwy a mwy iddi. A fuasai Simone wedi methu â dod o hyd i eiriau yn y ddadl honno? Go brin. Rhaid i bob trefn anghyfiawn gael ei threchu yn y pen draw. Roedd Simone wedi deall hynny. Treuliodd ei bywyd yn gwbl unplyg gan fynnu ceisio newid y drefn. Hi oedd nawddsant pob ymgyrchydd radical di-ildio. Roedd ei hesiampl yn procio Meinwen o hyd i weithio'n galetech, i aberthu mwy. Fe ddoi newid. Fe ddoi. Ond byddai'n rhaid iddo ddod yn gyflym. Fel arall ni fyddai cymunedau Cymraeg ar ôl i'w hachub. Roedd rhaid canfod ffordd newydd ymlaen. Ond pa ffordd fyddai honno? Y tu allan i'r tacsi, nid oedd modd gweld ond un lôn yn arwain i'r nos.

Roedd y ddarlithfa yn yr École Normale Supérieure ym Mharis yn llawn, ac roedd y myfyrwyr, dynion bron i gyd, yn gwrando'n astud. Ychydig iawn o ferched oedd yno, ac, efallai am y rheswm yna, eisteddent hwy gyda'i gilydd: Yvette Bertillon, Simone de Beauvoir, a Simone Weil. A hithau'n bedair ar bymtheg erbyn hyn, roedd gan Simone y cwmwl o wallt tywyll o hyd, ac roedd ei llygaid y tu ôl i'r sbectol crwn yn eiddgar ac yn ymholgar. Ond fe liniarwyd yr argraff o ddwyster bygythiol gan yr hanner-gwên a oedd yn rhan naturiol o'i golwg. Roedd hi'n gwrando'n astud.

'Criw breintiedig iawn ydych chi,' dywedai'r darlithydd. 'Hufen academaidd Ffrainc. Fe'ch tynghedwyd chi i arwain.'

Hwn oedd Emile Chartrier, a adnabuwyd yn well wrth ei lysenw un-gair, 'Alain'. Mewn cenedl a gymerai ei syniadau o ddifrif, roedd yn ddyn enwog, er gwaethaf ei natur encilgar. Yn y Rhyfel Mawr, gwrthododd dderbyn comisiwn fel swyddog, rhywbeth y gallasai fod wedi ei gael yn hawdd, ac fe ymrestrodd fel un o'r milwyr cyffredin, gan rannu eu peryglon a'u caledi. Bellach, yn ddyn canol-oed, ef oedd un o athronwyr amlycaf Ffrainc, un yr oedd ei gefndir yn mynnu parch ac un y maddeuid iddo ei agweddau mwy egsentrig oherwydd hynny. Ei fyfyrwyr ef oedd y gorau yn Ffrainc, ac yr oedd y dosbarth hwn yn 1928 yn arbennig o dalentog.

'Mae gennych chi i gyd ddoniau eithriadol,' dywedodd wrthynt. 'Mae gennych chi i gyd felly gyfrifoldebau eithriadol. Mae gennych chi'r cyfle i ddefnyddio'r doniau hynny, ac i ddefnyddio adnoddau dihafal y Normale, er lles, nid er elw.'

Roedd Simone wedi ymgolli yn ei eiriau. Roedd delfrydyddiaeth yn fwyd a diod iddi hi. Wedi ymgolli hefyd yr oedd gweddill y dosbarth, ac eithrio un dyn ifanc yn y rhes y tu ôl i Simone. Cododd ef ei law yn araf. Roedd ganddo wên sarcastig ar ei wyneb.

Stopiodd Alain. 'Ie, M'sieur . . .?'

'Jean Reynard,' meddai'r dyn ifanc. 'M'sieur Alain, ydy hi'n wir be maen nhw'n ddweud, sef eich bod chi'n casáu'r byd modern – eich bod chi'n gwrthod cael teleffôn, yn gwrthod hedfan mewn awyren, ac yn gwrthod defnyddio teipiadur hyd yn oed?'

Ciledrychodd ar ei gymdogion, gan ddisgwyl cymeradwyaeth am ei hyfdra.

Gwrandawodd Alain yn ofalus. Nid oedd am foddhau'r holwr drwy ddigio.

'Ydw,' atebodd yn ddigyffro. 'Ydw, rwy'n drwgdybio'r byd modern. Rwy'n drwgdybio oes y peiriant. Mae rhai o'r peiriannau hyn yn rhyddhau pobl o galedi. Gwych. Mae eraill yn eu gwneud nhw'n ddi-waith, neu'n eu gwneud nhw'n gaethweision i ryw anghenfil diwydiannol. Ydych chi mor sicr, M'sieur, bod troi unigolion yn dorf yn beth da? Mae mwy i fywyd na gwneud mwy o bethau, gwneud mwy o arian.'

Dyna derfyn y ddadl cyn belled ag yr oedd y myfyrwyr eraill yn y cwestiwn. Edrychent at Reynard, gan ddisgwyl iddo eistedd. Ni wnaeth. Yr oedd yn amlwg yn mwynhau ei hun.

'Nid mater o arian yw hi,' meddai. 'Mater o rym yw hi.'

'Sy'n golygu beth, M'sieur Reynard?'

'Mae *dynoliaeth yn troi'n dorf, o fodd neu anfodd. Ydych chi wedi clywed am Nietzsche?'*

Daeth rhag-gysgod o wên i wefusau Alain.

'Rwy wedi dod ar draws ei waith, M'sieur. Mae'n arbennig o boblogaidd gyda bechgyn clyfar yn eu harddegau.'

Anwybyddodd Reynard yr eironi. 'Ewyllys grym sy'n gyrru'r byd,' meddai. 'Mae'n rhaid inni harneisio'r grymoedd hyn er mwyn gwneud Ffrainc yn gryf eto. Y genedl sy'n rheoli'r dorf fydd yn rheoli Ewrop. Petaen ni'n dilyn eich cyngor chi, fe fydden ni'n gaethweision.'

Trodd Simone arno. 'Gwell caethwas na ffasgydd!'

Y tro hwn, roedd Reynard wedi synnu. Aeth Simone ymlaen: 'Grym. Bri. Wyt ti'n meddwl mai dyna yw mawredd? Dewis aberth, fel M'sieur Alain. Dyna *fawredd.'*

Yn wyneb y fath danbeidrwydd, a hynny mor agos ato, amneidiodd Reynard fel petai i ddweud na fyddai'n ymryson â'r ynfyd. Eisteddodd.

Edrychodd Alain atynt, yn ddifynegiant, ond yn ddwys. Wedyn, aeth y ddarlith yn ei blaen.

*   *   *

Wrth i'r myfyrwyr adael y ddarlithfa, cafodd Simone fod Reynard yn aros amdani yn y coridor. Cyfarchodd hi gyda pholeitrwydd oeraidd.

'Mademoiselle, rwy wedi dysgu gwers heddiw.'

Roedd Simone bob amser yn barod i briodoli cymhellion da, hyd yn oed i'w gwrthwynebwyr. Edrychodd yn ddisgwylgar, fel pe bai ar fin cael ymddiheuriad neu ymwadiad gan Reynard. Ond fe ostyngodd yntau ei lais, gan siarad gyda chasineb pur.

'Chi Iddewon yw melltith y wlad 'ma.'

'Beth wyt ti'n feddwl?!'

'Parasitau barus, diwreiddiau, yn cynllwynio yn erbyn gwledydd Cristnogol. Yn pluo'ch nyth . . .'

'Nawr, 'drycha – dyw 'nheulu i ddim yn gefnog. Wnaethon nhw gynilo i'm hanfon i yma . . .'

'Chi wnaeth bron golli'r rhyfel inni. Cynllwynio gyda'r gelyn er mwyn gwneud pres drwy werthu arfau. Weil? Pa fath o enw yw hwnna? Almaeneg, yntê?'

'Nawr, aros funud. Bu fy nhad yn gwasanaethu . . .'

'Bu fy nhad i FARW,' meddai Reynard. 'A ti'n siarad 'da fi am aberth. Efallai y llwyddi di i daflu llwch i lygaid Alain. Ond bydd dim DEWIS aberth gynnoch chi pan ddown ni i rym. Bydd RHAID ichi ddioddef – dewis ai peidio.'

Teimlai Simone yn archolledig, ond fe orfododd ei hun i edrych yn ddigyffro. Camodd ffigwr cydnerth rhyngddi a Reynard. Charles Letellier, un arall o'i chyd-fyfyrwyr, oedd yno.

'Hei, gan bwyll, Reynard,' meddai. 'Gad inni beidio â chael pogrom eto. Ddim dros golli dadl, beth bynnag. Gad i'r ferch fod.'

Erbyn hyn, roedd y ffrwgwd wedi denu sawl gwyliwr, gan gynnwys Yvette Bertillon. Edrychodd Reynard at Charles, gan asesu ei faint a'i gryfder am eiliad, ond gan sylweddoli'n gyflym nad oedd modd ei fygwth yn gorfforol. Gadawodd, gan roi i Simone un edrychiad olaf, llawn gwenwyn. Gwyliodd Simone a Charles ef yn mynd.

'Au revoir, *y Cristion Ffrengig,' meddai. 'Rho'r Iddew i mi unrhyw ddydd!'*

Trodd at Simone. 'Neu – esgusodwch fi – yr Iddewes, wrth gwrs. Roeddech chi'n ddewr iawn, Mademoiselle. Ga i ofyn – hoffech chi ddod am ddiod gyda mi heno? Gallen ni . . .'

Trodd Simone ato.

'Na,' meddai.

* * *

Fflamau'r tân oedd yr unig olau yn ystafell goleg Simone, a oedd yn llwm hyd yn oed yn ôl safonau myfyrwyr. Bwrdd, cannwyll, dwy gadair. A llyfrau ymhob man.

Eisteddai Simone ac Yvette gan syllu i'r tân. Roedd gwên chwareus ar wyneb Yvette wrth iddi geisio tynnu ei chyfaill i siarad.

'Wel, mae'n rhaid bod gen ti ddigon o edmygwyr os gallet ti wrthod dyn fel Charles Letellier,' meddai.

Edrychodd Simone i fyny, ond nid atebodd.

'Byddwn i wedi dweud "ie" yn syth,' ceisiodd Yvette eto.

Edrychodd Simone ar y fflamau unwaith eto. Siaradodd yn dawel.

''Dyw hi ddim yn ganiataol imi.'

Edrych yn ymholgar arni wnaeth Yvette.

'Dyw e ddim mod i ddim eisiau, Yvette,' aeth Simone ymlaen. 'Dim ond . . . dwi ddim yn teimlo mod i'n gallu gadael i mi fy hun garu neb. O leia, ddim nes mod i wedi gwneud be sy'n rhaid imi 'i wneud.'

'Gwaith dy fywyd, felly?' Roedd tinc o sgeptigiaeth yn llais Yvette.

'Dwn i ddim. Y cyfan wn i yw na fedra i ddim bod yn hapus pan mae 'na gymaint o ddioddefaint yn y byd.'

Gostyngodd ei llygaid, ac aeth ymlaen.

'Pan o'n i'n ferch fach, dywedodd fy mam stori wrtha i am Mari Aur a Mari Côl-tar. Mae'r llysfam yma'n anfon ei llys-ferch i'r goedwig. Mae'n gweld tŷ gyda dau ddrws iddo, un â'r arwydd 'Drws Côl-tar' arno a'r llall â'r arwydd 'Drws Aur'. Mae'n meddwl, "Mae'r drws côl-tar yn ddigon da i fi," ac i mewn â hi. Ac mae'n cael ei gorchuddio gyda chawod o aur. Mae'n mynd adre, ac mae'r llys-fam yn gweld yr aur ac yn anfon ei merch ei hun at y tŷ. Mae hithau'n dewis y drws aur ac yn cael ei gorchuddio gyda chôl-tar.'

Gwenodd Yvette yn anghyfforddus, yn ansicr ai jôc oedd hyn ai peidio.

Edrychodd Simone i fyny ati. 'Wyt ti'n deall?' meddai.

Nid atebodd Yvette. Edrychodd i ble'r oedd y tân yn ysu'r glo, yn ei ddifa'n ddiorffwys gan adael dim ond lludw llwyd.

* * *

Trannoeth, cerddai Simone ar draws y sgwâr at y llyfrgell. Gwyliai grŵp o fyfyrwyr hi'n mynd heibio.

'Dyna hi,' meddai un ohonynt. 'Y Creadur o'r Blaned Mawrth. Ymennydd a llygaid a dim byd arall!'

'Na, nid o'r Blaned Mawrth mae hi,' meddai ei gyfaill, gan daro ystum ffug-dduwiol: 'Archangel yw hi, yn ein barnu ni oll oddi fry!'

'Mae'n annioddefol,' meddai trydydd myfyriwr yn sur.

'Hi yw'r gorchymyn diamod mewn sgert!'

Chwarddodd y pedwar. Aeth Simone, yn anymwybodol o'r cyfan, heibio iddynt, gan basio i gysegrfan y llyfrgell. Roedd arholiad drannoeth, ac roedd hi am adolygu. Yn y cyntedd, bu bron iddi daro i mewn i Alain.

'Bore da, Mademoiselle Weil.'

'O, bore da, M'sieur. Ar fy ffordd i wneud ychydig o waith at yfory ydw i.'

'Byddi di'n iawn yfory, Simone,' meddai. Amneidiodd arni i gyd-gerdded ag ef. 'A thra'n bod ni'n siarad, rwy eisiau dweud rhywbeth wrthot ti.'

Cerddasant i lawr y cyntedd.

'Os gwnei di'n dda yn dy arholiad – ac mi wnei di – rhaid iti gofio'r cyfrifoldebau a ddaw o fod yn academydd proffesiynol . . .'

'Na,' meddai Simone.

Stopiodd Alain. Edrychodd arni. Creadures od ar y naw oedd hi.

'Dwi ddim eisiau cysur,' meddai.

'Nid cysur yw e,' meddai ef, gan geisio teimlo'i ffordd i ddrysfa cymhellion ei ddisgybl. 'Mae'n egnïol. Mae bywyd y meddwl yn gofyn llawer gan rywun.'

Meddyliodd am ychydig, gan geisio fframio ei ddadl mewn dull y tybiai y byddai ei chydwybod yn debycach o'i dderbyn. 'Ac os na wnei di hyn er dy fwyn di dy hun, gwna fe dros eraill.'

Cerddodd y ddau i lawr y neuadd hyd at y fan lle dechreuai'r silffoedd llyfrau. Gostyngodd Alain ei lais wrth iddyn nhw ddynesu at yr ardal astudio.

'Meddylia am y rhai y gelli di eu helpu,' meddai Alain. 'Meddylia am y daioni y galli di wneud. Mae gen ti feddwl cryf neilltuol, ac mi lwyddi di'n wych os nad ei di i lawr llwybrau diarffordd.'

Edrychodd Simone yn feddylgar, ond nid atebodd. Roeddynt wedi stopio ger un o'r silffoedd. Wrth i Alain siarad, tynnodd Simone un o'r cyfrolau i lawr a'i hagor. Buchedd Sant Ioan y Groes oedd hi. Dechreuodd ddarllen, ac fe ymgollodd ynddi'n syth gan anghofio'n llwyr, yn ôl ei golwg, am Alain wrth ei hochr. Edrychodd yntau arni. Stopiodd siarad. Oedd, roedd e'n iawn, roedd hi wedi anghofio am ei fodolaeth. Gwenodd iddo'i hun, a cherdded i ffwrdd, gan ei gadael hi i'w hastudiaethau hunan-gyfeiriedig.

Wrth iddo gyrraedd y cyntedd daeth Célestin Bougle, Pennaeth y Normale, i'w gyfarfod. Fel bob amser, roedd fel petai ar frys.

'Ah, Alain!,' meddai Bougle. 'Rwy'n gweld dy fod wedi cael gwrandawiad gyda'r Forwyn Goch.' Amneidiodd i gyfeiriad Simone, oedd yn dal i bwyso yn erbyn y silff, wedi ymgolli ym muchedd y cyfrinydd o Sbaen. 'Gobeithio nad oedd hi'n rhy galed arnat ti?'

Gwenodd Alain: 'O, nid fel 'na mae hi. Rwy'n gwybod ei bod hi'n rhyfedd, ond mae ganddi feddwl cwbl anghyffredin. Doniau hollol wreiddiol. Ond does ganddi'r syniad lleia beth i'w wneud â nhw.'

'Lenin benywaidd, efallai, ti'n meddwl? Neu'r ferch gyntaf i fod yn brif weinidog?!'

Meddyliodd Alain: 'Dwn i ddim. Siŵr gen i y byddai gan Reynard a'i ffasgwyr rywbeth i'w ddweud am hynny. Ond fe wranta i: os byth bydd y ferch 'na'n dod o hyd i'w galwedigaeth, fe allith hi wneud rhywbeth rhyfeddol. Beth, dwn i ddim. A dyw hi ei hun yn sicr ddim yn gwybod.'

Edrychodd y ddau draw at ffigwr tywyll Simone. Roedd hi'n dal i ddarllen.

Treuliodd Dewi a Meinwen y noson yn nhŷ cyfaill yng Nghaerdydd. Drannoeth, gan nad adawai eu bws am y gogledd tan y prynhawn, fe benderfynodd y ddau ohonyn nhw fynd i lawr i adeilad y Cynulliad Cenedlaethol ym Mae Caerdydd. Roedd Pwyllgor Ieithoedd Cymru yn cynnal sesiwn tystiolaeth yno, yn casglu deunydd ar gyfer ei adroddiad arfaethedig, a theimlai Meinwen a Dewi y dylent gefnogi un o hoelion wyth y mudiad iaith, yr Athro Andreas Mallwyd Price, a oedd yn rhoi tystiolaeth y bore hwnnw. Hwyrach y buasai pobl eraill wedi meddwl am dreulio bore rhydd yn siopa, neu'n gwylio'r teledu; ond fe gafodd Dewi a Meinwen eu tynnu gan fagnedau arfer a dyletswydd at ganolbwynt llywodraeth Cymru, ac at yr ystafelloedd pwyllgor a'u waliau wedi'u gorchuddio â phren bedwen ffug.

Roedd y cyfarfod wedi dechrau ers cryn hanner awr erbyn iddyn nhw gyrraedd. Sleifiodd y ddau i fewn yn dawel. Roedd digon o seddi gweigion yn yr adran gyhoeddus. Edrychodd Meinwen a Dewi o'u cwmpas. Roedd rhai ymgyrchwyr iaith adnabyddus yn y rhengoedd blaen, ambell i newyddiadurwr yn seddi'r wasg, a'r ddau gyfieithydd yn murmur tu ôl i wydr pŵl yn eu blwch tanc-pysgod bach a ynyswyd rhag y sŵn. A'r gwleidyddion, wrth gwrs; swyddwyr a swyddwragedd y blaid fwyafrifol oedd y rhan fwyaf ohonynt, yn naturiol, gydag ambell i aelod o'r gwrthbleidiau yno er mwyn cynnal yr argraff o degwch gwleidyddol. Edrychai pob un fel petaent wedi diflasu; diflasu mewn ffordd na allwch ddiflasu oni bai ichi dreulio'r deufis diwethaf mewn proses barhaus o wrando ar dystiolaeth am ddyfodol yr iaith. Ni ddisgwyliai neb i'r pwyllgor gynhyrchu unrhyw beth sylweddol. Roedd hyd yn oed ei enw'n bradychu ei syrthni cynhenid. 'Pwyllgor yr Iaith Gymraeg' oedd ei enw'n wreiddiol, ond ar ôl protest groch gan rai aelodau a farnodd nad oedd yr enw hwnnw'n ddigon 'cynhwysol' ac y byddai'n debyg o beri 'rhaniadau', fe gafodd ei ailenwi. Bellach, 'Pwyllgor Ieithoedd Cymru' ydoedd. Rhoi'r Gymraeg yn ei lle oedd bwriad y defnydd o'r lluosog. A fynnwch chi gael amrywiaeth ddiwylliannol? Fe'i cewch. Ac fe allwch chi frwydro yn erbyn y Saesneg, Wrdw, Pwnjabi, Esperanto a'r Iaith Arwydd Brydeinig hefyd. 'Diogelwch mewn niferoedd' oedd arwyddair trefnwyr y pwyllgor yn hyn o beth. Bu ond y dim iddynt gynnwys Morse Côd a *Cockney Rhyming Slang* yn rhychwant y pwyllgor hefyd.

Roedd yr Athro Andreas Mallwyd Price wrthi'n rhoi ei dystiolaeth. Er ei fod yn fychan o gorff, yr oedd serch hynny'n gawr ym myd llenyddiaeth Gymraeg. I'r Cymry

Cymraeg, roedd yr enw syml 'Mallwyd' yn golygu didwylledd mor ddwfn ag ogofâu llechi Llechwedd, penderfyniad mor gadarn â Phenmaen-mawr, ac ysgolheictod mor gyfoethog ag archifau'r Llyfrgell Genedlaethol lle bu ef yn teyrnasu ers degawdau fel dyfarnwr ar faterion beirniadol, fel esiampl o onestrwydd gwladgarol, ac fel ffatri un-dyn yn cynhyrchu llyfrau ac erthyglau di-ri. Ac yntau wedi cael ei garcharu ddwywaith am brotestiadau iaith, ni wnaeth y profiad ddim ond dyfnhau ei heddychiaeth Gristnogol. Yn ddramodydd, yn nofelydd ac yn feirniad llenyddol, roedd yn feistr ar sawl crefft. Yn y pen hwnnw roedd mwy o wybodaeth am y diwylliant Cymraeg nag oedd ym mhennau pawb arall yn yr ystafell gyda'i gilydd. Ond, yn anffodus, o ystyried yr achos a hyrwyddai ef heddiw, nid oedd yr un o'r Aelodau Cynulliad, ac eithrio'r unig genedlaetholwr, erioed wedi clywed am Mallwyd na'i yrfa. Iddyn nhw, dim ond un athro ysgol llwydaidd arall gyda gwellt yn ei wallt oedd ef.

Dyn gweddïgar oedd Mallwyd; fe dreuliai oriau bob dydd yn cymuno gyda'i Arglwydd. Serch hynny, beth bynnag a fu rhwng yr Arglwydd a Mallwyd, mae'n debyg nad oedd ffasiwn yn destun trafod. Nid oedd allanolion fel gwisgo'n drwsiadus yn golygu dim iddo. Ond beth bynnag fo lles y cyflwr hwnnw i'w enaid, afles ydoedd yn y cwmni presennol, cwmni y gallai 'gweddw dawn heb ei diwyg' fod yn arwyddair iddynt.

Gwrandawodd y cadeirydd, Gloria Milde, gyda hanner, neu efallai chwarter, clust i'r cyflwyniad wrth iddo ddod dros y clustffonau cyfieithu. Y pwyllgor hwn oedd y tro cyntaf iddi gadeirio unrhyw beth erioed, ac roedd hi'n ei gael yn syndod o hawdd. Ei hunig dechneg oedd gadael i bawb siarad faint fynnen nhw ac wedyn i ddiolch iddyn nhw ar y diwedd, a gwahodd y siaradwr nesaf. Roedd yn difyrru'r amser ac yr oedd meithder cofnodion a thrafodion y pwyllgor ynddynt eu hunain yn gwneud iddo edrych yn bwysig. Serch hynny, roedd y clercod, a oedd yn gorfod recordio pob cyfraniad, a'r cyfieithwyr, a oedd yn gorfod troi pob gair o Gymraeg yn Saesneg, yn ystyried y broses gyda thipyn llai o hunan-fodlonrwydd. Nid oedd Ms Milde yn ymwybodol o hyn, ond ni fuasai wedi poeni rhyw lawer beth bynnag. Dyna oedd eu job nhw, wedi'r cyfan. Gwrandawai ar araith y dyn od o'i blaen.

Roedd y tyst yn siarad am gyfnod yr Oleuedigaeth yng Nghymru yn y ddeunawfed ganrif. Sibrydwyd y gair 'Enlightenment' i'r clustffonau cyfieithu. 'A yw Bwdaeth mor hen â hynny?' gofynnodd Ms Milde iddi'i hun. I Mallwyd, roedd tarddiadau hanes Cymru ar goll yn y cyfnod pan ddechreuodd y cofnodion ysgrifenedig cyntaf, tua chyfnod y Rhufeiniaid. I Ms Milde, dechrau yn 1999 wnaeth hanes Cymru. Dyna oedd y flwyddyn pan, ar anogaeth hen gyfaill a oedd bellach yn ffigwr dylanwadol yng ngwleidyddiaeth Cymru, y daethai hi dros Glawdd Offa ar ôl cael cynnig sedd ddiogel. Roedd y cynnig wedi profi'n un da.

Hawdd i'w ryfeddu, mewn gwirionedd, meddyliodd Ms Milde. Pan gynigwyd cadeiryddiaeth 'Pwyllgor Ieithoedd Cymru' iddi, roedd hi wedi cytuno'n wreiddiol dan yr argraff mai delio gyda Ffrangeg ac Almaeneg mewn ysgolion y byddai, ac efallai Lladin hefyd. Unwaith iddi ddechrau, wrth gwrs, fe gafodd fod y cwestiwn dipyn yn fwy cymhleth na hynny. Ond roedd yn eithaf diddorol weithiau. Roedd rhai o'r cyfranwyr yn amlwg yn teimlo'n gryf am y peth. Y tyst presennol am un. Roedd wedi cyrraedd y bedwaredd ganrif ar bymtheg erbyn hyn, a rhyw '*Welsh Knot*' neu '*Welsh Snot*' neu rywbeth. A rhywbeth am ryw '*blue books*'. Pornograffi Cymraeg, meddyliodd hithau. Rhyfedd. Ond, erbyn meddwl, roedd y dyn bach yn edrych fel y teip oedd yn ymddiddori yn y math yna o beth.

Roedd rhai llythyrwyr i'r *Western Mail* wedi awgrymu nad oedd Gloria Milde yn gwybod dim am y Gymraeg, ac nad oedd ganddi unrhyw bolisi ei hun ar y mater. Nid oedd hi wedi trafferthu ymateb. Pe bai'r llythyrau wedi bod yn y *Guardian*, efallai y buasai'n wahanol, ond doedd neb o bwys yn trafferthu gyda'r *Western Mail*. Roedd y beirniaid yn anghywir beth bynnag; tra bod yr holl stwff yma am '*blue books*' a '*snot*' yn mynd ymlaen, roedd hi wedi gweithio allan bolisi a fyddai mewn gwirionedd yn bellgyrhaeddol ac yn ddylanwadol. Roedd hi wedi dod i'r casgliad, os oedd yna Fwrdd yr Iaith Gymraeg, yna fe ddylai fod yna Fwrdd yr Iaith Saesneg hefyd, er mwyn gwneud yn sicr na châi'r Saesneg ei hanfanteisio na'i gormesu. Dim ond tegwch cyffredin oedd peth felly. Ni fyddai'n costio mwy o arian ychwaith, gan mai ei chynllun oedd rhannu'n gyfartal rhwng y ddwy iaith yr arian a werid ar hyn o bryd ar Fwrdd yr Iaith Gymraeg. Ac oherwydd bod y Saesneg yn iaith ryngwladol, byddai angen iddi hi, fel cadeirydd y pwyllgor, fynd ar deithiau tramor i asesu cyflwr yr iaith Saesneg mewn gwahanol leoedd. Byddai Efrog Newydd yn neis, er enghraifft. Ac Awstralia. Roedd hi bob amser wedi bod eisiau mynd yno. Byddai'r amseru yn gweithio allan yn dda hefyd. Byddai'r pwyllgor yn rhedeg ymlaen am ryw dri mis eto. Fe fyddai hi'n gwneud ei hargymhelliad, a chydag ychydig o lwc fe ddeuai Bwrdd yr Iaith Saesneg i fodolaeth y gwanwyn canlynol. Roedd hynny'n golygu y gallai'r teithiau tramor ddechrau'n gyfleus gyda gwyliau'r haf.

Roedd Mallwyd wedi cyrraedd yr ugeinfed ganrif erbyn hyn, ac yn ymroi gorff ac enaid i'r cyflwyniad. Wedi blynyddoedd o lafur tawel a diflino, roedd o'r diwedd yn cael cyfle i gyflwyno prosiect y bu'n ei goleddu ers tro byd. Ac yntau'n poeni bod meistrolaeth pobl ar yr iaith Gymraeg yn dirywio o genhedlaeth i genhedlaeth a bod yr hen ddulliau o drosglwyddo meistrolaeth – y cartref a'r capel – bellach yn diffygio, roedd wedi creu cynllun syml ond effeithiol er mwyn cadw'r lefel uchaf posib o sgiliau iaith yn y gymuned ieithyddol. Y syniad oedd i adnabod myfyrwyr ysgol uwchradd oedd â thalent ieithyddol ganddynt, a rhoi iddyn nhw sesiynau addysg arbennig gan athrawon yn y maes. Caent hefyd diwtoriaid arbennig, ysgolion penwythnos a'r gwarant o swydd prifysgol pe cadwent ymlaen gyda maes llafur ieithyddol a fyddai'n heriol ond yn gyraeddadwy. Y rhain fyddai dyfarnwyr a chynheiliaid safonau'r iaith yn y dyfodol. Byddai'r cynllun hwn yn cyflawni, mewn modd syml, cynaladwy a rhad, yr hyn nad oedd modd i'r traddodiad cymdeithasol ei gyflawni mwyach. Ac fe gâi'r cyfan ei gymeradwyo i'r myfyrwyr drwy gymorth taliadau cymell a wnâi'r rhaglen yn fanteisiol iddynt yn ariannol. Doedd dim modd i'r cynllun fethu. Gallai hyd yn oed plentyn weld ei ragoriaethau.

Roedd Mallwyd wedi paratoi ei gyfeiriadau at fawrion llenyddiaeth Gymraeg ac at gewri'r byd addysg yn boenus o ofalus, ac yn berffaith eu pwyslais. Aeth rhestr ei enwogion ymlaen: O.M. Edwards, Waldo Williams, D.J Williams, Gwynfor Evans . . .

Fe fyddai cystal iddo fod yn dyfynnu enwau tîm pêl droed Albania. Heblaw am yr unig genedlaetholwr, ni ddeallodd gweddill y pwyllgor yr un o'r cyfeiriadau.

Roedd Mallwyd, gan gamgymryd eu syrthni am berlewyg, yn tybio bod ei gynulleidfa wedi eu cyfareddu gyda'i ddadl. Paratôdd ar gyfer ei berorasiwn. I gefnogi ei gais, soniasai am bron pob ffigwr o bwys ym myd llenyddiaeth ac ieithyddiaeth gymdeithasol y ddwy ganrif ddiwethaf. Dyna fraenaru'r tir, a gweld y cnwd yn tyfu, felly. Nawr am y cynhaeaf.

'Y mae gennym dynged o fewn ein cyrraedd y dwthwn hwn,' meddai. 'Lle ni byddo gweledigaeth, methu a wna y bobl.' Nid dyfais rethregol oedd y defnydd o'r person cyntaf lluosog. Credai Mallwyd fod pawb yn rhannu ei farn ac, ar y gwaethaf, nad oedd ond rhaid deffro'u cydsyniad cudd i'r gwerthoedd y tybiai ef oedd yn gyffredin iddynt oll. Ac nid tric areithio oedd y tinc Beiblaidd yn ei lais ychwaith. Roedd Mallwyd yn anadlu awyr Beibl William Morgan. Fe hydreiddiai ei iaith, fel camffor mewn wardrob, gan warchod a chan ychwanegu arogl hirhoedlog. Edrychodd y panelwyr i lawr at eu desgiau. Roedd ambell i law yn sgriblo lluniau bychain ar ochr eu papur nodiadau. Roedd meddyliau'n crwydro. Ond fe gadwodd yr wynebau eu golwg 'Gweithdy ar Sgiliau Gwrando' proffesiynol.

'Gyfeillion, gallwn ddwyn y maen hwn i'r wal. Y mae gennym yn ein dwylo y grym i greu . . .' Oedodd er mwyn cynyddu'r tyndra. '. . . Urdd y Brethyn Cartref!'

Arhosodd Mallwyd am eiliad, gan adael digon o amser iddyn nhw werthfawrogi ei ymadrodd strôclyd, ei *mot juste*, y teitl a godwyd yn syth o wead y traddodiad gwerin. Gwyddai ei fod wedi argyhoeddi ei gynulleidfa drwy'r ffordd yr edrychent i gyd i fyny fel un.

'*The . . . what*?' gofynnodd Ms Milde.

'Urdd y Brethyn Cartref,' ailadroddodd Mallwyd, gan ychwanegu, am fwy o effaith, gyda'i ynganiad cymreigaidd yn rhygnu wrth dreulio'r geiriau Saesneg: '*The Guild of Home Spun Cloth*'. Arhosodd am y murmur tawel o edmygedd o du'r oriel gyhoeddus. Gallai glywed murmur yn sicr. Ond pe bai wedi gallu deall y geiriau, fe fyddai wedi gwybod mai Dewi a Meinwen oedd yno, wrth iddyn nhw riddfan yn dawel 'O mai God'.

Roedd meddwl y cadeirydd, er nad yn chwyrlïo – ni wnâi Gloria Milde fyth unrhyw beth mor egnïol â hynny, hyd yn oed gyda'i meddwl – yn sicr yn siglo'n dawel. Pwyllgor Ieithoedd Cymru oedd hwn, onidê? A oedd hi wedi syrthio i gysgu, a deffro yn y Pwyllgor Crefftau Gwledig drwy ddamwain?

'*The Guild of Home Spun Cloth . . .*' ailadroddodd Ms Milde, oedd yn gyndyn i gydnabod na wyddai'r peth cyntaf am beth roedd y tyst hwn yn sôn. Edrychodd ar Mallwyd mewn apêl am eglurhad.

Meddyliodd Mallwyd mai ailadrodd y geiriau gydag awch a gwerthfawrogiad yr oedd hi, a'r cyfan a wnaeth ef felly oedd nodio.

Wedi saib, gofynnodd un o'r panelwyr eraill yn betrus: '*Why . . . "The Guild of Home Spun Cloth," Professor Price*?'

Gwelodd Mallwyd fod angen ychydig o sicrhad arnynt. Ond sosialwyr oedd y rhain. Plant y werin datws, a fagwyd yn ddiau ar aelwydydd cynnes cymunedau glofaol y de. Fe fyddai'r darn nesaf yma wrth fodd eu calonnau.

'I'w hatgoffa am eu gwreiddiau,' esboniodd. 'Os yw'r bobl ifainc yma i fod ar flaen y gad wrth sicrhau achubiaeth Cymru, ni fynnwn er dim iddynt anghofio'r ffermydd ffyddlon, y tyddynnod tlawd a'r pentrefi pur lle y'u magwyd hwy, na chwaith y cenedlaethau diwyd a drosglwyddodd gyfoeth amhrisiadwy ein hiaith iddynt. Ceidw yr enw hwn ein pobl ifainc yn wylaidd, yn ostyngedig, yn agos at y diwylliant a seilir ar ddysgeidiaeth Saer Nasareth. Fe ddaw â nhw yn ôl at eu coed.'

Wrth i'r geiriau '*back to their trees*' ddod dros y clustffonau, dechreuodd y cadeirydd deimlo'n fwy anesmwyth byth. Un funud roedd hi mewn pwyllgor ieithoedd, y peth nesaf roedd hi mewn dosbarth crefftau gwledig, ac yn awr roedd hi mewn Ysgol Sul. Yn sydyn, doedd y dyn ddim yn ddoniol dim rhagor. Nawr roedd o'n dechrau codi ofn arni. Roedd yn hen bryd iddo fynd yn ôl at ba bynnag ogof yr oedd wedi dianc ohoni. Neu yn ôl at ei goedwig neu beth bynnag oedd ei ddymuniad rhyfedd. Efallai ei fod yn rhyw fath o *survivalist.* Edrychodd dros ei sbectol ar y ffigwr eiddil.

'Mr Price, we thank you for your valuable and . . . er . . . original contribution,' meddai. *'I'm afraid it's now time for lunch. We'll resume afterwards with evidence from the Black Women's Empowerment Initiative.'*

Eisteddai Madame Weil a Simone wrth fwrdd cegin eu tŷ ym Mharis yn yfed coffi ac yn darllen y papurau newydd pan glywsant glep y blwch llythyrau. Llowciodd Simone weddillion ei chwpanaid a rhedeg am y drws. Roedd Madame Weil wrthi'n codi oddi wrth y bwrdd pan glywodd ei merch yn galw o'r cyntedd.

'Fy nghanlyniadau!'

Arhosodd Madame Weil wrth i Simone ddod i lawr y cyntedd, gan ddarllen y llythyr iddi'i hun wrth ddod.

'Wel?' meddai Madame Weil.

'Trydydd,' meddai Simone yn ddifynegiant, ei llygaid ar y llawr.

Wedyn edrychodd i fyny gan chwerthin: 'Trydydd . . . drwy Ffrainc gyfan!'

'Felly. Trydydd.' Roedd golwg feddylgar ar wyneb Madame Weil.

Diflannodd gwên Simone.

'Be sy'n rhaid imi'i wneud?' gwaeddodd, gan chwifio'r papur. 'Be fasa'n ddigon da iti, Mam?'

'Simone, mae'n ddrwg gen i. Doeddwn i ddim yn meddwl . . .'

Llanwodd llais Simone gyda chwerwder. 'Mae'n ddrwg gen i nad bachgen ydw i, Mam. Mae'n ddrwg gen i nad ydw i'n athrylith fel André. Mae'n ddrwg gen i nad ydw i'n brydferth. Nac yn dda. Mae'n ddrwg gen i . . . Trydydd drwy Ffrainc gyfan oedd y gorau fedrwn i ei wneud . . .'

Sgrwtiodd y papur yn ei llaw a'i daflu i ffwrdd. Dynesodd Madame Weil ati a'i chofleidio.

'Simone, Simone. Mae'n ddrwg gen i. Fy mai i oedd o. 'Mond mod i bob amser yn disgwyl iti wneud mor dda, fy ngeneth annwyl. Ti'n gwybod mod i'n dy garu.'

Parhaodd Simone i wylo, ond yn dawel. Cadwodd ei mam ei breichiau amdani.

Yn ardal ymgynnull y Cynulliad yn syth wedi i'r sesiwn bwyllgor ddod i ben, fe ymgasglodd yr ymgyrchwyr fel rhagfur o amgylch Mallwyd, wrth i weddill aelodau'r pwyllgor a'r swyddogion gerdded heibio ar eu ffordd i'r cantîn. Yn reddfol, fe deimlodd yr ymgyrchwyr y dylent warchod Mallwyd rhag y golygon chwilfrydig a'r cilwenau yr oedd ef yn eu denu gan rai o'r aelodau a fu'n bresennol yn y sesiwn. Llanwyd calon Meinwen â dicter yn erbyn y giwed ddiwreiddiau oedd wedi bychanu dyn roedd ei gyfraniad i Gymru'n fwy nag eiddo pawb arall yn yr adeilad 'na gyda'i gilydd. Cafodd Meinwen gipdrem ar y llenor wrth iddo drefnu ei bapurau a'u stwffio'n ôl i'w hen gês treuliedig. Ysgrifennai ei holl waith â llaw, gan ei fod yn credu bod cyfrifiaduron yn arwydd o fecaneiddio anghymreig.

Roedd Meinwen wedi astudio dan Mallwyd yn Aberystwyth cyn iddo gael y swydd yn y Llyfrgell. Bu ef yn ysbrydoliaeth iddi, fel y buasai i genedlaethau o fyfyrwyr. Ef a'i cyflwynodd i waith Simone Weil. Cafodd Meinwen radd ddosbarth cyntaf yn y Gymraeg, a bu ei thiwtoriaid, a Mallwyd yn arbennig, yn ei hannog i fynd ymlaen i gael gradd Meistr, ac wedyn PhD. Hi oedd un o'r myfyrwyr disgleiriaf iddynt eu dysgu erioed, medden nhw. Ond yr achos oedd popeth iddi hi, ac ar hynny y mynnodd hi roi ei bryd. Gwrthododd yrfa brifysgol. I'w rhieni, er eu bod yn cefnogi ei gweithgaredd dros yr iaith o lwyrfryd calon, roedd ei phenderfyniad serch hynny yn ergyd drom. Cymerodd amser maith iddyn nhw ddod i delerau â'r ffaith bod eu merch yn byw am yr achos, nid am yrfa, cartref a phlant.

Rai dyddiau'n ddiweddarach, yn ystafell wisgo siop ddillad ffasiynol Madame Herbeaux, roedd Madame Weil yn twtio gwallt Simone o flaen y drych.

'Galwodd e eto neithiwr,' meddai Madame Weil.

'Pwy?'

'Ti'n gwybod yn iawn pwy – Charles Letellier. Gofynnodd a fyddet ti yn y derbyniad graddio.'

'Mae'n gwybod y bydda i.' Trodd Simone o amgylch. 'Mam. Oes rhaid imi wisgo'n grand? Mae'n teimlo mor ffug. Dwi ddim yn teimlo fel fi fy hun. 'Dyw hi ddim yn iawn.'

Trodd Madame Weil ei merch i wynebu'r drych unwaith eto, a pharhaodd i dacluso'i gwallt.

'Simone, mae'n rhaid inni dderbyn y safle y mae bywyd wedi'i roi inni. Os wyt ti am fwynhau addysg y Normale – gei di wisgo dillad y Normale. Elli di ddim cael y manteision a'r rhyddid hefyd. Nid hyfdra yw cydymffurfio. Hyfdra fyddai peidio â chydymffurfio. Nawr, gad imi edrych arnat ti.'

Safodd Simone. Fel rheol, fe wisgai hen glogyn du dros siaced a sgert hir ddu. Yn awr, yn yr ŵn wen orau o siop Madame Herbeaux, fe'i trawsffurfiwyd. Ni fedrai guddio gwên fach wrth edrych arni hi'i hun yn y drych.

* * *

Y noson honno, yn y derbyniad yn neuadd fawr yr Ecole Normale, roedd Dr a Madame Weil yn siarad gyda rhieni rhai o'r myfyrwyr eraill pan ddaeth Charles Letellier draw atynt.

'Esgusodwch fi, ydy Simone yma?'

'Fe ddyle hi fod yma unrhyw funud,' atebodd Madame Weil. 'Eisiau ychydig mwy o amser i baratoi oedd hi. Daethon ni mewn tacsi. Mae ein gwas ni'n dod â Simone yn y cerbyd. Mae'n ddrwg gen i ei bod hi'n hwyr. Ond,' gwenodd ar Charles, 'mae hi'n gwneud ymdrech arbennig ar gyfer heno.'

Fel y siaradai, fe glywid y cyhoeddiad o'r cyntedd: 'Mademoiselle Simone Weil.' Trodd Dr a Madame Weil a Charles i edrych i'r cyfeiriad hwnnw. Ni fedrent weld Simone, ond clywsant furmur o sylwadau – ac o chwerthin.

Ymrannodd y dorf – y dynion mewn gwisg ffurfiol a'r

merched mewn ffrogiau hirion – wrth i Simone nesáu. Aeth y murmur ymlaen. Erbyn hyn, gallai Charles a rhieni Simone ei gweld hi yn iawn. Gwisgai siaced dyn, yn dywyll a di-siâp, a thrywsus. O weld y sioc ar wynebau Dr a Madame Weil, meddyliodd Charles y byddai'n arbed mwy o embaras iddyn nhw, a gadawodd eu cwmni.

Daeth Simone i fyny at ei rhieni, gan wenu'n ddidwyll. Erbyn hyn roedd cylch yn y dorf o'u hamgylch; edrychai rhai o'r gwesteion fel petaent wedi llyncu mul, eraill fel petaent yn mwynhau digrifwch y sefyllfa ac eraill fel petaent yn gwneud sylwadau oedd, yn ôl yr olwg ar eu hwynebau, yn rhai angharedig. Yr oedd Simone, o'i rhan hithau, fel petai'n anymwybodol o'r cyffro a grewyd ganddi; cyfarchodd ei rhieni'n gariadus. Roedd Madame Weil, er ei bod hi'n marw o gywilydd ar y tu fewn, wedi meistroli ei braw gwreiddiol, ac yn benderfynol o beidio â chael ei hiselhau yn y cwmni hwn. Cusanodd Simone yn wresog, gan siarad yn ddigon uchel i'r gwesteion cyfagos ei chlywed.

'Ie, cariad, roeddet ti'n iawn am y ffrog. Mae mor ddiflas i gydymffurfio, yn' tydy?'

Camodd Dr Weil at ei ferch, gan gymryd ei dwylo yn ei ddwylo ef. Edrychodd i'w llygaid, fel pe bai'n dymuno gwerthfawrogi ei harddwch i'r eithaf.

'Simone,' meddai. Wedyn, gan edrych i lawr at ei dillad, ac yn ôl at ei hwyneb, meddai'n dawelach, gyda gwên fach: 'Neu ddylwn i ddweud, "Simon"?'

Gwenodd Simone yn ôl yn ddiniwed. Trodd at ei mam.

'Welais i Charles gyda chi?' gofynnodd.

'Y . . . do,' meddai Madame Weil. 'Roedd e yma am funud neu ddwy. Ond cafodd ei alw i ffwrdd. Bydd e yn ei ôl yn y man rwy'n siŵr.'

Edrychodd Simone o amgylch yr ystafell. Dyna lle'r oedd Charles ar y balconi yn siarad gyda ffrindiau. Roedd yn ddigon agos i'w gweld, mae'n rhaid.

Roedd Charles wedi *ei gweld hi. Islaw, roedd Simone yn ffigwr tywyll yng nghanol yr ystafell. Ond nid edrychodd Charles i'w chyfeiriad.*

*   *   *

'Athrawes ysgol?' bu bron i Madame Weil weiddi. 'Mewn rhyw dwll bach o dre yn Bwrgwyn? Simone, gyda chanlyniadau fel dy rai di, gallet ti fod yn athro prifysgol fel André.'

'Na. Eisiau dysgu ydw i,' meddai Simone. ''Dwi isio helpu'r tlodion. Wyt ti ddim yn deall?'

Eisteddai Dr Weil gan edrych at y ddwy'n dadlau. Ni ddywedodd air. Meddyliodd y byddai'n aros nes i rywfaint o'r gwres fynd o'r ddadl cyn ymyrryd.

'Yn gwastraffu dy addysg. Dy ddyfodol . . . Alain. Alain, y dyn rwyt ti'n ei eilun-addoli . . .'

''Dwi ddim yn eilun-addoli Alain. Mae Alain ei hun yn dweud bod eilun-addoliaeth yn wirion. Mae'n dweud bod rhaid i rywun wneud ei benderfyniadau ei hun, yn rhesymegol, yn onest . . .'

'Beth bynnag. Dywedodd Alain ei hun wrtha i mai gen ti mae'r meddwl mwyaf disglair iddo ddod ar ei draws erioed. Athrawes ysgol! Ferch, pam na elli di fod yn rhywbeth y galla i fod yn falch ohono?'

Synhwyrodd Dr Weil fod y cywair wedi symud o ddicter agored i dristwch. Penderfynodd mai nawr oedd yr amser i siarad.

'Mae eisiau helpu'r tlodion. Rwy'n falch o hynna. Dyw hi'n malio dim am eiddo, na safle. Rwy'n falch o hynna hefyd.'

Tynnodd Madame Weil anadl ddofn. Ni ddywedodd neb yr un gair am sbel hir. Wedyn, agorodd Madame Weil ei breichiau i Simone gan ei chofleidio.

'Fe wna i dy helpu di i bacio,' sibrydodd Madame Weil wrthi.

Gwenodd Simone ei diolch, a gadael yr ystafell. Amneidiodd Dr Weil ar i'w wraig eistedd wrth ei ymyl. Siaradodd yn Almaeneg, yr iaith, fel brododion o Alsace Lorraine, a siaradent gyda'i gilydd, er mai Ffrangeg a ddefnyddient gyda'u plant.

'Fe aiff hyn heibio. Dim ond cyfnod yw e,' meddai. 'Ifanc yw hi o hyd. Unwaith mae hi wedi cael hyn allan o'i system, fe setlith hi lawr. Cofia, buon ni fel 'na. eisiau newid y byd. Dyw'r byd ddim yn newid. Pobl sy'n newid. Anarchistiaid ifanc yn troi'n radicaliaid bourgeois. Cwpl o wrthdystiadau, cwpl o gyfarfodydd gwleidyddol, ac fe fydd y cyfan drosodd. Bydd hi'n cwrdd â bachgen ac yn setlo i lawr.'

Nodiodd Madame Weil. Yn yr ystafell uwchben, clywent synau eu merch yn paratoi i adael.

Agorodd Meinwen ddrws yr Hafan a mynd i mewn. Roedd y daith o dde Cymru wedi cymryd wyth awr. Roedd hi'n medru gyrru, ond nid oedd ganddi gar, a'r bws oedd y ffordd fwyaf cost-effeithiol iddi deithio. Ond siŵr Dduw, doedd y daith ddim yn *amser*-effeithiol. Sut yn y byd y gallai Cymru byth fod yn genedl pan fedrech chi groesi'r Iwerydd mewn llai o amser nag a gymerai'r bws i deithio o Gaerdydd i Wynedd?

Ond da oedd bod yn ôl yn yr Hafan, serch hynny. Am y pymtheng mlynedd diwethaf, hwn fu cartref Meinwen. Nid hi oedd y perchennog chwaith; doedd Meinwen ddim yn berchen ar fawr ddim. Yn y Canol Oesoedd, bu trafodaeth fywiog, a checrus weithiau, yn yr eglwys Gatholig ynglŷn â'r cwestiwn p'un a oedd Crist yn berchen ar ei ddillad ei hun. Pe bai unrhyw gynhadledd o'r fath wedi ymgynnull i drafod achos Meinwen Jones, buasent wedi ei gael yn gwestiwn llawn mor heriol. Ei harfer hithau oedd rhoi ymaith bron y cyfan o'r ychydig o incwm a gâi. Byddai'n rhoi i'r Mudiad, i elusennau'r Trydydd Byd, i hosbisau plant, i gardotwyr yn y stryd, cardotwyr yr oedd rhai ohonynt yn edrych fel petaent yn gwisgo'n well o dipyn na hi, ac yr oedd bron bob un ohonynt yn edrych fel petaent yn bwyta'n well na hi. Yn nhermau dillad a bwyd, ni phoenai Meinwen am yfory, ac eto fe gâi ei phorthi a'i dilladu fel un o adar Duw. Byddai Meinwen wedi adnabod y cyfeiriad at Matthew 6. Roedd hi'n olau yn ei Beibl. Ond cymaint oedd ei gwyleidd-dra fel na fuasai wedi dychmygu priodoli rhinwedd y fath anhunanoldeb iddi hi ei hun. Serch hynny, i'r ychydig o bobl a oedd yn adnabod eu Beibl, ac yn adnabod buchedd Meinwen hefyd, amlwg iawn fuasai'r gymhariaeth rhwng ei dull bywyd hi a chyngor perffeithrwydd Crist parthed ymwahanu rhag ystyriaethau materol. Amlwg hefyd, ac yn fwy o destun pryder yn hynny o beth, oedd y gymhariaeth gyda'r aderyn.

Gweodd Yvette Bertillon ei ffordd drwy'r strydoedd culion yng nghyffiniau'r cyfeiriad a gafodd gan Simone. Er ei bod yn gyfarwydd ag ymweld â ffrindiau mewn ardaloedd dosbarth-gweithiol, teimlai'n anghysurus yma, lle nad oedd unrhyw wynebau cyfarwydd. Hwn oedd y tro cyntaf iddi ddod i'r dref hon lle roedd Simone bellach yn athrawes ysgol. Daeth o hyd i'r bloc o fflatiau, gwnaeth yn siŵr bod y rhif cywir ganddi, a mentrodd i mewn. O gyrraedd y llawr uchaf, curodd yn betrus ar ddrws un o'r fflatiau.

Tynnwyd y drws ar agor. Gwenodd Simone ar Yvette. Roedd hi'n amlwg wrth ei bodd i'w gweld. Safodd yn ôl i adael i Yvette ddod i mewn. Ni wnaethant gofleidio. Dysgasai Yvette na chofleidiai Simone neb oni bai bod rhaid. Roedd hi hyd yn oed yn osgoi ysgwyd llaw os oedd modd. A mwy nag unwaith, roedd Yvette wedi sylwi arni'n rhoi llawes ei chôt dros ei llaw cyn agor drws. Er mwyn osgoi germau, mae'n debyg. Dirgelwch llwyr i Yvette oedd sut yn y byd roedd rhywun mor gysetlyd yn gallu byw mewn twll o le fel hwn.

Camodd Yvette i'r fflat. Roedd yr ystafell bron yn gwbl wag. Dim ond bwrdd, sinc ac un gadair. A dim gwely. Er mai mis Tachwedd oedd hi, nid oedd tân. Ond roedd yna lyfrau, wrth gwrs. Cannoedd ohonyn nhw. Roedd yn amheus gan Yvette a oedd modd byw ar lyfrau'n unig, ond fe ymddangosai fod Simone yn rhoi cynnig da iawn ar wneud hynny.

'Wyt ti'n symud allan 'te?' gofynnodd Yvette.

'Na. Pam ti'n gofyn?'

'Y stafell: mae hi bron yn wag.'

'O, hwnna. Wel, mae gen i bopeth dwi angen.'

'Ond ble rwyt ti'n cysgu?'

'Fan 'na.' Pwyntiodd Simone at rolsyn o flanced ar y llawr pren moel.

Dechreuai Yvette ddeall yn union pa fath o fywyd yr oedd Simone yn ei fyw. Edrychodd at yr ychydig fwydydd ar y bwrdd. Torth dywyll, potel o lefrith, darn bach o fenyn a dau wy. Bwyd plaen; dyna oedd y mwyaf y gellid ei ddweud amdano.

'Cinio heno?'

'Cinio am yr wythnos.'

Ni fedrodd Yvette guddio'i phryder. Brysiodd Simone i'w sicrhau.

'O, mae'n hen ddigon! Ti'n gweld, dyma'r cyfan sydd gan weithiwr di-waith i fyw arno. Yma i geisio deall dioddefaint y tlodion ydw i, felly alla i ddim gwneud hynny ar ddeiet bourgeois. Dwi wedi gweithio'r cyfan allan i'r centime olaf. Dyma'r cyfan fedrwch chi fforddio os ydych chi'n ddi-waith, felly dyma'r cyfan y galla i ei ganiatáu i mi fy hun.'

Nodiodd Yvette yn araf, er nad oedd hi'n deall mewn gwirionedd, ac er nad oedd ei hofnau wedi eu lleddfu. Roedd rhywbeth peryglus am egsentrigrwydd Simone; rhywbeth gwirioneddol afiach. Roedd yn amlwg fod Simone yn meddwl nad oedd ei hesboniad yn gadael lle i unrhyw gwestiynau eraill. Edrychai'n dangnefeddus. Lleiaf i gyd o allanolion oedd ganddi, hapusaf i gyd oedd hi.

'Ond byddwn i ddim yn disgwyl i westai wneud y tro gyda hyn,' aeth Simone ymlaen, gan dynnu ei chlogyn o'r bachyn tu ôl i'r drws. 'Aros hanner awr, ac mi a' i i'r siop i nôl bara gwyn a 'chydig o win. A darn neis o gaws. Gwna dy hun yn gartrefol.'

Taflodd ei chlogyn amdani a brysio i lawr y grisiau.

Yn gartrefol? Go brin bod llawer o siawns o wneud hynny, meddyliodd Yvette. Edrychodd allan drwy'r ffenestr. Er mai budr a diolwg oedd yr ardal, roedd yna, serch hynny, olygfa ddihafal o'r ffenestr hon. Pe edrychech allan ar draws toeau'r tai i'r fan lle disgleiriai'r afon, gallasech bron anghofio'r newyn a'r budreddi islaw.

Eisteddodd wrth fwrdd Simone, gan fwrw golwg dros y deunydd arno: erthyglau wedi hanner eu gorffen, cylchgronau sosialaidd o bob math, rhai ohonynt yn cario erthyglau gan Simone. Posteri a thaflenni ar gyfer clebar o achosion radicalaidd gwahanol a gwrthgyferbyniol. Rhai'n galw am streiciau yn erbyn y Llywodraeth, am gymorth i ffoaduriaid yn Tseina, am ymgyrch i uno'r Chwith yn Ffrainc yn erbyn cyfalafiaeth, am i weithwyr feddiannu eu ffatrïoedd. Deunydd digon cyfarwydd i unrhyw un a oedd yn adnabod Simone. Ond wedyn, sylwodd Yvette ar lyfrau llai cyfarwydd: y Koran, yr Wpanisiadau, y Bhagavad Gita, y Testament Newydd. Ymhlith y rhain, gwelodd Yvette un ddalen rydd o bapur ag arni lawysgrifen. Dechreuodd ddarllen.

'Daeth i fewn i fy ystafell gan ddweud: "Y greadures, nad wyt yn deall dim, nad wyt yn gwybod dim. Tyrd gyda mi ac fe ddysgaf iti bethau na ddisgwyli." Dilynais ef. Aeth â mi at eglwys. Arweiniodd fi at yr allor a dweud: "Penlinia." Dywedais i: "Nid wyf wedi fy medyddio." Dywedodd ef: "Penlina gerbron y y lle hwn, mewn cariad, fel pe bai o flaen y man lle gorwedd y gwirionedd." Ufuddheais.

'Daeth â mi allan a gwneud imi ddringo i atig. Drwy'r ffenestr agored gellid gweld yr holl ddinas wedi ei thaenu oddi tani. Roedd yr atig yn wag, heblaw am fwrdd a dwy gadair. Roedden ni ar ein pennau'n hunain. Roedd y gaeaf wedi ymadael, a'r gwanwyn yn dal heb ddod. Siaradodd ef. Wedyn ar adegau, byddai'n ymdawelu, yn cymryd bara o'r cwpwrdd a byddwn yn ei rannu. Gwir flas bara oedd i'r bara hwn. Nid wyf erioed wedi blasu ei debyg eto. Byddai'n tywallt gwin inni – gwin yn blasu o'r haul ac o'r pridd yr adeiledir ein dinas arno.

'Ar adegau eraill byddem yn gorwedd ar ein hyd ar lawr yr atig, a chawn fy lapio mewn cwsg melys. Wedyn, byddwn yn deffro ac yn yfed o oleuni'r haul.

'Addawsai fy nysgu, ond ni ddysgodd ddim imi. Siaradem am bob math o bethau, yn bytiog, fel hen ffrindiau.

'Un diwrnod, dywedodd wrthyf: "Nawr, dos." Syrthiais ger ei fron. Cydiais yn ei goesau, gan ymbil arno i beidio â 'ngyrru ymaith. Ond fe daflodd fi allan ar y grisiau. Euthum i lawr a'm calon fel pe bai'n deilchion. Wedyn, sylweddolais nad oedd gen i 'run syniad ble roedd y tŷ hwn.

'Ni cheisiais erioed ddod o hyd iddo eto. Daethai amdanaf drwy gamgymeriad. Nid yn yr atig hwnnw y mae fy lle. Gallwn fod yn unrhyw le – mewn cell carchar, mewn parlwr dosbarth-canol – unrhyw le, heblaw yn yr atig hwnnw.

'Gwn yn iawn nad yw'n fy ngharu. Sut y gall ef fy ngharu? Ac eto, yn ddwfn o'm mewn, mae rhywbeth, rhyw ronyn o'm hunan, yn methu peidio â meddwl, gan grynu ag ofn, ei fod ef, efallai, er popeth, yn fy ngharu i.'

Clywodd Yvette sŵn traed Simone ar y grisiau. Ni cheisiodd guddio'r ffaith iddi fod yn darllen y llith, er bod amser ganddi i'w chuddio.

Daeth Simone i mewn a rhoi'r caws, y bara a'r gwin ar y bwrdd. Roedd hi allan o wynt ar ôl dringo'r grisiau. Edrychodd at Yvette, oedd yn dal y llith yn ei llaw.

'Pwy yw e 'te?' gofynnodd Yvette.

'Pwy?'

'Fe.' Dangosodd y papur yn ei llaw.

Cymerodd Simone y papur, gen edrych yn feddylgar, ond heb unrhyw arwydd o ddicter.

'Dwn i ddim,' meddai.

Ni ddywedodd Yvette air gan adael y distawrwydd fel gwagle i ddenu llais Simone i'w lenwi.

Trodd Simone i edrych allan drwy'r ffenestr. Ar ôl ychydig, meddai: 'Dwn i ddim. Ond dwi'n chwilio amdano. A dwi'n meddwl ei fod e'n chwilio amdana i.'

Y Mudiad biau'r Hafan. Fe'i gadawyd iddo yn ewyllys un o'i gefnogwyr. Yn hytrach na'i werthu, roedd y Mudiad wedi ei gadw fel rhyw fath o dŷ diogel yng Ngwynedd. Erbyn hyn, roedd y tŷ hwn mor ddiogel ag oedd unrhyw dŷ yng Ngwynedd lle cawsai tai eu gwerthu i fewnfudwyr bron cyn i'w cyn-berchnogion oeri yn eu beddau. Mae'n rhaid fod yr Hafan yn werth o leiaf £300,000 – hen dŷ mans deulawr ar lechwedd unig uwchben Porthmadog. Roedd hynny ryw bum gwaith yn fwy nag y gallai yr un prynwr tro-cyntaf lleol ei grafu at ei gilydd allan o gyflogau pitw un o ardaloedd tlotaf Cymru.

Am y rhan fwyaf o'r pymtheng mlynedd diwethaf, bu'r Hafan yn gartref i bump o ymgyrchwyr. Y Criw oedd eu henw – braidd yn ddiddychymyg – arnyn nhw eu hunain. Ac eto, nid oedd arnyn nhw angen enw go-iawn gan nad grŵp swyddogol mohonynt. Ond, a hwythau'n cyd-fyw, fe ddaethant yn naturiol yn rhyw fath o fudiad y tu fewn i'r Mudiad: y nhw oedd yr ymgyrchwyr llawn-amser, yn byw ar eu hymroddiad a'u budd-dâl yn unig. Roedd y ffaith nad oedd rhent i'w dalu ar yr Hafan yn gwneud y cyfan yn haws.

Yr oedd ganddynt bopeth yn gyffredin. Cyfunent eu harian budd-dâl, ac unrhyw roddion a ddeuai iddynt. Roedden nhw'n byw yn fain. Er hynny, heblaw am y ffaith eu bod un ac oll yn weriniaethwyr brwd, gallasai rhywun ddweud iddynt fyw yn dywysogaidd hefyd. *'Protest Central'* oedd yr Hafan, cyn belled ag yr oedd unrhyw ymwelydd o ymgyrchydd yn y cwestiwn. Bu ymgyrchwyr gwrth-apartheid o Dde Africa'n aros yno; gweriniaethwyr o Iwerddon; ambell Lydäwr. Roedd yn rhyw fath o YMCA i wrthryfelwyr. A thua'r un mor gyfrinachol. Roedd hyd yn oed yr heddlu, a ymlwybrai'n rheolaidd i fyny i'r Hafan i holi'r preswylwyr yn sgil rhyw weithred o baentio neu o symud arwyddion, wedi dod bron yn rhan o'r teulu. Roedd gan y rhingyll lleol ei gwpan ei hun yno ar gyfer ei de. Addurnwyd y cwpan gyda llun o'r plismon Mr Plod o'r llyfrau *Noddy*.

Roedd y pedwar ymgyrchydd arall a fu'n byw yno gyda Meinwen megis teulu iddi. Yn agosach na theulu mewn gwirionedd. Rhannai nid yn unig ei heiddo gyda nhw, ond ei meddyliau mwyaf dirgel hefyd. Roedd hi'n byw ei bywyd fel pe bai hi'n un rhan o ffederasiwn, yn un gell mewn corff. I Meinwen, roedd teyrngarwch yn golygu teyrngarwch llwyr. Nid oedd yn fodlon cymryd yr un penderfyniad oni bai i'r Criw ei gymeradwyo ymlaen llaw. Pan oedd Dewi Wiliams wedi gofyn iddi fynd allan gydag o, fe ohiriodd ei phenderfyniad nes iddi ofyn i'r Criw yn ei gylch. A phan fynegodd un ohonynt, Bedwyr, ei bryderon ynglŷn ag ymroddiad Dewi at yr achos, fe wrthododd hi ei gynnig yn ddiseremoni. Ni feddyliodd unwaith pam nad oedd aelodau eraill y Criw yn rhannu pethau mor bersonol â hithau â'i gilydd. Unwaith yr oedd rhywun o fewn cylch y cadwedig, ni freuddwydiai Meinwen am eu beirniadu. Ni thybiodd chwaith beth oedd y gwir reswm pam yr oedd Bedwyr wedi mynegi pryderon ynglŷn â Dewi, sef nid unrhyw gymhelliad gwleidyddol, ond yn hytrach achos o genfigen syml. Roedd ei theyrngarwch i'r Criw yn unplyg, disyfl a llwyr, hyd yn oed yn awr, pan oedd pob un arall ohonynt wedi mynd, am wahanol resymau, i wahanol gyfeiriadau.

Bu teulu Bedwyr Roberts yn ffarmio yn Nyffryn Clwyd ers cyn cof. Gyda'i wallt coch byr a chamau breision ei gerddediad, ni allasai Bedwyr fod wedi edrych yn fwy fel mab fferm pe bai wedi ceisio gwneud. Ond ni welai ddyfodol i fywyd ar y tir, ac fe adawodd y fferm i'w frawd iau, gan wneud gyrfa iddo'i hun allan o weithredu gwleidyddol. Yn ei holl wrthdrawiadau gyda'r heddlu a'r llysoedd, fe gadwodd ryw annibyniaeth ysbryd gynhenid, a wnâi i bob cerydd a chosb ymddangos mor ddibwys iddo â chlêr haf a wasgerir gan gynffon march gwyllt. Mantais fawr iddo oedd yr annibyniaeth honno pan adawodd yr Hafan i gychwyn ei fusnes ei hun yn dosbarthu grantiau Ewropeaidd. Ers hynny, bu digon o feirniadaeth o'i wariant ar ysgrifenyddesau ac ar geir, ac o'r ffaith nad oedd llawer o'r cymorthdaliadau'n cyrraedd y cymunedau y'u bwriadwyd ar eu cyfer. Ond fe anwybyddodd Bedwyr y cyfan gyda'r un dirmyg tywysogaidd ag a'i diogelodd wrth iddo herio'r heddlu a'r barnwyr fel protestiwr. Rhaid oedd wrth weinyddiaeth ar bob busnes, meddai, a gorbenion hefyd. A'r Mercedes oedd y car gorau am deithio yng ngefn gwlad Cymru; roedd yn rhaid wrth rywbeth gyda digon o sbardun er mwyn mynd heibio'r blydi Saeson ar eu gwyliau yn eu carafanau, meddai. Ac roedd pob awr a arbedid ar y lôn yn awr arall iddo ei threulio'n denu grantiau i gymunedau Gwynedd. Ac os nad y fo fyddai'n gwneud y swydd hon, pwy fuasai? Rhyw fewnfudwr na fuasai'n sicrhau, fel y gwnâi ef, mai Cymry Cymraeg oedd staff ei swyddfa bob un. Gwelai Meinwen ef ar y teledu weithiau'n brolio rhyw gynllun newydd oedd wedi derbyn cymhorthdal. Weithiau, byddai'n ateb cwestiynau mwy caled ynglŷn â pham nad oedd rhyw fenter arbennig wedi dwyn ffrwyth er y grantiau hael a dderbyniwyd. Enwau cymreigaidd, da oedd gan y mentrau bob un. Ac roedd ganddo ateb parod bob tro.

Arianrhod Môn fu seren yr Hafan. Blond, prydferth, ac yn

freuddwyd i'r camera; ei llun hi a ymddangosai bron bob tro pan oedd yna wrthdystiadau neu arestiadau. Nid oedd pryd tywyllach Meinwen, a'i steil gwallt bachgennaidd, yn llygad-dynnu'r lensys i'r fath raddau. Nid bod Meinwen yn cwyno am hynny; nid oedd hi yn y busnes hwn am y cyhoeddusrwydd personol. Ac nid oedd Arianrhod eisiau'r cyhoeddusrwydd ychwaith, wrth gwrs. Ond, ar ôl iddi wneud sawl ymddangosiad teledu fel wyneb y Mudiad, doedd neb yn ei beio pan dderbyniodd o'r diwedd swydd fel cyflwynydd rhaglenni plant, gan sicrhau, maes o law, ei rhaglen gelfyddydau ei hun ar gyfer oedolion. Daliai i gadw mewn cysylltiad â Meinwen, ac fe ddeuai cerdyn Nadolig i'r Hafan bob blwyddyn. Am gwpwl o flynyddoedd, cardiau pwrpasol codi-arian y Mudiad oedd y rhain. Wedyn fe newidiwyd i rai artistaidd, mwy chwaethus: Addoliad y Doethion, y math yna o beth. Ond cardiau elusen oedden nhw o hyd, chwarae teg.

Wedyn dyna Gethin Davies, yr unig un o'r de. Roedd ei hiwmor yn wahanol i eiddo'r gogleddwyr; yn dirionach ac yn fwy chwareus. Dysgodd Gymraeg pan ddaeth i Fangor fel myfyriwr, ac fe ddaeth ymhen tipyn yn un o ymgyrchwyr mwyaf effeithiol y Mudiad; yn bont allweddol rhwng y Cymry cynhenid a'r dysgwyr neu'r di-Gymraeg. Ni chafodd radd erioed, ond fe gafodd gofnod o ddedfrydau yn ei erbyn oedd yn ddigon hir i godi cywilydd ar y rhan fwyaf o siaradwyr Cymraeg. Roedd Meinwen wedi gweld eisiau Gethin pan adawodd yr Hafan. Yr un ymroddiad angerddol hwnnw ag a'i gwnaeth yn ymgyrchwr mor danbaid a fu ar waith yn Gethin pan syrthiodd mewn cariad gydag ymgyrchwraig o Wyddeles a arhosodd yn yr Hafan un tro. Fe roddodd Gethin ei fryd arni gyda'i styfnigrwydd a'i egni nodweddiadol. Symudodd i Derry, aeth i fyw ati, ac wedi cwpwl o flynyddoedd roedd yn agos at fod yn rhugl yn yr Wyddeleg pan adawodd y ferch ef er mwyn mynd i fyw at gynghorydd Sinn Fein oedd newydd gael ei ethol. Daeth

Gethin yn ôl i Gymru, ond nid i'r Hafan, ac nid i fywyd fel ymgyrchydd ychwaith. Cyfieithydd oedd Gethin yn awr, ar gyfer awdurdod lleol yn y Cymoedd, ac roedd ei hiwmor bellach mor brin â'r jôcs yn y datganiadau a hysbysebiadau cyngor a gyfieithiai ddydd ar ôl dydd.

Ac yn olaf, Dewi. Hawdd oedd deall sut y gallai rhywun amau ei ymroddiad. Nid oedd hyder Bedwyr ganddo, na phresenoldeb Arianrhod, na hiwmor Gethin chwaith. Roedd yn feddylgar, yn ofalus, ac yn un a oedd yn reddfol ufudd i'r gyfraith. I Meinwen a'r gweddill, pethau i'w torri oedd deddfau. I Dewi, pethau i'w parchu oedden nhw, a phethau i'w tramgwyddo fel y dewis olaf yn unig ar ôl hir ystyried ac ar ôl iddo fodloni ei gydwybod bod torcyfraith yn angenrheidiol. Gwrthododd hyd yn oed barcio ar linellau melyn dwbl pan fuon nhw'n paentio arwyddion yng nghanol y dre un tro. Roedd pob gweithred o anufudd-dod sifil yn argyfwng iddo. Ac eto, roedd o wedi dal ati. Dal ati i gael ei arestio a dod yn ôl i gael ei arestio drachefn. Mewn gwirionedd, gan mai ymgyrchydd llawn-amser oedd ef o hyd, roedd wedi dangos mwy o ymroddiad nag a wnaeth Bedwyr, Arianrhod a Gethin. Ond nid oedd wedi aros yn yr Hafan. Yn wir, ef fu'r cyntaf ohonynt i adael, gan symud allan i dre Porthmadog ryw wythnos yn unig ar ôl i Meinwen wrthod mynd allan gydag ef. Roedd pum mlynedd ers hynny. Byddent yn gweld ei gilydd yn rheolaidd o hyd, nid lleiaf oherwydd mai Dewi oedd gyrrwr Meinwen i bob pwrpas, yn ei chario o gyfweliad, i brotest, i gyfarfod. Erbyn hyn, nhw oedd hen lawiau'r Mudiad, â dealltwriaeth reddfol ganddynt o deithi meddwl ei gilydd. Wedi bron ugain mlynedd o gyd-ymgyrchu, medrent siarad am unrhyw beth gyda'r awgrymiadau a'r bylchau yn y dweud nas ceir ond trwy hir brofiad a chyfeillgarwch maith. Ond roedd un pwnc na fyddent fyth yn ei grybwyll.

'Na. Nid dewis yw e,' meddai'r comiwnydd ar y llwyfan. 'Dyw e ddim yn gwestiwn o un ai cadw ein purdeb fel comiwnyddion neu uno gyda grwpiau eraill i ymladd yn erbyn ffasgaeth. Os na chawn ni gomiwnyddiaeth bur, ni FEDRWN ni guro ffasgaeth . . .'

Roedd y stafell ddiolwg yn Neuadd y Gweithwyr dan ei sang, ac yn llawn o fwg a sŵn y cyfarfod gwleidyddol. Ar y platfform ar un pen i'r ystafell eisteddai hanner dwsin o ddirprwyon, pob un yn gwisgo bathodyn bach seren goch yn eu llabed. Roedd Charles Letellier yn eu plith. Er poethed y ddadl, edrychai'n ddigyffro ac yn hyderus.

Gwaeddodd rhywun o'r dorf: 'Pam na chawn ni bleidlais rydd ar y peth, 'te? Pam does 'na neb ond comiwnyddion ar y platfform . . .?'

Ar ochr yr ystafell, safai dau ddyn cydnerth eu golwg. Tynnodd un ohonynt sylw ei gymar at y dyn a oedd newydd herio'r siaradwr ar y platfform. Nodiodd yr ail ddyn ac fe ddechreuodd yntau wthio drwy'r dorf i gyfeiriad yr heriwr.

Agorodd drws yr ystafell, a daeth Simone ac Yvette i mewn. Ers blynyddoedd, gwleidyddiaeth y chwith radical oedd prif ddiddordeb y ddwy fenyw ifanc. Achlysuron fel hyn oedd eu nosweithiau allan.

Sganiodd Simone y platfform lle roedd Charles yn aros ei gyfle i siarad. Gwelodd ef hi, a gwenu ei adnabyddiaeth yn gynnil.

'Dyna ti!' meddai Yvette. 'Dywedais i ei fod e'n dy hoffi di.'

Gwyliai Simone y platfform, heb roi'r argraff ei bod wedi clywed.

'Mae'n dy barchu di, Simone. Mae'n dy HOFFI di, Simone.'

Edrychodd Yvette rhwng difrif a chwarae at Simone, a oedd yn dal â'i llygaid ar y platfform ond a oedd, erbyn hyn, wedi dechrau hanner-gwenu.

'Drycha, petait ti 'mond yn gadael imi roi trefn arnat ti,' aeth Yvette ymlaen. 'Dipyn o finlliw. Dipyn o rouge. *Rhywbeth heblaw'r dillad bachgennaidd yma . . .'*

Gwenodd Simone yn ôl heb ateb, ac edrychodd yn ôl at y platfform. Roedd y siaradwr yn ei hwyliau erbyn hyn.

'Sut arall fedrwn ni ymladd y cyfulafwyr heblaw gyda phenderfyniad haearnaidd, gyda'r trefniadau mae'r Undeb Sofietaidd wedi eu rhoi inni? Oni bai bod y grwpiau gweithwyr eraill sydd wedi eu cynrychioli yma heno yn derbyn rheolaeth y comiwnyddion, byddwn ni i GYD yn cael ein trechu, byddwn ni i gyd yn brae i'r anghenfil ffasgaidd sy'n cryfhau yn Ewrop . . .'

Siglodd rhai o'r gwrandawyr eu pennau, ond, gan weld bygythwyr y comiwnyddion mewn parau o amgylch yr ystafell, cyndyn oedden nhw i siarad. Erbyn hyn, roedd y dyn oedd wedi herio'r siaradwr yn cael ei fygwth gan un o'r gwarchodwyr comiwnyddol, oedd â'i ddwrn o flaen ei wyneb. Gwelodd Simone hyn, a diflannodd ei gwên.

Ar y platfform, roedd y siaradwr cyntaf wedi gorffen. Cododd Charles.

'Gyfeillion,' meddai. 'Mae'r brawd yn llygad ei le. Ond nid mater o drefniadaeth yn unig yw hi. Nid mater o ddisgyblaeth yn unig yw hi ychwaith. Mae hefyd yn fater o weledigaeth. Ie, rydyn ni angen trefniadaeth Moscow. Rydyn ni angen disgyblaeth Moscow. Ond yn bennaf oll rydyn ni angen gweledigaeth Moscow. Ble arall yn y byd hwn y mae sosialaeth wedi cael ei sefydlu? Ble arall y mae gormes ac unbennaeth wedi cael eu diorseddu? Dim ond yr Undeb Sofietaidd sy'n gallu dangos inni sut i sefydlu gwladwriaeth y gweithwyr yma.'

Fel yr âi ymlaen, gwelodd fod Simone yn chwifio'i llaw, gan geisio tynnu ei sylw. Byddai'n ddefnyddiol i gael rhywfaint o gefnogaeth o'r llawr, meddyliodd. Stopiodd siarad, ac edrychodd at Simone, gan ddweud: 'Ie'r chwaer?'

'Diolch iti.' Roedd llais Simone yn uchel a chlir. 'Ond rwyt ti'n anghywir, frawd.'

Synnwyd Charles. Trodd pennau yn y gynulleidfa i gyfeiriad Simone. Cododd gwarchodwyr y comiwnyddion eu pennau er mwyn ceisio gweld pwy a siaradai. Aeth Simone yn ei blaen.

'Nid gwladwriaeth y gweithwyr yw'r Undeb Sofietaidd. Dim ond caethweision i feistri newydd yw'r gweithwyr yno. Am beth ry'n ni'n ymladd? Beth yw'r hyn ry'n ni i gyd eisiau? Nid ymladd ffasgaeth a chyfalafiaeth yn unig ydyn ni. Ymladd dros ryddid ydyn ni. Rhyddid rhag pob math o ormes.'

Edrychodd Charles am ymgeledd at ei gymheiriaid ar y platfform, wrth i Simone ddal ati.

'Rhyddid i'r gweithwyr ac i'r tlodion, a rhyddid i'r ysbryd dynol. ALLWCH chi ddim creu rhyddid drwy ormes. Dyna beth mae Moscow eisiau inni'i wneud. Fedrith hynny ddim gweithio. Dim ond drwy arfau rhyddid mae rhyddid i'w gael, ac mae'n rhaid bod 'na ryddid i anghytuno, i anghydffurfio . . .'

Camodd comiwnydd hŷn arall i flaen y platfform. Roedd ei wyneb yn galed. Eisteddodd Charles i lawr. Boddodd llais y comiwnydd hŷn lais Simone.

'Tawelwch! Tawelwch! Bydd ddistaw'r chwaer!' gwaeddodd.

'Does 'na ddim amser i ryw ymholi hunanol. Mae gynnon ni ryfel i'w ymladd.'

Edrychodd o amgylch at y gynulleidfa.

'Pleidlais! Y rhai sydd o blaid bod pob mudiad a gynrychiolir yma heno'n dod o dan arweinyddiaeth gomiwnyddol?'

Cododd dirprwyon y platfform eu dwylo fel un dyn. Felly hefyd y gwnaeth y rhan fwyaf o'r gynulleidfa. O ran y rhai a beidiodd â chodi eu dwylo, edrych yn betrusgar i gyfeiriad y bygythwyr a wnaethant.

'Y rhai sydd yn erbyn?'

Aeth ychydig o ddwylo i fyny, gyda llaw Simone yn eu plith.

'Diolch, frodyr a chwiorydd,' meddai'r comiwnydd. 'Penderfyniad unfrydol.'

Gwaeddodd Simone. 'Na dyw e ddim! Na dyw e ddim!'

Ond roedd y cyfarfod wedi dod i ben. Dadleuai rhai pobl; gwthiai eraill am y drysau. Yn y dorf, daeth Charles a Simone wyneb yn wyneb.

'Mae'n ddrwg gen i, Charles, ond roedd rhaid imi ddilyn fy nghydwybod, ac roeddet ti'n anghywir.'

Roedd llais Charles yn oer.

'Fe wnes i gamgymeriad yn gadael iti siarad, Simone. Heb drefn a disgyblaeth bydd ein mudiad yn methu. Oni bai bod grym gynnon ni, ni fydd dy holl ddelfrydau'n golygu unrhyw beth. Nid ffasgaeth yw'n hunig elyn. Mae gynnon ni'r bourgeoisie, *y cyfalafwyr – a gwaethaf oll, bradwyr y chwith. Da bo ti.'*

Cerddodd i ffwrdd. Roedd y gofid i'w weld ar wyneb Simone. Roedd Yvette, wrth ei hochr, yn edrych fel pe bai mewn poen, ond nid fel pe bai wedi'i synnu. Trodd i wylio Charles, a oedd erbyn hynny mewn sgwrs fywiog gyda ffrindiau edmygus o'r ddau ryw.

Ysgytwodd y gwynt ffenestri'r Hafan. Pa mor ragweithiol bynnag fu'r ymgyrchwyr yn wleidyddol, ni fu cynnal a chadw'r tŷ yn uchel ar restr eu blaenoriaethau, ac roedd angen dybryd am adnewyddu rhai o fframiau'r ffenestri. Fan hyn, 1,500 o droedfeddi uwchben lefel y môr, roedd y tŷ'n brae i wynt a oedd fel petai'n benderfynol o beidio gadael dim ar y bryniau uchel heblaw glaswellt a cherrig. Wrth gwrs, pe bai'r tŷ byth yn cael ei werthu i fewnfudwyr, fe gâi ei fframiau pren eu newid mewn ychydig wythnosau. Gallech ddweud ble roedd y Cymry brodorol yn byw yn ôl y paent pliciog ar fframiau eu ffenestri. Y tai gyda'r nodweddion chwaethus a wnaed o bren caled o ryw fforest-law reibiedig – dyna lle byddai'r coloneiddwyr wedi setlo. Wel, fydden nhw byth yn cael yr Hafan, a byddai Meinwen yn gwneud yn sicr ei bod yn cadw'i fframiau ffenestr hyll, os dim ond i gythruddo'r mewnfudwyr.

Ond *roedd* o'n dŷ drafftiog. Doedd dim gwres canolog yno. Meddyliodd Meinwen am gynnau tân. Pan oedd y Criw'n byw yma, roedd y tân fel petai'n llosgi drwy'r adeg. Bellach, a Meinwen yno ei hun, dim ond pan ddeuai ymwelwyr y byddai'r tân yn cael ei gynnau. Ar ei phen ei hun, nid oedd hi'n medru dianc rhag y teimlad mai moethusrwydd diangen oedd y tân. Gallai'r arian glo fynd at yr achos, at Shelter Cymru, at brosiect elusennol yr Urdd yng Nghalcutta. Tynnodd ei chôt fawr o'i hamgylch, a setlo'i hun yn y gadair freichiau fawr o flaen yr aelwyd lle byddai'r tân wedi bod – pe buasai hi wedi gweld yn dda i'w gynnau.

Roedd rhywbeth dymunol yn perthyn i'r oerfel, serch hynny, meddyliodd. Roedd y ffaith eich bod yn gallu ei deimlo, yn gallu clywed y gwynt yn rhuo tu allan; roedd yn gwneud ichi werthfawrogi eich lloches gymaint â hynny'n fwy. Teimlai ryw ychydig fel y profiad Cymreig oesol: llochesu rhag y bygythiad allanol, coleddu cynhesrwydd mewnol fel amddiffyniad yn erbyn byd oeraidd o elyniaethus. Doedd o ddim yn gyflwr mor wael â hynny. Roedd yn eich cadw chi'n effro, o leia. Efallai bod ar yr enaid angen rhyw erwinder allanol er mwyn ei brofi ei hun.

Am gyfnod, ceisiodd y Criw fod yn hunangynhaliol yn yr Hafan. Roedd yn rhan o'r ddêl. Ymddihatrwch rhag y gyfundrefn gyfalafol, optiwch allan ohoni. Gwnewch eich bywoliaeth eich hun, eich gwerthoedd eich hun. Ond nid oedd yr un ohonynt yn ffermwyr, heblaw Bedwyr, ac fe wyddai yntau, a fagwyd ar dir bras Dyffryn Clwyd, yn well nag i geisio gwneud bywoliaeth allan o'r pridd tenau a geid mor uchel â hyn ar lechweddau Cwm Aur. Parodd yr arbrawf hunangynhaliaeth tan y gaeaf cyntaf. O hynny ymlaen, o'r siop Spar yn y pentref y deuai nwyddau trigolion yr Hafan. Cysurodd Meinwen ei hun fod prynu bwyd yn hytrach na cheisio'i dyfu yn ddefnydd gwell o amser, ac yn gadael mwy o amser iddi weithio dros yr achos. Ac roedd hi'n cefnogi busnes lleol hefyd. Felly, roedd modd cyfiawnhau'r peth. Ond fe deimlai o hyd fel petaent wedi ildio i bwysedd yr ugeinfed ganrif; eu bod, rhywsut, wedi colli'r cyfle i herio cyfalafiaeth yn y modd mwyaf sylfaenol.

'Rhagflaenwyd y gwrthdystiad gan gyfarfod yn y gyfnewidfa lafur. Wedyn bu i Mademoiselle Weil, y Forwyn Goch o dylwyth Lefi, cludydd yr efengyl yn ôl Sant Marx, gam-addysgu'r trueiniaid yr arweiniasai ar gyfeiliorn.'

Setlodd y prifathro ei sbectol ar ei drwyn, sythodd y papur newydd a chariodd ymlaen i ddyfynnu'n uchel o'r erthygl: 'Wedyn, wedi eu ffurfio mewn rhengoedd, a chan gludo'r faner goch ei hun, fe'u harweiniodd at dŷ y maer, a fu'n ddigon ffodus i gael cyngerdd. Yn rhan gerddorol y rhaglen, yr 'Internationale'. Hyn a rydd gywair y mudiad hwn; canys gellir gweld yn eglur bellach mai mudiad gwleidyddol yn unig ydyw – yn Gomiwynyddol, i fod yn fanwl gywir.'

Gwyliodd Simone yn ddigyffro wrth i'w chyflogwr ddarllen yr erthygl hyd y diwedd. Edrychodd ef i fyny ati.

'Nawr, does gen i ddim diddordeb beth yw'ch hil . . .'

'Na finnau chwaith,' meddai Simone.

'Does gen i ddim diddordeb beth yw'ch hil,' meddai eto, gan orfodi amynedd i'w lais. 'Yr hyn y mae gen i ddiddordeb ynddo yw eich gwleidyddiaeth. Y wladwriaeth sy'n eich cyflogi, er mwyn ichi ddysgu'r pethau mae'r wladwriaeth yn dymuno ichi eu dysgu i'r plant. Dydych chi ddim wedi eich cyflogi i ddwyn anfri ar eich proffesiwn drwy'r giamocs comiwnyddol yma.'

'Nid comiwnyddion oedden nhw,' atebodd Simone. 'Anarcho-syndicalwyr ydyn nhw. Mae 'na wahaniaeth sylfaenol. Dwi ddim yn cytuno gyda chomiwnyddiaeth oherwydd mae'n rhoi pwyslais gormodol ar rym y wladwriaeth. Ar y llaw arall, mae anarcho-syndicaliaeth yn fwy gwerinol: grwpiau o weithwyr mewn galwedigaethau gwahanol – llafurwyr, gweithwyr ffatri, athrawon. Chi'n gweld . . .'

'Y giamocs COMIWNYDDOL, Mademoiselle Weil! Sut bynnag ry'ch chi'n eu disgrifio nhw. Yr areithiau, y cyfarfodydd, y taflenni comiwnyddol yma. Maen nhw'n dweud wrtha i ichi gael eich gweld yn y sgwâr yn ysgwyd llaw gyda rhyw labrwr di-waith . . . eich bod chi wedi mynd, ar eich pen eich hun heb chaperone, *i gaffis lle mae gweithwyr yn cyfarfod! All hyn ddim parhau. Os gwnewch chi hyn eto, fydd gen i 'run dewis ond eich diswyddo.'*

'Byddwn i'n ystyried hynny fel coron ar fy ngyrfa.'

Roedd y prifathro'n edifar am fygwth diswyddo Simone mor gyflym. Pan fu'n ymarfer y sgwrs hon ymlaen llaw, roedd wedi bwriadu i'r cyfan fod yn llawer llai cyffrous. Ond eto, doedd Simone ddim wedi ei gwneud yn hawdd iddo. Siaradodd yn fwy tyner yn awr.

'Mademoiselle Weil. Rydych chi'n ferch ifanc gyda doniau anghyffredin, gyda gallu academaidd cwbl eithriadol. Mae'ch disgyblion yn eich addoli. A gaf i ofyn ichi yn garedig, a wnewch chi ffrwyno eich gweithgareddau gwleidyddol? Er mwyn yr ysgol. Er mwyn eich disgyblion. Er eich mwyn chi. *Bydd arna' i angen eich addewid, Mademoiselle Weil.'*

Nid atebodd Simone.

*   *   *

Yn ddiweddarach y diwrnod hwnnw, pan ddaethai'r gwersi i ben, gadawodd Simone gampws coediog yr ysgol. Sylwodd fod ceir newydd gan sawl un o'r rhieni a ddaeth i gasglu eu plant o'r giatiau haearn o flaen y safle.

Cerddodd Simone o'r boulevard *eang i ardal lle dechreuai'r strydoedd di-goed gulhau. Nid oedd modd i geir deithio'r lonydd culion hyn, hyd yn oed pe gallasai'r trigolion fforddio ceir, ac roedd hynny'n amhosibl. Efallai y byddai rhai ohonynt yn gweithio mewn ffatri geir, ond dyna oedd yr agosaf y byddent yn dod byth at fod yn berchen ar eu car eu hunain.*

Ychydig ddrysau o'i blaen hi, roedd gwraig yn sgubo sbwriel i'r gwter: croen tatws, pliciau moron, tudalennau papur newydd. Daliodd llygaid Simone ar bennawd ar un darn o bapur. 'Hitler yw Canghellor yr Almaen,' cyhoeddai.

Cyrhaeddodd ei bloc o fflatiau, a dringo'r grisiau i'r fflat. Caeodd y drws, aeth at y bwrdd a thywallt gwydraid o win coch rhad iddi hi'i hun. Tynnodd ei llyfr nodiadau o'i bag ac aeth ag ef, a'r gwin, at y ffenestr er mwyn iddi gael defnyddio goleuni'r prynhawn hwyr. Eisteddodd ar y llawr, a dechrau ysgrifennu.

'Mae gwaith corfforol yn gysylltiad pendant â phrydferthwch y byd, ac ar ei adegau gorau gall fod yn gysylltiad mor llawn fel nad oes ei debyg yn unman. Dylai'r artist, yr ysgolhaig, yr athronydd a'r cyfrinydd oll edmygu'r byd o ddifri a thorri drwy'r haen o afrealaeth a'i gorchuddia . . . Ond yn amlach na pheidio, ni fedrant. Dim ond y neb a deimla'r cur ymhob aelod, y sawl a ymdrecha drwy ludded diwrnod o waith . . . sydd yn dwyn realaeth y bydysawd yn ei gorff fel draenen. Os gall edrych a charu, caru'r Real y mae.'

*　　　*　　　*

Trannoeth, roedd Simone yn ôl yn ystafell y prifathro unwaith yn rhagor. Ond y tro hwn, ar ei chais ei hun yr oedd hi yno.

'Mae'n ddrwg gen i, M'sieur Clerc. Fedra i ddim rhoi fy addewid ichi,' meddai. 'Fe wna i fynychu'r gwersi tan

ddiwedd y tymor, fel y gallwch chi gael cyfle i drefnu rhywun yn fy lle, ac yna fe wna i adael.'

Nodiodd y prifathro. Gwyddai nad oedd diben dadlau â hi.

'I ble'r ewch chi, Mademoiselle Weil?' Roedd tinc o barch yn ei lais. 'Fedra' i fod o unrhyw gymorth ichi?'

Meddyliodd Simone am eiliad. 'Efallai,' meddai. 'Beth wyddoch chi am geir modur?'

'Ceir modur? Wel, rwy'n gyrru Renault . . . Rwy . . .'

'Na, nid eu gyrru nhw, M'sieur Clerc – eu gwneud nhw.' Chwarddodd Simone fel pe bai'n rhyfedd ei fod wedi meddwl fel arall. 'Rwy eisiau gweithio mewn ffatri geir, ac ro'n i'n meddwl tybed a fedrech chi awgrymu un.'

'Wel . . . am wn i, Renault!' Chwarddai yntau'n awr. 'Mae ganddyn nhw ffatri ar gyrion Paris. Rwy' wedi ei gweld ar y newyddion yn y sinema: y technegau màs-gynhyrchu diweddaraf. Maen nhw'n rhannu llafur, yn cyflogi menywod. Hi yw ffatri geir fwyaf Ewrop.'

'I'r dim. Mae'n swnio fel yr union le.'

'Ond pam? Gyda'ch doniau chi . . .'

Difrifolodd Simone. 'Dywedodd un o'm ffrindiau – merch ddosbarth gweithiol – wrtha i un tro am y gorfoledd roedd hi'n ei deimlo o weld ffatri liw nos, gyda'i goleuadau'n disgleirio. Mae'n lle prydferth – prydferthwch go-iawn – lle ry'ch chi'n dod i gysylltiad â'r byd materol trwy lafur corfforol.'

Edrychodd heibio'r prifathro, at doeau'r tai oedd i'w gweld rhwng goedydd y campws.

'Dyna fraint aruthrol y tlodion. Ond dydyn nhw bron byth yn sylweddoli hynny. Does neb yn dweud wrthyn nhw. Mae ganddyn nhw ormod o waith, dim digon o arian, a dim digon o ddiwylliant go-iawn. Byddai newid bychan yn agor y drws i drysor iddyn nhw. Rwy wedi cael bywyd ffodus. Y cysur hwn. Y trafodaethau academaidd yma. Nid byw yw peth fel hyn. Allan yn fan 'na, gyda'r gweithwyr, hynny yw'r byd go-iawn.'

* * *

Y dydd Llun wedi diwedd y tymor, cyflwynodd Simone ei hun am waith am chwech y bore yn y ffatri Renault. Edrychodd y clerc yn ddrwgdybus ar ei phapurau.

'Profiad blaenorol?'

'Dim. Wyt ti'n meddwl bod rhywbeth alla i ei wneud?' Defnyddiodd Simone y cyfarchiad cyfarwydd 'tu'. Gweithwyr ydyn ni i gyd yma, meddyliodd.

'Gallech chi gynorthwyo'r merched ar y meinciau,' atebodd y clerc. 'Byddant yn dangos ichi beth i'w wneud. Ewch gyda Thomas.'

Aeth Thomas, a fu'n gwylio'r sgwrs yn dawel, â Simone drwy ddrws y swyddfa ac i fuarth y ffatri. Yn y cefndir, cynyddai sŵn y peiriannau.

Pe bai unrhyw un o blith gweithwyr y ffatri'n hoff o lenyddiaeth glasurol – rhywbeth y credai Simone yn ffyddlon oedd yn wir am o leiaf rai ohonynt – ni allasent fod wedi peidio â meddwl am La Divina Commedia *Dante pe baent wedi gweld Simone yn mentro i isfyd y ffatri Renault gyda Thomas fel ei Fyrsil yn ei thywys drwy'r neuaddau. A hithau wedi diosg ei chôt fawr o achos y gwres, fe ymddangosai fel angel ar ymweliad ag uffern. Yn unig o blith yr holl weithwyr yn eu ffurfwisgoedd brown, fe wisgai hi flows wen ddilychwin. Doedd hi ddim yn sylweddoli mai dyna pam yr oedai'r gweithwyr uwchben eu tasgau wrth ei gwylio'n dod heibio. Meddyliai mai chwilfrydig yn unig oedden nhw o weld cyd-weithwraig newydd. Gwenodd arnynt yn gyfeillgar wrth iddi ddilyn Thomas rhwng rhesi'r peiriannau.*

Ar ddiwedd un o'r rhesi, gadawyd Simone gyda dynes hŷn a oedd wrthi'n bwydo cydrannau metal i mewn i wasg beirianyddol, lle caent eu tyllu a'u plygu. Prin yr oedodd hi yn ei gwaith wrth iddi esbonio dyletswyddau Simone iddi.

'Iawn.' Daliodd y weithwraig un o'r cydrannau metal gorffenedig i fyny. 'Mae'n rhaid inni gynhyrchu cant o'r rhain mewn awr. Dyna lle ffindi di'r rhai heb eu gorffen,'

meddai gan amneidio at fwced ar y llawr. 'Pan ti'n gweld fi'n cymryd un oddi ar y peiriant a'i roi e yn y bwced YNA,' amneidiodd at fwced arall ar y fainc oedd yn llawn cydrannau gorffenedig, 'bydd di'n barod gydag un newydd imi.'

Nodiodd Simone yn ddwys fel pe bai'r weithwraig newydd esbonio cwestiwn athronyddol dyrys.

'Paid gwneud i fi aros am yr un newydd. Paid gadael i'r bwced 'na fynd yn wag – galli di gael mwy o'r storfa yn y gornel – a phaid . . .' caniataodd y weithwraig i wên fechan oleuo'i hwyneb, a thynerodd ei llais ryw fymryn: '. . . paid gwisgo blows wen i'r gwaith . . .'

Edrychodd Simone i lawr ar ei chorff. Am y tro cyntaf, sylweddolodd pam y bu pawb yn syllu arni.

* * *

'Beth wyt ti'n feddwl o fàs-gynhyrchu?'

Ail ddiwrnod Simone yn y ffatri oedd hi, ac roedd hi'n brysur yn rhoi'r cydrannau i'w chyd-weithwraig, Claudine. Ni chafodd Simone ateb i'w chwestiwn. Aeth y gwaith yn ei flaen, yn tyllu ac yn plygu'r metal i'r siâp cywir. Meddyliodd Simone ar gyfer beth, tybed, roedd y darn yn cael ei ddefnyddio. Roedd Claudine wedi dweud nad oedd hi'n gwybod.

'Rhaniad llafur,' meddai Simone. 'Beth am hynny? Wyt ti'n meddwl y byddai dy waith yn fwy boddhaol petai gen ti fwy o ran yn y broses ddylunio?'

Edrychodd Claudine fel pe bai wedi ei drysu a'i diflasu ar yr un pryd. Dim ond am ddiwrnod y bu Simone gyda hi, ac yn barod yr oedd hi wedi cael llond bol ohoni.

'Beth am y rhyfel dosbarth? Mae'n rhaid . . .'

Collodd Claudine ei hamynedd. Stopiodd ei gwaith, gan daro'r darn metal ar y fainc.

'Drycha, on'd yw hyn yn ddigon o ryfel?' meddai. 'Codi am bump i ddod i'r twll lle 'ma. Gweithio am wyth awr bron heb hoe. Cyrraedd adre wedi ymlâdd, fel bod dim modd meddwl am goginio, heb sôn am y 'rhyfel dosbarth'. Galli di fynd yn ôl at dy rieni pryd bynnag ti isio, yn galli? Tria di fyw ar hunner can ffranc yr wythnos. Wyt ti'n gwybod be mae hynny'n ei brynu? Hanner kilo o fenyn. Un dorth. Tamaid o gaws os ti'n lwcus. A llaeth y mae ei hanner e'n ddŵr gan yr Iddew ddiawl 'na, Bloom.'

Gwingodd Simone. Aeth Claudine yn ei blaen.

'Pan ti 'di wynebu'r math yna *o frwydr, cei di sôn wrtha i am y rhyfel dosbarth bryd hynny.'*

Ni ddywedodd Simone ragor, dim ond ymestyn i'r bwced am y darn nesaf o fetal.

Roedd Sioe Môn dan ei sang wrth i Dewi a Meinwen barcio'u car yn ymyl y ceir 4x4 mwdlyd ac ymuno â'r fflyd o bobl oedd yn nesáu at y cwt bach concrit a wasanaethai fel mynedfa. Troesant i'r chwith a dilyn y ffens i'r fan lle diflannai y tu ôl i bafiliwn y Llywydd, lle roedd gelli fach o goed yn rhoi cysgod. Yno, roedd bwlch yn y ffens a alluogodd y ddau ohonynt i amddifadu Cymdeithas Amaethyddol Ynys Môn o ddau docyn oedolyn, ac i arbed £16 i goffrau'r Mudiad. Roedd Dewi wedi gorfod cymryd ei berswadio bod yr anonestrwydd yn gwasanaethu lles y genedl, ond fe gydsyniodd yn y diwedd. Brwsiodd y ddau ohonynt y gwellt oddi ar eu dillad a chamu allan i'r maes, gan dynnu copi yr un o ddeiseb y Mudiad o'u bagiau, a mynd eu ffyrdd gwahanol er mwyn eu rhannu. Carient glipfwrdd yr un hefyd, er mwyn hel llofnodion ar eu deiseb. Rhaid oedd cael yr ymgyrch am ddeddf eiddo ar agenda'r cyhoedd, ac roedd pob llofnod yn gymorth.

Awr yn ddiweddarach, fe gyfarfu'r ddau drwy drefniant ym mhabell y banc HSBC, a ddewiswyd ganddynt nid oherwydd bod y naill na'r llall ohonynt yn gwsmeriaid i'r cawr ariannol o'r Dwyrain pell, ond yn hytrach am ei fod yn cynnig te a bisgedi am ddim.

Cawsant flas ar y te. Yn enwedig wrth wylio pobl ychydig lathenni i ffwrdd yn talu punt y cwpan i gael yr un ddiod yn union o stondin fasnachol. Diwrnod allan rhad ar y naw oedd hwn, meddylient.

'Pam maen nhw'n ei wneud o, ti'n meddwl?' gofynnodd Meinwen.

'Gwneud be?'

'Rhoi te a bisgedi am ddim inni.'

'Gwasanaeth i'r cwsmer? Teyrngarwch i'r brand.'

'Ie, ond dyw hi ddim fel petaen ni'n gwsmeriaid hyd yn oed. Ydyn nhw wir yn credu bod pobl yn mynd i agor cyfri banc gyda nhw jyst am eu bod wedi cael *custard cream* am ddim ym Mhrimin Môn?'

'Damia,' meddai Dewi. 'Ti'n llygad dy le. Bydda'r criw 'ma mewn peryg petai eu bosys nhw yn Shanghai yn ffeindio allan.' Rhoddodd gais ar yr hyn y gobeithiai oedd yn acen Shanghai: *'What this? You buy 20 box of Rover Biscuits for Anglesey Show. Please to explain."*

Gwenodd Meinwen. Dewi oedd un o'r ychydig bobl oedd yn gallu codi gwên ganddi y dyddiau hyn.

Edrychodd hi ar y llif o bobl yn mynd heibio. Ar y bwrdd nesaf roedd mam gyda merch fach tua deunaw mis oed. Babi nobl, diddig yr olwg. Gwenodd Meinwen arni. Gwenodd y ferch yn ôl, gyda bochdyllau bychain yn ymddangos yn ei gruddiau tewion.

Siaradai'r fam gyda ffrind. Cariai fag o fferins *marshmallow* tua maint clustog soffa – bag a brynwyd, mae'n amlwg, o un o'r stondinau melysion ar hyd y maes. Nid oedd y fam yn eu bwyta nhw ei hun, ond bob tro y deuai ei merch yn agos, fe wthiai hi *marshmallow* arall i geg y plentyn, heb feddwl.

Gwyliodd Meinwen gan anesmwytho. Doedd y plentyn ddim hyd yn oed yn gofyn am y *marshmallows*. Ond bob tro y dynesai er mwyn cael sylw ei mam, fe stwffiai honno felysyn arall i'w cheg er mwyn ei chau. Roedd dwy ran o dair ohonyn nhw eisoes wedi eu bwyta. Yn amlwg, byddai'n dal ati i stwffio'r fechan nes bod pob *marshmallow* wedi mynd.

Teimlai Meinwen ddicter yn gymysg â'r awydd i chwydu. Rhoddodd ei *custard cream* i lawr heb ei bwyta.

Yna, gan gael cip ar ddyn mewn siwt yn cerdded heibio'r babell, fe eisteddodd i fyny yn sydyn.

'Yli,' meddai wrth Dewi. 'Dyna Bedwyr.'

Bedwyr Roberts oedd e yn wir – un o gyn-aelodau'r Criw, a chyfoediwr union i Dewi a Meinwen. Ond os nad oedd Meinwen wedi newid yr un blewyn mewn ugain mlynedd, roedd Bedwyr yn sicr wedi gwneud. Llenwai ei siwt ffasiynol. Roedd lliw haul ei groen yn cydweddu'n berffaith â lliw'r paneli pren collen Ffrengig yn ei gar Mercedes. Roedd ei gerddediad gwladaidd bellach wedi'i gymhennu. Edrychai pob cam a gymerai fel pe bai wedi ei gynllunio'n ofalus ymlaen llaw. Roedd ei hunanfeddiant a'i hyder cynhenid yn ei wneud yn ganolbwynt unrhyw gwmni.

Gwelodd ef Dewi a Meinwen draw yn y babell. A oedden nhw wedi ei weld yntau? Penderfynodd fod yn rhaid eu bod nhw, felly fe gerddodd draw, gan ddiosg ei sbectol haul a chan roi gwên yn ei lygaid. Sgleiniai'r haul ar ei ddolenni llawes wrth iddo roi ei sbectol haul Gucci ym mhoced ucha'i siwt.

'Sut mae'r achos, gyfeillion?'

'Iawn, Bedwyr,' meddai Dewi. 'Mae golwg iawn arnat ti hefyd. Dwyt ti ddim yn dangos anifeiliaid heddiw, dwi'n cymryd.' Edrychodd ar sgidiau difrycheulyd, caboledig Bedwyr. Nid oedd hyd yn oed y llwch o faes y sioe yn glynu iddyn nhw.

Sylwodd Dewi i lygaid Bedwyr sganio'r ystafell yn gyflym, fel radar. Eiliad neu ddwy gymerodd y sgan, dyna i gyd. Wedyn, o fethu darganfod neb pwysicach, dychwelyd at Dewi a Meinwen wnaeth y llygaid.

'Na,' meddai Bedwyr. 'Hybu "Cymunedol" ydw i.'

'Sef beth?'

'Menter newydd i sefydlu unedau masnachol mewn ardaloedd gwledig. Mae rhai cwmnïau mawr rhyngwladol â diddordeb.'

'O'n i'n meddwl bod digonedd o'r grwpiau menter gwledig 'ma'n barod,' meddai Dewi.

'Ie, ond mae hwn yn wahanol. Mae'n mynd i fod yn blatfform er mwyn delifro adnodd cynhyrchu safonol i'n clientiau yn y diwydiant amlgyfrwng.'

'Wela i. A phwy sy'n talu? Na, gad i mi ddyfalu – Ewrop.'

'Dyna ni. Amcan Un,' meddai Bedwyr. 'O leia, nhw sy'n darparu'r cyfalaf cychwynnol, a'r costau staff ar y dechrau hefyd.'

'A dy ffi di fel ymgynghorydd.'

'A fy ffi i fel ymgynghorydd. Mae'r gweithiwr yn haeddu ei gyflog, meddai'r hen air. Ond unwaith y dechreuwn ni ddenu cytundebau mi fyddan ni'n gwbl hunangynhaliol.'

Amhosib oedd peidio edmygu hyfda Bedwyr.

'Amlgyfrwng? Ers pryd wyt ti wedi bod mewn i'r busnes hwnnw? Roeddet ti methu gweithio'r fideo yn yr Hafan, hyd yn oed,' pryfociodd Dewi ef.

'A, wel, mae rhywun yn medru dysgu. Mae gen i wybodaeth weithredol o HTML, Java, Flash. Gad imi roi fy ULR iti.' Aeth i'w boced a thynnu allan rhyw gasyn bach aliwminiwm ar gyfer dal cardiau busnes.

'URL,' meddai Dewi'n dawel wrth dderbyn y cerdyn. Ni sylwodd Bedwyr ar y cywiriad. Roedd Dewi wir *yn* gwybod am gyfrifiaduron. Ef oedd gwe-feistr y Mudiad ac roedd wedi trefnu sawl ymgyrch e-bost lwyddiannus.

'Ie, ym Mhenygroes mae'r swyddfa,' aeth Bedwyr yn ei flaen, 'ac mae 'na ddau o staff yno'n barod.'

Yr unig ddau aelod o staff fydd gan y prosiect hwnnw byth, meddyliodd Dewi. Ni wyddai Bedwyr ddim am ddenu busnesau na bodloni cleientiaid. Y cyfan a wyddai oedd sut i dynnu llinynnau gwleidyddol er mwyn rhyddhau grantiau. Yn hynny o beth roedd yn giamstar. Byddai'r ddau aelod o staff yn parhau mewn swydd tra parai'r cymhorthdal, yn ysgrifennu cynlluniau busnes ar gyfer y Cynulliad ac adroddiadau cynnydd ar gyfer Brwsel. Wedyn, pan ddeuai'r grant i ben, byddai Bedwyr yn eu troi nhw dros y drws a gosod arwydd 'To Let' ar yr adeilad cyn gellid dweud 'Amcan Un'. Ond mi fyddai dau siaradwr Cymraeg wedi cael swydd am gwpwl o flynyddoedd. Gwell na dim. A byddai Bedwyr, wrth gwrs, yn gyrru car mwy fyth erbyn hynny.

'Wnei di arwyddo'n deiseb ni, Bedwyr?' Siaradodd Meinwen am y tro cyntaf. Yn bwrpasol, fel arfer.

'Beth yw hi y tro hwn? Llysieuwyr dros Heddwch?'

Esboniodd Meinwen bwrpas y ddeiseb. Nodiodd yntau, gan ddewis golwg effeithiol a difrifol, fel dyn busnes. Arwyddodd y darn blêr o bapur fel pe bai ychwanegu ei enw ef at restr y cefnogwyr wedi setlo'r mater. Wedyn sythodd, ac edrych ar ei oriawr – roedd wedi'i gwneud o aur trwchus. Ai deiemwntau oedd y rheiny ar yr wyneb? Doedd Meinwen ddim yn sicr; ni wyddai ddim am emwaith. Wedyn roedd yr oriawr wedi diflannu o dan y llawes eto.

'Rhaid imi fynd,' meddai Bedwyr. 'Mae gen i rai clientiaid i'w gweld. Pob hwyl.'

Roedd y sbectol haul yn ôl ar ei drwyn. Gwyliodd Dewi a Meinwen ef yn mynd.

Edrychodd Dewi ar y cerdyn busnes. 'bedwyr clwyd', cyhoeddai, i gyd mewn llythrennau bychain.

'Beth maen nhw'n wneud gyda nhw pan maen nhw'n eu colli nhw?' gofynnodd Dewi.

'Be ti'n feddwl?'

'Y cyfenwau. Bedwyr Clwyd Roberts oedd o'n arfer â

bod. Bellach mae'n Bedwyr Clwyd. Mae'n ddrwg gen i, 'bedwyr clwyd,' heb y priflythrennau. Meddwl o'n i tybed ble mae'r cyfenwau'n mynd pan maen nhw'n eu gollwng nhw. Ydyn nhw'n dal yn bodoli rhywle, mewn rhyw ystyr ddirfodol, o gwbl?'

'Na, mae'r enw wedi gwneud ei waith,' meddai Meinwen. 'Dim ond platfform oedd o, er mwyn delifro'r cynnyrch "bedwyr clwyd" i'w glientiaid amlgyfrwng. Does arno mo'i angen o nawr.'

* * *

Wrth yrru'n ôl i'r Hafan y noson honno, fe gawsant fod y ffordd i fyny Bryn Aur wedi'i llenwi gan garafán oedd wedi mynd yn sownd yn y lôn gul. Roedd y gyrrwr yn dadlau gyda John Evans Tŷ'n y Mynydd, oedd yn ceisio cael ei dractor heibio at fynedfa ei fferm. Cymerith hwn dipyn o sbel i glirio, meddyliodd Dewi, felly fe yrrodd yn ei ôl i lawr y lôn. Roedd lôn arall yn arwain at yr Hafan, un fwy cwmpasog, ond yn sicr o fod yn gyflymach na phetaen nhw'n aros i'r rhwystr glirio.

Aethai blwyddyn gyfan heibio ers y tro diwethaf iddyn nhw deithio'r ffordd hon. Wrth iddyn nhw yrru i lawr y lôn i'r pant y tu ôl i Bryn Aur, yn barod i ddringo'r rhiw serth i fyny'r ochr arall, fe welsant amlinell gyfarwydd Fferm Dan y Pistyll. Ond roedd yr hen arwydd yn hysbysebu 'Gwely a Brecwast' wedi mynd. Bellach roedd arwydd mewn arddull gartwnaidd-Affricanaidd, melyn a choch. Stopiodd Dewi y car mewn syndod. Dan y Pistyll oedd o, siŵr iawn. O leia, Dan y Pistyll oedd o'n arfer â bod, a doedd dim modd iddyn nhw feddwl amdano fel dim byd arall. Ond bellach, yn ôl yr arwydd, ei enw oedd 'Hakuna Matata', ac yr oedd wedi cael ei droi yn gasgliad o fythynnod gwyliau ar thema Disney. Edrychodd Dewi a Meinwen drwodd i'r buarth ffarm.

Unwaith bu yno staeniau tail a hen offer ffarm yn rhydu yn y corneli. Bellach, roedd yn ddilychwin, y ffenestri'n bren-caled, y buarth wedi'i olchi â choncrid, y gwaith cerrig ar y tŷ wedi'i ail-wneud. Roedd pob un o'r tai allan bellach yn 'chalet', bob un gydag enw yn deillio o ffilm Disney. Cymerwyd enw newydd y ffarm o'r ffilm *The Lion King*, a gwyddai Meinwen, o wylio'r ffilm unwaith gyda'i nithod, mai 'Hakuna Matata' oedd 'Paid Poeni' yn yr iaith Swahili. Roedd yr hen goetshws bellach yn 'Pocahontas's Lodge'; y golchdy'n 'Ariel's Cavern', a'r stablau'n 'Woody's Toybox'. Woody oedd y ddol cowboi o *Toy Story*. Pe deuai'r Gorfforaeth Disney i wybod sut yr oedd eu delwedd yn cael ei hegsploitio yma yn Eryri, fydden nhw ddim yn hapus, meddyliodd Meinwen. Ond roedd perchnogion newydd Dan y Pistyll wedi barnu – yn gywir, mae'n debyg – eu bod nhw'n rhy bell i ffwrdd i fraich hir Disney fedru eu cyffwrdd. Tebyg oedd mai 'Hakuna Matata' oedd eu hagwedd at y cyfan – paid poeni. Serch hynny, os nad oedd prynwyr Dan y Pistyll yn poeni dim, roedd y ffaith eu bod nhw wedi dinistrio hen enw Cymreig a fodolai ers canrifoedd wedi ychwanegu un gofid arall i fagad orlawn o bryderon Meinwen.

Cychwynnodd Dewi y car eto, a gyrru ymlaen. Ni ddywedodd yr un ohonyn nhw air nes iddynt gyrraedd yr Hafan. Trodd Dewi y peiriant i ffwrdd. Ni wnaeth Meinwen unrhyw ymdrech i fynd allan o'r car.

'Alla i ddim goddef hyn ddim rhagor, Dewi,' meddai. Roedd cryndod anarferol yn ei llais. 'Ry'n ni'n gwastraffu'n hamser gyda'r ddeiseb. Does neb yn cymryd sylw.'

Nodiodd Dewi i ddangos ei gydymdeimlad. Edrychodd Meinwen i fyny ato eto.

'Ti'n meddwl y gall Gethin ein cael ni mewn i weld Haydn Davies?' gofynnodd.

Meddyliodd Dewi am eiliad. Ers iddo ddod yn ôl o Iwerddon, bu Gethin yn gweithio fel cyfieithydd i'r awdurdod lleol yn yr ardal lle roedd etholaeth Haydn Davies, Prif Weinidog y Cynulliad. Nid oedd gan Gethin unrhyw ddylanwad personol gyda Davies, cyn belled ag y gwydden nhw. A dweud y gwir, ers rhai blynyddoedd, bu Gethin druan mor fewnblyg fel nad oedd ganddo fawr o ddylanwad personol gyda neb. Ond roedd yn un o etholwyr Davies, ac roedd gan etholwyr hawl i weld eu Haelodau Cynulliad.

'Mae'n werth trio,' meddai Dewi.

'Felly, wnest ti rai ffrindiau yn y gwaith?'

Eisteddai Dr a Madame Weil o flaen y tân yn eu tŷ ym Mharis. Disgleiriai golau'r tân ar y lledr sgleiniog ac ar fotymau pres y cadeiriau. Syllodd Simone i'r fflamau.

'Does gan gaethweision ddim ffrindiau,' meddai.

Noson hir fydd hon, meddyliodd Madame Weil iddi'i hun.

'Ond gyda'r nos – siŵr gen i bod ti wedi cael cyfle i fynd i'r ddrama. Neu efallai . . . i ddawns neu ddwy yn Neuadd y Gweithwyr, ie?' Edrychodd yn gellweirus at ei merch.

'Mae rhai pobl yn methu cerdded, Mam, heb sôn am ddawnsio.'

'Simone, dyna ddigon.' Anaml iawn y byddai Dr Weil yn gwrth-ddweud ei ferch, gan wybod mai dim ond ystyfnigo a wnâi hi. Ond roedd tuedd ei sgwrs yn ei bryderu.

'Rwyt ti'n meddwl mai ti yn unig sy'n deall dioddefaint y byd, Simone. Wyt ti'n meddwl mod i ddim? Fe welais i ddioddefaint go-iawn. Nid dioddefaint fel rhyw benyd rwyt ti wedi'i ddewis er mwyn puro dy gydwybod.'

Edrychodd Simone ymaith. Aeth yntau yn ei flaen.

'Dioddefaint wnaeth neb ei ddewis; dioddefaint nad oedd pobl mo'i eisiau. Milwyr heb goesau, heb freichiau, yn ddall. Dynion yn pesychu'u hysgyfaint i fyny oherwydd nwy gwenwynig. Dynion mewn oed yn crio am eu mamau wrth farw.'

Caeodd Madame Weil ei llygaid, yn cofio. Crychodd ei thalcen gyda'r atgof.

'Bechgyn ifanc yn melltithio Duw am eu harteithio nhw. Wythnos ar ôl wythnos, plant bychain yn marw cyn eu hamser. Y diciâu, diptheria. Wyt ti'n meddwl dy fod ti'n eu helpu nhw drwy lwgu dy hun, neu drwy gymryd swydd y gall gweithiwr di-waith ei gwneud?'

Bu Simone yn dawel am funud neu ddwy.

'Na,' meddai'n dawel. 'Dwi ddim yn helpu. Dwi eisiau eu helpu nhw, ond dwn i ddim sut. Dwi ddim eisiau bod yn sylwebydd yn unig. Dwi eisiau teimlo eu poen fel mod i'n gallu eu helpu nhw i weld bod gobaith, hyd yn oed yn y dioddefaint gwaethaf. Pan mae'r boen ar ei gwaethaf, pan mae Duw fel petai'n gwbl absennol, dyna pryd rwyt ti agosa ato Ef.'

Fflachiodd golwg o syndod rhwng rhieni Simone wrth iddynt glywed y gair 'Duw'. Ni sylwodd Simone, oedd yn edrych i'r tân.

'Allith E ddim bod yn bresennol gyda ni. Nid yn y byd hwn. Ond fe all fod bron yn berffaith absennol yn yr adfyd eithaf. Dyna'r unig bosibilrwydd o berffeithrwydd inni ar y ddaear.'

Erbyn hyn, tro rhieni Simone oedd hi i fod yn dawel. Parhaodd Simone i syllu i'r tân, wedi ymgolli yn ei meddyliau.

'Perffeithrwydd . . .' meddai Madame Weil yn betrus.

Ond roedd Simone wedi gorffen synfyfyrio. Edrychodd i fyny, yn sgyrsiol erbyn hyn, gan newid y pwnc.

'Dwi'n mynd i'r Almaen. Am dair wythnos. Mae Llais y Gweithwyr *eisiau imi wneud erthygl ar gyflwr y Chwith dan Hitler.'*

O ddryswch, i bryder, i fraw – a'r cyfan mewn ychydig funudau o sgyrsio. Doedd siarad gyda Simone byth yn diflas, meddyliodd Madame Weil.

'Felly. Yr Almaen. Dan Hitler. A thithau'n Iddewes. Ac yn anarchydd.'

Edrychodd yn arwyddocaol ar Simone.

'Ffrindiau iti yw'r bobl yma ar y papur, ie?' gofynnodd.

Gwenodd Simone at yr eironi. 'Ie. Beth bynnag, rwy'n mynd wythnos nesa.'

'Wythnos nesa. Da iawn,' meddai Madame Weil. 'Wedyn byddi di yma i gwrdd ag e.' Edrychodd yn awgrymog at Dr Weil.

'Pwy? Nid Charles, Mam?'

Edrychodd Simone yn geryddgar, ond roedd mwy nag ychydig o ddiddordeb yn ei llygaid.

'Na,' meddai ei mam, gan fwynhau'r ffaith bod Simone dan anfantais am unwaith. 'Leon Trotsky.'

'Trotsky?!' Mwynhaodd rhieni Simone ei syfrdandod. 'Trotsky? Yma?'

'Pam lai?' meddai Dr Weil. 'Allith e ddim mynd yn ôl i'r Undeb Sofietaidd, allith e? Ddim gyda phris ar ei ben. Mae e angen lle i aros, a nos fory mae'n aros fan hyn. Ti'n gweld, ti'n meddwl bod dy fam a finnau mor adweithiol. Wyt ti'n meddwl nad oes dim cydwybod cymdeithasol gynnon ni? Pan weli di M'sieur Trotsky yfory, cofia mai radicaliaid bourgeois *fel ni sy'n rhoi lloches iddo fe.'*

* * *

Noson drannoeth, stopiodd cerbyd y tu allan i dŷ y teulu Weil. Neidiodd dau ddyn allan ohono. Roedd llawddrylliau'n agored yn nwylo'r ddau. Edrychent yn barod am unrhyw drafferth. Agorodd un ohonynt y drws i'r cerbyd er mwyn i ddyn yn gwisgo côt fawr drom a het ddu ddod allan ohono. Cnociodd yr ail warchodwr ar ddrws y tŷ wrth i Trotsky, â'i ben i lawr, esgyn y grisiau. Agorwyd y drws gan Madame Weil.

'Monsieur Trotsky, mae hyn wir yn anrhydedd . . .' cychwynnodd.

Anwybyddodd Trotsky hi a cherdded yn syth i fewn. Dilynodd y gwarchodwr cyntaf ef.

'Ble mae ystafell y Brawd Trotsky?' meddai, gydag acen y Rwsieg yn drwm ar ei Ffrangeg. Safai Trotsky a'i gefn atynt yn y cyntedd, yn diosg ei gôt.

'Yn gyntaf oll, ble mae eich "os gwelwch yn dda", frawd?' meddai Madame Weil, mewn Rwsieg perffaith.

Synnwyd y gwarchodwr. Trodd Trotsky o amgylch, gyda syndod a difyrrwch yn gymysg ar ei wyneb.

'Fy ymddiheuriadau, Madame Weil,' meddai, yn Rwsieg. 'Mae misoedd lawer o fywyd ar ffo wedi gwneud i rai ohonom anghofio ein moesau.'

Edrychodd yn llym at y gwarchodwr, a throdd at y Ffrangeg. 'Ble mae ystafell y Brawd Trotsky, os gwelwch yn dda*?"*

'Os gwelwch yn dda, Madame,' meddai'r gwarchodwr yn stiff.

'Y ffordd yma,' meddai Madame Weil, yn wên i gyd unwaith eto. Arweiniodd y gwarchodwr at y grisiau. 'Y Brawd Trotsky, ewch drwodd, os gwelwch yn dda. Mae Dr Weil a fy merch yn y parlwr.'

Arweiniodd hi y gwarchodwr i fyny'r grisiau gan gario bagiau Trotsky. Dilynwyd nhw gan ddau ysgrifennydd Trotsky, a fu'n aros wrth y drws.

* * *

'Chwyldro parhaol yw'r unig ffordd. Pan ddaw'r chwyldro yn y Gorllewin fe fydd yn ailadrodd elfennau hanfodol y Chwyldro yn Rwsia. Fe ddaw o'r boblogaeth yn gyntaf, a bydd raid i'r mudiadau gwleidyddol fod yn barod i gyfeirio greddfau'r bobl . . .'

'Mwy o lysiau, M'sieur Trotsky?' gofynnodd Madame Weil, gan gynnig y fowlen iddo.

Cymerodd Trotsky rai o'r llysiau heb ei chydnabod. Daliai i siarad: 'Gyda grym anorchfygol y bobl yn ei gario ymlaen, fel y Bolsieficiaid yn y Chwyldro . . .'

Roedd Madame Weil yn barod i herio unrhyw un dros foesau cymdeithasol, ond yn wyneb rhyferthwy dadleuon Trotsky, a'r ffaith ei fod wedi dioddef cymaint oherwydd ei egwyddorion, fe'i tawelwyd hi'n llwyr bron. Gwrando hefyd a wnâi Dr Weil a'i ferch, yntau'n pigo bwyta, a Simone heb gyffwrdd ei bwyd o gwbl.

Wrth y ffenestr, eisteddai un o warchodwyr Trotsky mewn cadair freichiau yn bwyta bwyd oer oddi ar blât gydag un llaw. Daliai ei law arall y dryll. Gwyliai'r stryd y tu allan.

'Bydd prosesau hanes yn golygu bod dinistr cyfalafiaeth yn anochel . . .'

* * *

Yn y parlwr, ar ôl cinio, a Dr a Madame Weil wedi cilio i'r gegin am ennyd i baratoi diodydd, gadawyd Simone a Trotsky gyda'i gilydd, ar eu pennau eu hunain, heblaw am y gwarchodwr hollbresennol. Eisteddai'r gwleidydd yn y gadair freichiau, tra eisteddai Simone ar y llawr. Edrychent fel meistr a disgybl, perthynas yr oedd Trotsky'n amlwg yn gyffyrddus â hi. Yn wahanol i'w sgwrs dros fwyd, sgwrs bersonol oedd hon bellach.

'Mae'n ddrwg gen i imi orfod condemnio'ch syniadau chi yn y bamffled yna sgwennais i,' meddai Trotsky. 'Ond mae eich safbwynt yn rhy unigolyddol. Mae'n ymddangos i mi eich bod wedi anobeithio dros yr hyn ry'ch chi'n ei weld fel profiadau anffodus y gweithwyr yn yr Undeb Sofietaidd, a ry'ch chi wedi cilio i safbwynt sy'n ceisio amddiffyn eich personoliaeth yn erbyn y byd. Pan fyddwch chi'n hŷn . . .'

'Felly, pa mor hen fydda i pan fydd Rwsia'n wladwriaeth y gweithwyr go-iawn?'

'Gwladwriaeth y gweithwyr yw *hi. Ond roedd Rwsia wedi ei hynysu. Mae hanes yn symud yn araf. I ymladd y gelyn, mae'n rhaid cael byddin.'*

'Yn defnyddio'r un arfau, a'r un tactegau â'r cyfalafwyr? Y cyfan mae'r gweithwyr yn Rwsia yn ei wneud yw goddef llywodraeth y Sofietiaid am ei fod yn well na chael y cyfalafwyr yn ôl . . .'

'Dy'ch chi ddim yn deall. Mae llawer wedi'i wneud dros y gweithwyr, merched, plant. I'r graddau y bydd cynhyrchu'n cynyddu . . .'

'Yn y bôn, rydych chi a Lenin wedi gwneud yr hyn roedd y cyfalafwyr mawrion yn ei wneud pan oedd cyfalafiaeth yn dal yn rhyddfrydol – a ry'ch chi wedi gormesu miloedd o fywydau pobl yn y fargen!'

Yn y gegin, gwrandawai Dr a Madame Weil yn bryderus ar y tro annisgwyl yr oedd y sgwrs wedi'i gymryd. Dylsent fod wedi gwybod yn well na gadael Simone ar ei phen ei hun gyda'u gwestai, meddylient. Roedd Trotsky bellach wedi cod'i lais.

'Pam ry'ch chi'n amau popeth? . . . Dyw rheoli ddim yr hyn ry'ch chi'n gredu yw e, yn eistedd ar ryw fynydd Olympws! . . . Os mai dyna sut ry'ch chi'n teimlo, pam ry'ch chi'n rhoi llety inni?!'

Clywyd sŵn traed yn y parlwr. Trefnodd rhieni Simone eu hwynebau ac aethant i mewn, fel yr oedd Trotsky'n agor y drws i'r cyntedd, gyda'i warchodwr y tu ôl iddo.

'Beth sy'n bod ar y ferch 'na?' gwaeddodd. 'Ydy hi ym Myddin yr Iachawdwriaeth neu rywbeth?'

Gadawodd yr ystafell a cherddodd yn drwm i fyny'r grisiau.

*   *   *

Roedd Gethin yn gwisgo siwt. Prin y bu i Meinwen a Dewi ei adnabod pan gyfarfu'r tri ohonyn nhw yn swyddfa etholaeth Haydn Davies. Yn ystod ei gyfnod yn yr Hafan, fe fuasai Gethin yn debycach o bleidleisio i'r Toriaid nag o wisgo siwt. Bryd hynny, prin y'i gwelid heb grys-T â slogan arno; roedd y gofod ar ei ddillad wedi'i neilltuo i wahanol ymgyrchoedd mewn modd mor ofalus â'r gofod hysbysebu ar grysau pêl-droedwyr yr Uwch Gynghrair. Ond roedd ei brofiad yn Iwerddon wedi ei newid. Nid oedd yn pleidleisio i'r Torïaid; na, doedd pethau ddim cynddrwg â hynny. Ond roedd y tân a'r optimistiaeth a oleuodd yr Hafan fel petai wedi diffodd. Unwaith, bu'n gatalydd; bellach, roedd yn oddefol. Rhaid oedd i Dewi a Meinwen ei brocio gyda sawl galwad ffôn er mwyn ei gael i drefnu'r cyfarfod hwn gyda Haydn Davies. Ond, ymhen hir a hwyr, fe wnaethai, a bellach, dyma nhw yn y llecyn aros y tu allan i swyddfa'r Prif Weinidog.

Tra oedd y ddau'n aros, edrychent drwy'r casgliad o bamffledi swyddogol ar y bwrdd coffi. Rhestrai'r rheiny gyraeddiadau'r Cynulliad mewn sawl maes: iechyd, addysg, datblygu cymunedol. O reddf, fe sganion nhw bob dogfen am unrhyw gyfeiriad at yr iaith Gymraeg, eu hunig fesur o berthnasedd ac effeithiolrwydd unrhyw bolisi. Nid oeddent wedi dod o hyd i'r un cyfeiriad erbyn i ddrws y Prif Weinidog agor.

Haydn Davies ei hun oedd yno. Roedd e'n ofalus iawn i osgoi iaith corff a awgrymai rym. Agorai ei ddrysau ei hun, cyfarchai ei westeion ei hun, a phan wahoddodd ef y ddau i fewn i'w swyddfa ac amneidio arnyn nhw i eistedd, nid eisteddodd ef y tu ôl i'w ddesg, ond yn hytrach yng nghorff y swyddfa, ar yr un cadeiriau meddal â hwythau o amgylch y bwrdd coffi. Os oedd yn synnu gweld Dewi a Meinwen – wynebau cyfarwydd iddo o adroddiadau'r wasg a'r teledu – ni ddangosodd hynny. Ond dyfalodd o'u presenoldeb nad cyfarfod ynglŷn â thyllau yn y ffordd yn ei etholaeth oedd hwn i fod. Byddai tipyn bach o Gymraeg yn esmwytho pethau, meddyliodd.

'Te neu goffi?' gofynnodd.

Edrychodd yr ymwelwyr ar ei gilydd, gan ddod i gonsensws sydyn. Te i bawb. Ymddangosodd ysgrifenyddes Davies yn y drws.

'Pedwar te, os gwelwch yn dda, Catrin,' meddai, gan ychwanegu yn Saesneg, *'And make sure Meinwen's is fairly-traded. None of that exploitative stuff.'*

Daliodd Meinwen y cyfeiriad i'w hymgyrchu dros degwch i gyflenwyr y Trydydd Byd, a gwelodd y direidi yn llygaid Davies, ond nid oedd hi'n cael y peth yn ddoniol ac roedd yn benderfynol o beidio cael ei swyno gan y Llafurwr hwn. O weld na wnâi ysgafnder mo'r tro, fe drodd Davies yn fwy ffurfiol.

'Nawr, maddau imi, ond dysgu Cymraeg ydw i,' meddai wrthynt. 'Rwy'n meddwl ei fod yn well os ydym ni'n siarad Saesneg. Beth alla i gwneud ichi?'

Esboniodd Meinwen y sefyllfa: diwylliant amhrisiadwy yn cael ei ddileu dim ond er mwyn i bobl gyfoethog allu cael eu dewis o'r farchnad dai. Mater o gyfiawnder naturiol oedd o. Ni fyddai hanes yn maddau i'r un ohonyn nhw pe baent yn cadw'n dawel tra âi'r broses hon rhagddi, a phe na wnaent unrhyw beth i'w rhwystro. Roedd yr ymgyrchwyr wedi ceisio defnyddio dulliau democrataidd: buont yn lobïo, yn cynnal teithiau cerdded, yn picedu, yn dosbarthu pamffledi, yn gorymdeithio. Er hyn oll, roedd y stoc dai yn cael ei gipio o gyrraedd pobl leol; er hyn oll roedd pobl ifainc yn gorfod gadael eu hardaloedd genedigol; er hyn oll roedd yr ymfudwyr yn eu disodli, yn newid cymeriad Cymru fesul tŷ, fesul ffarm.

Blasodd Davies ei de, gan wrando wrth i Meinwen redeg drwy'r dadleuon. Er gwaethaf ei gellwair yn gynharach, te masnach deg oedd hwn hefyd, a hynny gan ei fod ef wedi mynnu defnyddio nwyddau masnach deg yn ei swyddfa ers tro. Roedd ef a Meinwen yn rhannu llawer o ddelfrydau, meddyliodd. Cofiodd am ei yrfa ei hun fel ymgyrchydd yn cynorthwyo'r glowyr yn yr wyth degau, neu'n gwrthwynebu arfau niwcliar, cyn iddo benderfynu y câi fwy o ddylanwad o fewn y system nag yn gweiddi o'r cyrion. Roedd wedi newid, roedd hynny'n sicr. Roedd ei dactegau, ei ieithwedd a'i ddiwyg i gyd yn wahanol iawn. Ond roedd yn hyderus mai'r un oedd y cymhelliad yn ei galon, sef cyfiawnder.

Gwrandawodd wrth i Meinwen fwrw ymlaen gyda'i dadl: cyfiawnder, hawliau, cymunedau, perthyn. Oedd, roedd yn gweld y pwynt. Tu hwnt i'r rhethreg genedlaetholgar amrwd roedd 'na egwyddor sylfaenol o degwch yma. Roedd pobl yn ei etholaeth ef yn ei chael hi'n anodd i fforddio tai y dyddiau hyn. Hwyrach y byddai modd creu ryw bolisi drwy Gymru gyfan a fyddai'n diogelu hawl pobl leol i fyw yn eu broydd. Pe llunnid polisi ar gyfer y wlad i gyd, fe allai hynny gwrdd â gofynion yr ymgyrchwyr ieithyddol yma heb ei fod ef yn edrych fel pe bai'n ffafrio'r iaith ac yn ildio i fygythiadau. Gyda pholisi o'r fath, gallai wrthsefyll yr eithafwyr gwrth-Gymreig yn ei blaid ei hun a chael y maen i'r wal. Dim ond i bawb fod yn gall a chwarae'r gêm. Edrychodd ar y cloc ar y wal tu ôl i'w ymwelwyr. Mae ganddyn nhw bum munud arall, meddyliodd. Marwolaeth cenedl, barn hanes. Roedd yn bryd i ddod â hyn i ben. Rhoddodd ei gwpan i lawr a phwyso ymlaen. Nodiodd yn ddwys ei olwg wrth i Meinwen dynnu ei dadl tua'i therfyn.

'*So what do you want me to do?*' gofynnodd iddi. Gwnaeth i'r ymadrodd swnio fel pe bai ond yn rhaid iddyn nhw enwi'r polisi ac y byddai yntau'n rhoi'r gorchymyn yn syth. Gwyddai'r ymwelwyr yn well na hynny.

'*A property act, Mr Davies,*' meddai Dewi. '*While there's still time.*'

Gwyddai Haydn Davies am ymgyrch y Mudiad, ond nid oedd erioed wedi rhoi ystyriaeth iddi tan nawr, yn bennaf oll oherwydd y sawl oedd yn ei hyrwyddo. Bellach, ac yntau'n gorfod meddwl am ymateb ar gyfer yr ymwelwyr ymwthgar yma, meddyliodd yn gyflym. Ni fyddai'n dadlau dros y manylion; fel cyn-chwaraewr rygbi, fe wyddai beth i'w wneud pan oedd dan bwysau, sef cicio am yr ystlys. Byddai hynny'n prynu amser iddo ef geisio cyngor ar y polisi yr oedd yn ystyried ei greu, ac ni fyddai'n colli wyneb drwy edrych fel pe bai wedi ei orfodi i ildio i bwysau ymgychwyr. A'i blaid un ai wedi creu, neu wedi etifeddu, ystod o bolisïau oedd yn hyrwyddo'r iaith ar lefel sefydliadol ac addysgiadol, roedd yn dechrau closio at y syniad o gael ei weld fel gwarchodwr yr iaith yn yr ystyr gymunedol yn ogystal. Petai'n gallu llunio polisi fyddai'n gallu cael yr effaith honno, efallai y byddai'r Blaid Lafur yn gallu cipio dillad, a seddi, y cenedlaetholwyr yn eu cadarnleodd. Efallai'n wir.

'*Let me think about it*,' meddai, â difrifoldeb lond ei lais dwfn.

Gweithiodd y dacteg yn well nag yr oedd wedi disgwyl. Lladdodd y sgwrs yn llwyr. Edrychodd yr ymwelwyr ar ei gilydd yn ymholgar. Ni fedrodd neb feddwl am unrhyw beth i'w ddweud. Dyna'r job ar ben, meddyliodd Davies. Eisteddodd yn ôl gan ymlacio. Dychwelodd ei ysgafnder.

'*So are you just down for the nightlife?*' Trodd at Meinwen a Dewi. '*Or have you got people to lobby, signs to paint?*'

'*We're not painting signs just now*,' meddai Meinwen, yn ddi-wên. '*We managed to win that battle. But if there's no movement on a property act, we'll have to take direct action again. We won't go away, and we won't stop until we get justice.*'

Dyna'r bêl yn ôl ar dir y chwarae eto, felly. Defnyddiodd Meinwen y person cyntaf lluosog fel pe bai'n medru galw ar ddeuddeg lleng o ymgyrchwyr ar ei gair. Roedd Davies wedi gweld digon o adroddiadau newyddion i wybod bod protestiadau'r Mudiad bellach – hyd yn oed pan garcharwyd ei haelodau – ond yn cael hanner dwsin o baragraffau yn y papur yn unig, neu eitem fach bymtheng-eiliad ar y teledu ar y mwyaf. Dim ond pan oeddent yn cyd-fynd gyda'r *zeitgeist* yr oedd tactegau fel eiddo'r Mudiad yn gweithio, a phan oedd cefnogaeth iddynt drwy drwch y wlad. Ond roedd pethau wedi symud ymlaen ers y dyddiau hynny. Un peth oedd arwyddion ffordd; doedd neb mewn gwirionedd ar ei golled pe gwnaed yr arwyddion yn ddwyieithog. Ond y farchnad dai? Fyddai waeth iddyn nhw ddweud wrth bobl pa ddillad i wisgo neu ba fath o gar i'w yrru, neu ba enwau i'w rhoi ar eu plant. Hyd yn oed pe bai gan Meinwen ddeuddeg lleng, ni fyddai'r ymgyrch honno'n llwyddo; gwyddai hynny i sicrwydd. Edrychodd arni gyda chwestiwn ar ei wyneb, fel pe bai'n dweud: 'Pa fath o ffŵl ti'n meddwl ydw i?' Arhosodd Meinwen yn ddifynegiant. Sylweddolodd Davies fod Meinwen wir yn credu bod lleng ganddi. Roedd ef wedi ystyried galw ei blyff. Ond sylweddolodd nad blyff ydoedd, ond cred ddiysgog. Roedd e'n gwastraffu ei amser.

'*Thanks for the advance warning*,' meddai. '*But let me think about what you said first, OK?*'

Yn gynharach yn y sgwrs, pan gynigiodd ystyried eu dadleuon, roedd ef wir wedi bwriadu gwneud hynny. Yn awr, wedi i Meinwen ei fygwth, nid oedd ganddo unrhyw fwriad o'r fath.

Safodd, ac agorodd y drws iddynt. 'Diolch am ddod,' meddai wrth eu dangos nhw allan o'r swyddfa, cyn troi i'r Saesneg: '*Be careful – it's a jungle out there.*'

Caeodd y drws.

Archwiliodd y swyddog ddogfennau teithio Simone yn ofalus. Ni ruthrodd dros y gwaith ac roedd gan Simone amser i edrych o'i hamgylch ar yr Hauptbahnhof, prif orsaf reilffordd Berlin. Roedd iwnifformau ymhobman bron: staff y rheilffordd, milwyr, heddlu, yr Hitlerjugend. A phosteri propaganda ar bron bob wal; darluniai rhai o'r rhain y comiwnyddion fel is-ddynion yn chwifio cryman gwaedlyd; darluniai eraill yr Iddewon fel cyfalafwyr crechwennog trwynfawr mewn hetiau sgleiniog uchel.

Edrychodd y swyddog i fyny o'r papurau at Simone. Yn ei

beret *goch, ei chlogyn du a'i sbectol gron, ni allasai fod wedi edrych yn fwy fel ymgyrchydd anarchistaidd. Iddewes hefyd, yn ôl ei chyfenw a'i golwg, meddyliai'r swyddog. Ond nid oedden nhw'n arestio dinasyddion Ffrengig eto, hyd yn oed y rhai Iddewig – ddim eto o leiaf. Byddai rhybudd bach yn ddigon.*

'Eich hil?' gofynnodd yn hamddenol, fel pe bai'n holi i ble roedd hi'n teithio.

'Fy nghenedligrwydd, ry'ch chi'n feddwl?' cywirodd Simone. 'Ffrengig yw fy nghenedligrwydd. Un o ddinesyddion Ffrainc ydw i.'

Edrychodd yn ddigyffro ar y Natsi, fel pe bai'n ei herio i'w galw hi'n Iddewes. Siglodd ef ei ben, rhoddodd ei chardiau yn ôl iddi a gadawodd iddi fynd.

Aeth Simone drwy'r barier, daeth o hyd i'r rheng tacsis, a gofynnodd, yn Almaeneg, i yrrwr y tacsi cyntaf a oedd ei gerbyd yn rhydd. Oedd. Wrth i'r gyrrwr ymsymud i gamu o'r cerbyd er mwyn agor y drws cefn, agorodd Simone y drws blaen ei hun gan eistedd yn y sedd nesaf at y gyrrwr. Meddyliodd Simone fod hynny'n beth llawer mwy brawdgarol i'w wneud. Gwenodd ar y gyrrwr. Roedd e'n stiff gydag embaras.

'I ble, Fraulein?' meddai, gan edrych yn syth o'i flaen.

'Swyddfa Llais Gweithwyr yr Almaen, *os gwelwch yn dda. Albrechtstrasse.'*

O glywed y cyfeiriad, edrychodd y gyrrwr ar Simone mewn braw. Gwenodd hi arno, yn amlwg heb syniad o'r anghysur yr oedd hi wedi'i greu. Gan regi dan ei wynt, fe lywiodd y gyrrwr y car allan i'r traffig.

'Herr Gyrrwr, hwyrach y gallech chi ddweud wrtha i, sut mae pobl gweithiol fel chi'n teimlo ynglŷn â Hitler?'

'Dwi ddim yn wleidyddol, fraulein.'

'Na, ond ry'ch chi'n Almaenwr, felly mae'n rhaid bod gennych chi farn ar yr hyn sy'n digwydd yma.'

'Dim ond gyrrwr tacsi ydw i, Fraulein . . . Does dim angen

cael barn ar ddim byd arna i.' Symudodd yn anghysurus yn ei sedd.

'Ond hyn i gyd!' Amneidiodd Simone ar yr iwnifformau a'r posteri yn y stryd y tu allan. 'Mae'n rhaid bod gennych chi farn ar y peth!'

'Iawn, 'te. Oes,' meddai. 'Mae gen i farn. Dair blynedd yn ôl doedd dim gwaith gen i. Roedd fy nghynilion i gyd wedi mynd gyda'r chwyddiant. Doedd dim syniad gynnon ni beth fydden ni'n ei fwyta o un diwrnod i'r llall. Nawr, fel ry'ch chi'n gweld, mae gen i waith. Mae gen i fflat newydd hefyd. A ry'n ni'n cael pythefnos o wyliau bob blwyddyn mewn tref wyliau i weithwyr.'

'Ond eich delfrydau, fel dyn gweithiol. All Natsïaeth ddim eu bodloni nhw, does bosib?'

'Fraulein, petaech chi wedi byw drwy'r rhyfel a'r chwyddiant a'r anhrefn yn yr Almaen, fe fyddech chi'n sylweddoli. Swydd, cartref, gwyliau. Dyna beth yw delfrydau.'

Trodd y gornel i fewn i Albrechtstrasse, a stopiodd y car.

'Fe fyddwch chi'n deall, wrth gwrs, os gwna i eich gollwng chi fan hyn yn lle mynd at y drws. Fydde fe ddim yn . . . ddoeth . . . imi gael fy ngweld yn mynd â chi yno. Mae pawb yn gwylio pawb y dyddiau hyn, a byddai mynd at swyddfa papur adain-chwith, gyda rhywun o'ch . . .'

'O fy . . . beth?'

'O'ch . . . cefndir chi.'

'Ffrainc yw fy nghefndir, Herr Gyrrwr. Traddodiad Cristnogol, Helenaidd a Chatholig. All yr un ddeddf wrth-Semitaidd ddim newid hynny.'

Dringodd o'r tacsi, a chyfrodd union gost y daith fesul reichsmark *i gledr llaw'r gyrrwr.*

'Fe fyddwch yn deall, wrth gwrs, Herr Gyrrwr, y byddai'n nawddoglyd pe bawn i'n rhoi cildwrn ichi.'

Roedd yntau'n ddiolchgar i gael ei gwared hi. Gyrrodd i ffwrdd. Croesodd Simone y stryd i swyddfeydd y papur.

Wrth ddynesu, meddyliodd fod yr adeilad yn edrych yn od. Sylwodd fod caeadau pren dros y ffenestri i gyd. Cyrhaeddodd y drws caeedig a churo arno. Nid oedd ateb. Curodd eto. Dim ateb.

Ar ochr arall y stryd, wrth fwrdd caffi, roedd dyn yn gwylio Simone yn ofalus. Roedd hi'n edrych i fyny ar yr adeilad mewn penbleth, pan gododd y dyn o'i fwrdd a cherdded draw tuag ati, gan ddynesu ati o'r tu ôl.

'Mademoiselle Weil?'

Trodd hithau o amgylch, mewn braw.

'Ie?'

'Claus Rote. Golygydd Llais Gweithwyr yr Almaen. *Tan ddoe, hynny yw.'*

* * *

'Tan ddoe?'

Roedd Simone a Rote wedi eistedd wrth fwrdd yn y caffi gyferbyn â'r swyddfeydd caeedig, lle'r oedd ef wedi mynd i ddisgwyl amdani.

'Tan i'r Natsïaid ein cau ni i lawr,' meddai Rote. 'Maen nhw wedi meddiannu'r gweisg, a'r teipiaduron, a hyd yn oed y papur ei hun a'r ôl-rifynnau. Ac maen nhw wedi selio'r adeilad. Wnaiff yr heddlu ddim ein helpu ni.' Edrychodd i lawr at y bwrdd. 'Roeddwn i'n gwybod eich bod chi'n dod, felly fe arhosais yma.'

'Beth wnewch chi nawr, felly? Cadw 'mlaen â'r frwydr yn y dirgel?'

'Mae'r frwydr ar ben yn yr Almaen. Mae'r Natsïaid yn rheoli popeth: y wasg, y lluoedd arfog, y sinema, meddyliau pobl . . .'

Edrychodd at ffenestri dall ei gyn-swyddfa.

'Meddyliais i, pe baen ni 'mond yn rhoi'r dewis i bobl – cyfiawnder neu ormes, brawdgarwch neu ryfel – yna fe

fyddai'r cyfan yn eglur. Ond edrychwch be maen nhw wedi'i ddewis – Hitler. Mae'r chwith ar chwâl yn y wlad hon, a'r grwpiau gwahanol yn casáu ei gilydd bron mwy nag maen nhw'n casáu'r Natsïaid. Mae'r frwydr ar ben yma.'

Wedyn edrychodd i fyw llygaid Simone, fel pe bai'n apelio arni i ddeall ac i gofio.

'Ond dyma pam wnes i aros i'ch gweld chi. Dwedwch wrth ein pobl ni yn Ffrainc be sy'n digwydd yma. Rhybuddiwch y Chwith i baratoi. Fydd Hitler ddim yn stopio gyda'r Almaen. Mae'n benderfynol o reoli Ewrop. Mae'n mynnu dial ar Ffrainc am Versailles, ac mae'n mynnu dial ar yr Iddewon. Mae'r Bwystfil wedi dod i rym yn yr Almaen. Cyn bo hir bydd yn dod amdanoch chi.'

I'r rhai oedd yn nabod Caerdydd yn dda, roedd *The Little Connoisseur,* tŷ bwyta mewn un o arcêds llai ysblennydd y brifddinas, yn sefydliad i'w drysori. Yn fach ac yn gyfyng, gyda seddi plastig cochion a llieiniau bwrdd plastig â phatrwm blodau arnynt, roedd, serch hynny, yn haeddu ei arwyddair: *'The Home of Home Cooking'* gan iddo weini bwyd cysur traddodiadol. I'w gwsmeriaid, roedd y *Little Connoisseur* yn cynnig atgofion ar blât. I aelodau'r Mudiad, oedd yn ddigon hen i gofio'r dyddiau cyn i dai bwyta a bariau-thema Cymreig ddechrau britho'r brifddinas, dyma oedd yr agosaf y deuent at gefnogi caffi Cymreig yng Nghaerdydd. Ar y wal roedd poster enfawr o Shirley Bassey mewn gwisg laes, a'r geiriau '*Cardiff's Own*' wedi eu hargraffu arno. Rhan allweddol arall o apêl y caffi i'r ymgyrchwyr oedd y ffaith syml ei fod yn rhad. Cynlluniwyd sawl ymgyrch yno dros y selsig a thatws stwnsh, yr ham gyda saws persli, neu'r pwdin bara-menyn.

Siwrne sentimental oedd hi heddiw, felly, wrth i Dewi fynd â Meinwen i lawr yr arcêd wedi iddynt ffarwelio â Gethin, oedd ar frys i ddychwelyd i'r gwaith yn dilyn yr ymweliad â'r

Prif Weinidog. Gobeithiai Dewi y byddai'r blynyddoedd o atgofion cyffredin oedd ynghlwm â'r caffi yn creu cyswllt gyda Meinwen, oedd yn fwy tawel nag arfer yn dilyn y cyfarfod gyda Haydn Davies. Gobaith Dewi oedd y byddai'n dod â hi'n ôl at fersiwn gynharach ohoni hi'i hun. Fersiwn oedd yn medru chwerthin. A bwyta.

'Y rhost bîff a Yorkshire pwdin i fi,' meddai Dewi. 'Beth amdanat ti?'

'Jyst paned o de os gweli di'n dda.'

'Ty'd 'laen, Meinwen. Mae dy ffefryn di ar y fwydlen – omlet a tships.' Synhwyrodd dinc anghysurus o gocsio yn ei lais, fel pe bai'n ceisio tynnu plentyn anfoddog trwy deg. Wrth i hyn ei daro, sylweddolodd am y tro cyntaf gymaint yr oedd yn poeni o ddifrif am y ffaith bod Meinwen yn bwyta cyn lleied. Pryd gwelodd o hi'n bwyta ddiwethaf? Doedd e ddim yn gallu cofio.

'Ty'd ymlaen – wna i dy dretio ti.' Roedd y cocsio yn ei lais eto.

'Wir, Dewi, dwi ddim yn llwglyd.' Roedd ei goslef yn derfynol. Roedd Dewi'n gyfarwydd â phenderfynoldeb Meinwen, a bod hwnnw wedi dangos ei hun yn awr. Doedd dim mwy o obaith ei pherswadio i fwyta nag oedd o'i pherswadio i adael protest eistedd-i-lawr.

Caeodd Dewi ei lygaid a nodio fel pe bai i ddweud ei fod yn deall. Rhoddodd ei archeb i'r ferch oedd yn gweini, ac wedyn fe drodd at y rac bapur i nôl copi o'r papur newydd. Sganiodd drwyddo gyda chyflymder mor effeithiol â pheiriant chwilio'r rhyngrwyd. Anwybyddodd newyddion am newid cabinet San Steffan. Ysbyty'n cau yn nwyrain Gwent? Na. Sgandal ddiweddara'r Comisiwn Ewropeaidd? Na. Daeargryn yn Nhwrci? Na. Y ddau air y chwiliai amdanynt oedd '*Welsh*' a '*language*'. Gyda'i gilydd os yn bosib. Daeth o hyd iddynt o'r diwedd. Yng ngholofn John Sayle.

'Why has Wales failed to emulate the Celtic Tiger economy

of Ireland?' darllenodd. *'Why are Welsh companies not multinational forces like their Irish counterparts? Are the Welsh less enterprising, less intelligent than their cousins across the Irish Sea? God forbid. If you want the answer, you need only look at the main difference between the two countries. Ireland has quietly allowed its language to die. It has recognised the futility of trying to compete with the global power of English, and has harnessed its fortunes to those of the English-speaking world, leaving Gaelic as the province of a few Aran-sweatered romantics. Result, prosperity.*

'But in Wales, so much of our public policy, and so much of our scarce finance, is taken up with propping up the Welsh language, that it's sapping the nation of the drive and energy we need to compete and succeed. People like Wales's own female Taliban – or should that be "Taffyban"? – Meinwen Jones, would be happy to keep us living in a folk museum. And it's the disproportionate influence that fanatics like her exercise in the corridors of power that stifles the healthy creativity that would allow Wales to prosper. They're the virus in the body politic. Next time you hear that someone you know is out of work, you know who to blame.'

Wrth iddo ddarllen, penderfynodd Dewi na fyddai'n dangos yr erthygl i Meinwen. Ond roedd y ffaith ei fod yn amlwg wedi ymgolli mewn erthygl yn ei wneud yn amlwg iddi hi ei fod wedi dod o hyd i rywbeth o ddiddordeb. Ac roedd 'diddordeb' yn golygu diddordeb mewn un pwnc yn unig.

'Be mae'n ddweud?'

'Ti ddim isio gwybod.'

''Falle ddim. Ond dangos imi.'

Darllenodd. Yn dilyn y derbyniad a gawsant gan Haydn Davies y bore hwnnw, roedd yr honiad eu bod nhw'n cario dylanwad yng nghoridorau grym yn chwerthinllyd. Ond ni allai hi hyd yn oed chwerthin yn chwerw. Gwyliai Dewi wyneb Meinwen. Doedd hi ddim hyd yn oed yn digio. Gwelodd ei bod wedi deall arwyddocâd yr erthygl. Yr hyn oedd yn ei boeni ef oedd nad oedd Meinwen yn gadael i'w rhwystredigaeth ddangos.

'Y Bwystfil Mawr. Ymadrodd o lyfr Datguddiad. Wyddon ni ddim am beth yn union yr oedd yr awdur yn sôn, ond fe wyddom ei fod yn ddelwedd hynod o bwerus.'

Wrth siarad, cerddai Simone yn araf yn ôl ac ymlaen o flaen y dosbarth. Dim ond tref fach ranbarthol yn Ffrainc oedd hon, ac nid oedd y disgyblion erioed wedi cael athrawes fel Mademoiselle Weil o'r blaen. Gwrandawent gydag astudrwydd perffaith.

'Ond fe wyddwn fod Bwystfil Mawr yn ein bywydau ni. Gormes. Unbennaeth. Yr Almaen Natsïaidd. Totalitariaeth y dde. Ond hefyd . . . totalitariaeth y chwith. Unrhyw beth sy'n caethiwo, sy'n gormesu. sy'n cau allan. Yr eglwys Gatholig pan mae'n dweud bod hereticiaid yn ysgymun, y grefydd Iddewig pan mae'n galw melltith Duw ar ei gelynion, yr Ymerodraeth Rufeinig a greodd anialwch gan ei alw'n heddwch, fel y dywed Tacitus.

'Ac ymerodraethau eraill – Ffrainc,' amneidiodd at fap ar y wal lle marciwyd rhannau helaeth o Affrica, Asia a'r Môr Tawel yn las. 'I boblogaethau Affrica, Indo Tseina a'r Pasiffig NI yw'r Bwystfil Mawr, yn dinistrio eu diwylliannau ac yn gorfodi ein diwylliant ni yn eu lle. Mae ein gendarmes *yn amddiffyn deddfau anghyfiawn; mae ein hathrawon yn rhoi'r gansen ar ddwylo plant bychain am feiddio siarad eu mamiaith. Fe addysgwn blant bach brown a chroenddu i ddweud mai eu hynafiaid oedd y Galiaid! Rhaid inni wrthwynebu'r Bwystfil hwn ym mhob ffordd, mewn gwledydd eraill, yn ein gwlad ein hunain, ac yn ein calonnau ein hunain hefyd.'*

Roedd un o'r plant wedi codi llaw. Peidiodd Simone â siarad, a gwahoddodd y cwestiwn.

'Beth am y rhyfel cartref yn Sbaen, Mademoiselle? Pwy yw'r bwystfil yno?'

'Y ffasgwyr. Lluoedd Franco.' Nid oedd rhaid i Simone hyd yn oed feddwl cyn ateb. 'Dyna lle gwelir y bwystfil yn fwyaf eglur yn ein dydd ni, yn ei holl ffyrnigrwydd noeth a'i holl drachwant am bŵer . . .'

'Ond Mademoiselle, os mai dyna lle mae'r bwystfil, ac os mai dyna lle mae ef ar ei waethaf, oni ddylech chi fod yn brwydro yn ei erbyn e yno?'

Peidiodd Simone â cherdded. Trodd yn araf ac edrych ar yr eneth a ofynasai'r cwestiwn. Edrychai Simone yn fwy fel petai hi newydd gael ateb yn lle cwestiwn.

'Ie,' meddai. 'Dylwn.'

* * *

Drannoeth, aeth Simone i weld ei phrifathro. Rhoddodd lythyr iddo, ac arhosodd wrth iddo ei agor. Darllenodd ef, nodiodd ei ben yn araf ac edrychodd i fyny ati.

'Diolch, Mademoiselle Weil. Rwy'n falch eich bod chi wedi rhoi digon o rybudd inni am eich penderfyniad i ymddiswyddo. Bydd yn flin gennym eich colli. Ond pam Sbaen? Dyw hwn ddim yn adeg i ddechrau gyrfa dysgu yno, does bosib?'

'Nid mynd yno i ddysgu eraill fydda i, M'sieur. Cael *fy addysgu fydda i. Gobeithio.'*

'Dysgu beth, felly? Sbaeneg?'

'Dysgu ymladd. Mae'r milisia anarcho-syndicalaidd ag angen gwirfoddolwyr. Dwi wedi gwirfoddoli.'

Roedd Arianrhod Môn wedi trefnu i gwrdd â Dewi a Meinwen y tu allan i *Rhyddid*, y clwb newydd Cymreig yng nghanol y ddinas. Safodd Meinwen a Dewi y tu allan i'r clwb yn aros amdani. Roedd hi'n hwyr. Ond ymhen dipyn cyrhaeddodd ei thacsi, a chamodd Arianrhod ohono. Roedd y dillad a wisgai yn werth mwy na'r hyn a wariai ei dau ffrind ar ddillad rhyngddyn nhw mewn blwyddyn.

Aeth at Dewi a'i gofleidio. 'Sori mod i'n hwyr, cariad.' Cusanodd ef ar ei ddwy foch.

'Ddwywaith?' meddai ef yn bryfoclyd.

Chwarddodd Arianrhod. 'Tair gwaith yw hi fel arfer. 'Dwi'n dy arbed di rhag hynny.' Trodd at Meinwen, gan gymryd hanner cam tuag ati. Ond safodd Meinwen gyda'i breichiau wedi'u plygu o'i blaen, fel rhwystr i unrhyw gyffwrdd corfforol. Petrusodd Arianrhod am hanner eiliad, wedyn penderfynodd fynegi ei chyfeillgarwch drwy oslef ei llais yn hytrach na chynhesrwydd ei choflaid. 'Meinwen, sut wyt *ti* ers talwm?'

Amneidiodd Arianrhod iddyn nhw ddod at ddrws y clwb. Roedd y drws ddwywaith y maint yr oedd ei angen er mwyn cyflawni'r swyddogaeth syml o hwyluso mynediad bodau dynol. Tynnodd Arianrhod gerdyn bach allan o'i phwrs arian, gan ei osod yn erbyn pad electronaidd ar ffrâm y drws. Cliciodd y drws ar agor, ac fe siglodd y pren sgleiniog trwm yn ôl yn araf.

'Maen nhw'n barod pan ry'ch chi'n barod, Arianrhod.' Gwenodd y ferch yn y dderbynfa wrth iddynt fynd i mewn i'r cyntedd. Diolchodd Arianrhod iddi, ac aeth â'i gwesteion i fyny i'r bwyty yn y lifft.

'Yr unig lifft yn y byd efo llawr llechi,' meddai'n ddireidus, wrth i'r peiriant eu cludo'n ddi-sŵn tuag at y bwyty. Ychwanegodd yn gyfrinachaidd: 'Mae'n gwneud i bobl o Blaenau Ffestiniog deimlo'n gartrefol.'

* * *

Roedd y bwyd yn odidog, y gwasanaeth yn gynnil a heb daeogrwydd. Nid oedd Dewi wedi mwynhau pryd o fwyd cymaint ers tro byd. Erioed, efallai. Roedd y ffaith ei fod yn gwybod bod Arianrhod yn talu – byddai'n cyfrif fel 'ymchwil gyda chysylltiadau' ar ei chyfrif treuliau, mae'n debyg – wedi gwneud i'r cyfan flasu hyd yn oed yn well. Mwynhaodd ddal i fyny gyda hanes Arianrhod, ac fe gafodd ei bod hithau wedi datblygu dawn ddrygionus am sylwi'n eironig ar ei dull bywyd fel cyfryngi llawn-amser yng nghanol y brifddinas. Roedd wedi sibrwd wrthyn nhw storïau cwbl enllibus am rai o'r aelodau oedd i'w gweld ar fyrddau eraill o amgylch yr ystafell. Roedd hyd yn oed Meinwen, oedd heb flasu'r bwyd heblaw potsian rhyw ychydig gyda'r salad, yn edrych fel pe bai'r lle wedi creu ryw ychydig o argraff arni.

Ond dim ond rhyw ychydig. I Meinwen, nid oedd allanolion bywyd yn golygu fawr ddim: yr hyn roedd pobl yn ei wisgo, y ffrindiau roedden nhw'n eu hadnabod, y ceir roedden nhw'n eu gyrru – roedd pethau o'r fath yn gwbl ddibwys iddi. Yn union fel nad yw Pelydr-X yn gwahaniaethu rhwng llywydd a llafuriwr, gan chwilio'n unig am arwyddion iechyd neu salwch yn y corff, felly hefyd nid oedd ots yn y byd gan Meinwen a oedd Arianrhod yn seren y cyfryngau neu'n ddynes lolipop. Y cyfan a wnaeth Meinwen oedd gwylio a gwrando am y dangosyddion a fyddai'n dadlennu iechyd – neu afiechyd – cyflwr Arianrhod, parthed yr unig ddeiagnosis oedd yn cyfrif, sef ei hagwedd at frwydr yr iaith. Bu Meinwen yn fodlon gwrando drwy gydol y pryd; bellach roedd hi'n amser iddi wneud yr archwiliad.

''Ry'n ni angen dy help di, Arianrhod,' meddai.

'OK,' meddai Arianrhod, yn ofalus yn awr. 'Ym mha ffordd, yn union?'

'Ry'n ni angen cael Deddf Eiddo ar agenda'r Cynulliad. Ti'n gwybod pa mor bwysig yw hwnna.'

'Ydw. Ond sut alla i helpu?'

'Mae'n rhaid inni wneud rhywbeth fydd yn cael lot o sylw. Pan mae Dewi neu finnau'n mynd i'r carchar y dyddiau hyn dyw e'n golygu dim. Dydyn ni ddim yn cael y nesaf peth i ddim o gyhoeddusrwydd. Dim ond sŵn cefndir ydyn ni. Does neb yn cymryd sylw. Newyddion ddoe, dyna be ydyn ni.'

'Ie . . .' Hyd yn oed yn fwy gofalus yn awr.

'Be bai rhywun gyda phroffil uwch yn cyflawni rhyw weithred symbolaidd, yna fe fyddai'n rhoi'r holl fater yn ôl ar yr agenda. Ond mae'n rhaid i'r person hwnnw fod yn rhywun fydd pobl yn ei 'nabod. Rhywun sydd ddim yn cael ei weld fel ymgyrchydd llawn-amser. Rhywun mae pobl y tu allan i'r Gymru Gymraeg wedi clywed amdano. Wedyn byddwn ni wir yn gwneud argraff.'

'Gyda "ni" yn yr achos hwn yn golygu "fi", mae'n debyg,' meddai Arianrhod.

'Ddim ond os wyt ti'n meddwl dy fod ti'n gallu 'i wneud o,' meddai Dewi. Gwnâi i'r peth swnio fel pe bai'n cynnig rôl actio ddeniadol ond dadleuol iddi, yn lle dedfryd o garchar a niwed marwol i'w gyrfa yn y cyfryngau.

Roedd Arianrhod yn meddwl y byd o Dewi a Meinwen. Go iawn felly. Roedd y ffaith eu bod yn gallu gofyn rhywbeth mor syfrdanol iddi, a hynny gyda didwylledd pur, yn deyrnged aruthrol i'w meddwl nhw ohoni, ac yn gwneud iddi deimlo anwyldeb mawr tuag atyn nhw. Y diniweidiaid! Sut oedd modd iddi eu siomi'n dyner?

'Dwi ddim yn siŵr mai fi yw'r person iawn i'r job,' meddai, gan roi tinc o dristwch yn ei llais. ''Dwi ychydig yn rhy ysgafn. Hwyrach dylech chi fynd am rywun gyda mwy o *gravitas*.'

Cofiai raglen deledu ryw ddegawd yn ôl lle bu hi a Meinwen yn dadlau'n ffyrnig gyda diwydiannwr llwyddiannus o Gymro ynglŷn â'r economi. Gan golli amynedd gyda'u *critique* ar y drefn economaidd oedd ohoni, a gan synhwyro nad y gwyddorau caled oedd cryfder ei wrthwynebwyr, fe droesai'r cyfalafwr yn ymosodol, gan ofyn i Arianrhod: '*What did you study in university?*'

'*Folk Studies,*' atebodd Arianrhod yn fuddugoliaethus, heb droi blewyn ar ei phen golau.

Roedd y diwydiannwr, oedd wedi disgwyl iddi ddweud 'gwleidyddiaeth', neu 'gymdeithaseg' o leia, yn methu cuddio'i anghrediniaeth. Roedd ei syndod yn gryfach hyd yn oed na'i falchder o ennill y pwynt.

'Folk *Studies*?!'

Ar y pryd, meddyliodd Arianrhod mai dinoethi cyn lleied roedd y cyfalafwr yn ei ddeall am Gymru a wnaeth hi yn y ddadl. Bellach, gwingai wrth gofio'r drafodaeth, a welwyd gan ddegau o filoedd. Byth eto. Erbyn hyn roedd hi'n gwybod ei chyfyngiadau ac yn chwarae i'w chryfderau.

'O, mae hen ddigon o *gravitas* gen ti,' meddai Meinwen yn galonogol, fel pe bai Arianrhod yn ei hamddifadu ei hun o gyfle gwych drwy fod yn rhy wylaidd. 'Meddylia am y peth. Mi fyddai'n ail Benyberth.'

Beth oedd ar eu pennau nhw? meddyliodd Arianrhod. Oedd, roedd Penyberth yn arwrol, ac yn angenrheidiol yn ei ddydd. Ond byth ers hynny roedd y Cymry fel petaent wedi eu clymu i'r un hen ddulliau, doed a ddelo; yn ceisio ailadrodd y gamp drosodd a throsodd, fel pe bai'n rhaid i'r byd ymrannu'n dwt gyda llywodraeth elyniaethus ar un ochr ac ymgyrchwyr dewr ar y llall. Roedd pethau'n fwy cymhleth o lawer na hynny erbyn hyn, ond fe gaent eu tynnu'n ôl at yr un arferion, yr un ddelwedd, fel gwyfyn at fflam.

'Ie, ond roedd tri ohonyn nhw ym Mhenyberth,' meddai Arianrhod. 'Dwi ddim yn credu 'mod i'n gallu cystadlu gyda DJ, Saunders a Valentine ar 'y mhen fy hunan. A hefyd,' edrychodd y ddwy ffordd a gostyngodd ei llais fel pe bai'n rhannu cyfrinach: 'Nid 1936 yw hi bellach.'

Bwriadai i'r geiriau swnio'n eironig yn hytrach nag yn arwyddocaol. Strategaeth ddianc oedd hi, iddyn nhw fedru gadael y sgwrs gynyddol anghyfforddus hon. Os dewisent chwerthin, buasai ganddynt ffordd hawdd allan o'r sefyllfa letchwith yr oedden nhw i gyd bellach ynddi. Nid oedd hi'n dymuno dadlau am wleidyddiaeth na thactegau gyda dau hen gyfaill. Yn barod roedd hi'n boenus o ymwybodol o faint y gagendor a oedd wedi tyfu rhyngddynt yn y blynyddoedd ers iddi adael yr Hafan. Ond cymerodd Meinwen eiriau Arianrhod fel gwahoddiad i geisio dwyn mwy o berswâd arni. Pwysodd ymlaen.

'Rhaid inni ddal ati i frwydro,' pwysleisiodd, ei llygaid yn chwilio rhai Arianrhod am ryw wreichionen o ffydd.

Sylwodd Arianrhod nad oedd dim pwynt ceisio cynnig dulliau disylw i'w ffrindiau er mwyn iddynt ymddihatru o'r sefyllfa o embaras yr oedden nhw wedi ei chreu. Gonestrwydd piau hi.

'Mae'r frwydr ar ben, Meinwen,' meddai Arianrhod, o ddifri o'r diwedd. Amneidiodd ar yr ystafell o'i hamgylch. Ar bron pob bwrdd, Cymraeg oedd iaith y sgwrsio. Edrychai'r ciniawyr yn gyfforddus yn eu dillad drud, eu sbectolau ffasiynol.

'Wyt ti ddim wedi sylwi?' meddai Arianrhod 'Dy'n ni wedi ennill.'

Eisteddodd Meinwen yn ôl, wrth i Arianrhod, gyda'r trem mwyaf disylw, alw'r gweinydd draw gyda'r bil. O'u hamgylch, roedd y sgyrsiau'n trafod gwyliau yng Ngwlad Thai, dylunio mewnol, buddsoddi eiddo, syniadau rhaglenni, teithiau busnes tramor.

Ar y waliau, fe hongiai darluniau drudfawr gan artistiaid Cymreig cyfoes. Tirluniau i gyd bron iawn: bythynnod melyn Sir Benfro, pentrefi llechi'r gogledd, cymunedau glofaol y de, ffermydd mynydd y canolbarth. Yr holl lefydd nad oedd y bobl yma'n dymuno byw ynddyn nhw rhagor. Y cymunedau a gefnwyd arnynt yn ddiogel mewn ffrâm.

Roedd gan y bobl yma gymaint o berthynas gyda Chymru Meinwen â phe baent yn Americanwyr. Waeth na hynny, hyd yn oed, meddyliodd Meinwen iddi hi'i hun. 'Saeson Cymraeg,' meddyliodd. 'Dyna ydyn nhw. Dim ond Saeson Cymraeg.'

*   *   *

Disgleiriai haul Sbaen oddi ar farilau gynnau'r milisia wrth iddynt ymarfer yn sgwâr llychlyd y dref. Sbaeneg oedd iaith gorchmynion yr hyfforddwr; yn ogystal â stryffaglio gyda threfn anghyfarwydd gweithgareddau milwrol, roedd yn rhaid i'r gwirfoddolwyr – criw amrywiol o'r ddau ryw ac yn hanu o nifer o wledydd – ymdopi â'r iaith ddieithr hefyd. Teimlai'r hyfforddwr, nad oedd ganddo'r un iaith heblaw'r Sbaeneg, yn rhwystredig hefyd. Roedd yna un eneth, Iddewes heglog mewn sbectol drwchus, na ddylsai fyth fod wedi derbyn pistol dŵr heb sôn am ddryll go-iawn. Petai ef yn mynnu ei bod yn ymarfer o nawr hyd dragwyddoldeb, ni fyddai hi damaid yn nes at y lan o ran ei throi'n filwr. Yn ystod yr ymarfer saethu targedau'n gynharach y diwrnod hwnnw, nid oedd hi wedi bwrw'r targed unwaith. Doedd neb hyd yn oed yn gallu dyfalu i ble'r âi ei bwledi. Roedd hi'n llawer mwy o beryg i'w hochr hi ei hun nag y byddai byth i'r ffasgwyr. Blinwyd ef gan y syniad. Gyda theimlad o ryddhad mewnol fe ollyngodd y sgwad.

Wrth i'r sgwad dorri o'u rhengoedd a dechrau siarad ymhlith ei gilydd mewn nifer o ieithoedd gwahanol – Sbaeneg, Ffrangeg, Rwsieg, Saesneg – fe welwyd mintai o ddynion dan warchodaeth yn cael eu martsio drwy'r sgwâr. Stopiodd y gwirfoddolwyr er mwyn eu gwylio nhw'n mynd heibio.

'Pwy ydyn nhw?' gofynnodd Simone i'w hyfforddwr.

'Ffasgwyr. Mae'n rhaid eu bod nhw wedi cael eu dal pan gymerodd ein pobl ni y dref 'na heddiw.'

Daeth y golofn yn nes. Gwyliodd Simone y milwyr yn agos. Y rhain oedd y gelynion cyntaf iddi eu gweld ers iddi ddod i Sbaen dair wythnos ynghynt.

'Arhoswch!'

Gan ollwng ei dryll, fe redodd Simone at y golofn, a stopiodd wrth iddi ddynesu. Aeth Simone i fyny at un o'r carcharorion, a safai â'i ben i lawr.

'Roeddwn i'n iawn!' meddai Simone, gan edrych at y carcharor penisel. 'Pam, Reynard?'

Edrychodd Reynard i fyny ati. Er yn flinedig ac yn garpiog, yr oedd yn dal yn meddu ar ei sarcastiaeth. Sythodd, a rhwbio'r chwys allan o'i lygaid.

'Mae Comiwnydd Iddewig yn gofyn "pam",' meddai.

'Dwi ddim yn Gomiwnydd.' Roedd bron fel pe bai dadleuon academaidd eu blynyddoedd yn y coleg yn parhau, er bod y gêm yn fwy peryglus o lawer erbyn hyn. Gallai Reynard weld tosturi yn llygaid Simone. Gwylltiodd hyn ef yn fwy nag y gallasai unrhyw sarhad fod wedi ei wneud. Yn garcharor fel ag yr oedd, byddai'n well ganddo gael ei saethu na gadael iddo'i hun fod yn wrthrych haelioni ffroenuchel Simone Weil.

'Paid meddwl mai chi fydd yn ennill,' meddai wrthi. 'Nid gyda'r Almaen ar ein hochr ni. A phan enillwn ni, chei di ddim tosturi.'

Roedd y milwyr a arweiniai'r golofn wedi cael digon ar y cweryl personol hwn. Gwthiasant y carcharorion â barilau eu gynnau er mwyn eu cael nhw i symud unwaith eto. Gwyliodd Simone nhw'n mynd. Ymunodd ei hyfforddwr â hi, gan roi yn ôl iddi'r dryll yr oedd hi wedi'i ollwng cyn rhedeg draw.

'Ffrind ichi?'

'Roedden ni yn yr un coleg.'

Gwyliodd hi Reynard a'i gyd-garcharorion yn croesi'r sgwâr.

'Beth ddigwyddith iddyn nhw nawr?' gofynnodd Simone.

'O, cael eu holi. Dienyddio'r rhai sy'n euog o droseddau rhyfel; carchar i'r gweddill.'

Symudodd y golofn o'r golwg y tu ôl i'r eglwys a'i mynwent fach wyngalchog.

*   *   *

Gwingodd Simone o'i hanfodd pan glywodd y gynnau'n tanio. Clywsai lawer o ynnau'n cael eu saethu o'r blaen, ond dim ond ar y cwrs targedau. Saethu go-iawn oedd hwn. Ond roedd yn eithaf pell i ffwrdd. Cododd ei phen a dilyn ei sgwad ymlaen tuag at eu nod, tŷ fferm yn frith o dyllau bwledi. Straeniodd Simone ei llygaid gwan er mwyn ceisio gweld y manylion. Gorweddai dwy sach y tu allan i'r waliau, neu felly y tybiai. Dim ond pan symudodd y sgwad yn nes y gellid gweld mai cyrff oedden nhw.

Amneidiodd arweinydd y sgwad ar i'r grŵp cyntaf o wirfoddolwyr fynd ati i archwilio'r ffermdy. Gwyliodd Simone nhw'n dynesu, gan glustfeinio'n betrus am glec gynnau'r amddiffynwyr. Ond ni chlywyd yr un ergyd. Aeth y gwirfoddolwyr i mewn i'r ffermdy, ac ar ôl saib fer, ymddangosodd un ohonynt gan amneidio ar y gweddill i ddweud ei bod yn ddiogel iddyn nhw ddod yn nes.

Fel y cerddent i fyny, gwelodd Simone mai milwyr lluoedd y Cenedlaetholwyr oedd y ddau ddyn marw. Yn amlwg, cawsant eu lladd pan ddaethai criw arall o Weriniaethwyr drwy'r ardal hon yn gynharach. Edrychai wyneb un o'r milwyr marw yn gyfarwydd i Simone. Craffodd hithau'n agosach, gan chwilio'i chof. Ai rhywun a adwaenai yn y coleg oedd e? Gweithiwr? Wedyn fe'i trawyd gan yr atgof. Roedd y ffasgydd marw yr un ffunud â'r milwr yr oedd hi a'i brawd wedi ei fabwysiadu yn ystod y Rhyfel Byd Cyntaf, ac a laddwyd yn Verdun.

'Hei! Ti!' Edrychai arweinydd sgwad Simone arni. 'Deffra! Cladda'r ddau ffasgydd 'na cyn iddyn nhw greu drewdod yma. Ry'n ni'n aros yma heno.'

* * *

Y noson honno, roedd Simone yn fwy tawedog nag arfer wrth i'r gwirfoddolwyr, a'u dyletswyddau ar ben am y tro, eistedd gan ysmygu ac yfed coffi. Ychydig lathenni i ffwrdd roedd un ohonyn nhw'n tendio crochan coginio a gladdwyd yn y ddaear er mwyn cuddio'r fflamau rhag y gelyn. Gadawodd yntau'r crochan ac ailymuno â'r cylch, gan eistedd i lawr yn ymyl Simone.

'Dwi'n gwybod sut wyt ti'n teimlo,' meddai ef wrthi mewn cydymdeimlad. 'Roedden nhw'n ifanc iawn.'

'Ie, ond nid dyna oedd yn fy mhoeni,' meddai. 'Roedd un ohonyn nhw'n edrych yn debyg i . . . ffrind.'

Roedd y milwr yr ochr arall i Simone wedi ei chlywed hi.

'Ffrind! Cyn belled â bod ti 'mond yn gyfeillgar gyda nhw pan maen nhw'n farw! Fyddwn i'n ffrindiau â phob ffasgydd ar y telerau yna!'

Chwarddodd y parti, ac eithrio Simone.

'Nid fel 'na mae'n rhaid i bethau fod, frawd,' meddai, gyda mwy o dristwch nag o ddicter yn ei llais. 'Mae'n rhaid bod lle i frawdgarwch. Dylen ni gydnabod gwerth ysbrydol pob un.'

'Gwerth ysbrydol!' Llais dirmygus milwr arall y tro hwn. 'Fel yr offeiriaid 'na sydd wedi gormesu Sbaen ers canrifoedd, debyg? Yr unig werthoedd maen nhw'n gwybod amdanyn nhw yw gwerth eu trysorau. Buon nhw'n pluo'u nyth tra bu'r gweddill ohonon ni'n llwgu.'

Teimlai Simone fel pe bai wedi ei hynysu.

Bu arweinydd ei sgwad yn glanhau ei ddryll tra oedd yn gwrando ar y sgwrs. Siaradodd ef am y tro cyntaf yn awr, er mwyn torri'r ddadl.

'Gadewch imi ddweud wrthych chi am werthoedd ysbrydol,' meddai. 'Mewn pentref yn y de, yn gynnar yn y rhyfel, fe gymeron ni offeiriad yn garcharor. Daethon ni o hyd iddo mewn eglwys oedd wedi ei throi'n gadarnle i'r Cenedlaetholwyr.

'Dyma fi'n dweud wrtho fe: "Helpu'r ffasgwyr, ie?" "Na, helpu dynion clwyfedig," meddai fe. "Helpu i ormesu'r gweithwyr, fel pob offeiriad – gwas bach i'r cadfridogion a'r tirfeddianwyr," meddwn innau. A wyddoch chi beth ddywedodd e"?'

Ysgydwodd Simone ei phen.

'"Gwas saer ydw i",' meddai'r arweinydd.

Gwenodd Simone. Roedd hi'n deall. 'Beth wedyn?' gofynnodd.

'Wedyn?' meddai'r arweinydd. 'Wedyn mi saethais i e.'

Parhaodd i siarad heb gynnwrf na chwerwder, fel pe bai'n dweud gwirionedd syml.

'Wyt ti'n meddwl y byddwn i'n gadael i ryw soffestri fel yna daflu llwch i fy llygaid? Saethais i e fel roedd e'n penlinio mewn gweddi y tu allan i'w eglwys – eglwys roedden ni newydd ei rhoi ar dân, gyda llaw.'

Cliciodd faril ei wn yn ôl i'w le.

'Pan ry'n ni wedi cael gwared ar anghyfiawnder yn y wlad hon, fe fydd 'na amser bryd hynny am werthoedd ysbrydol,' meddai.

Cododd Simone, wedi ei dallu gan ddagrau, a cherddodd i ffwrdd o'r cylch, gan dynnu ei sbectol er mwyn ei glanhau.

Ni welodd y crochan coginio nes iddi blannu ei throed yn ddwfn ynddo. Sgrechiodd wrth i'r dŵr berwedig ei llosgi hyd at ei phen-glin.

Rhedodd y milwyr ati, a thyrru o'i hamgylch. Yn ofalus iawn, fe dynnodd y swyddog meddygol ei hesgid a'i hosan, gan archwilio'r llosg drwg. Edrychodd i fyny at Simone, oedd yn gwingo mewn poen.

'Wel, chwaer,' meddai. 'Fydd dim rhaid iti boeni mwyach am foesoldeb yn y rhyfel hwn.'

Y noson honno, wedi iddynt ffarwelio ag Arianrhod – dim ond un gusan ar y foch y tro hwn – aeth Meinwen a Dewi draw i ddwyrain Caerdydd. Roeddent am ymweld â thafarn Yr Arglwydd Rhys. Pan adeiladwyd y dafarn hon ryw gan mlynedd yn ôl, *The Forge* oedd ei henw, teitl a gofnodai'r efail hen-ddiflanedig a safai yno ers y canol oesoedd. Pe buasai'r dafarn honno erioed yn ffyniannus, mae'n sicr, erbyn troad y Mileniwm, na fu felly ers rhai degawdau. Yn hytrach, roedd wedi bodloni ar gwsmeriaeth rhai hen ddynion ac ambell i ymwelydd oedd yn aros yn y tai gwely-a-brecwast cyfagos ac a welai'r dref yn rhy bell i gerdded am ddiod gyda'r nos.

Ond fe weddnewidiwyd y sefyllfa honno pan brynwyd y dafarn gan Dan Jones, *entrepreneur* o orllewin Cymru, a fuddsoddodd ei enillion yn graff iawn wedi iddo werthu fferm y teulu. Roedd y pâr o Loegr a brynodd ffermdy Bro Hedd wedi ei ail-cnwi'n *Rivendell* gan iddynt fwynhau'r ffilmiau *Lord of the Rings* diweddar. Yn ei dro, o symud i Gaerdydd a phrynu'r *Forge*, roedd cyn-berchennog Bro Hedd wedi ail-enwi'r dafarn 'Yr Arglwydd Rhys' er cof am hen bendefig ei fro enedigol. Dyna'r fro lle bu teulu Dan Jones yn byw ers y ddeuddegfed ganrif, hyd nes i atyniad y dref gyflawni yn yr unfed ganrif ar hugain yr hyn na lwyddodd erledigaeth na newyn na rhyfeloedd i'w wneud mewn dros saith canrif, sef eu disodli o diriogaeth eu teulu.

O newid yr enw i un Cymraeg, fe newidiwyd patrwm masnach Yr Arglwydd Rhys dros nos ac fe ddaeth yn gyrchfan i siaradwyr Cymraeg o'r ddinas gyfan. Diflannodd yr hen ddynion lleol, a phe buasai unrhyw ymwelwyr o'r tai gwely-a-brecwast wedi crwydro i fewn mae'n siŵr y byddent wedi cael eu hunain yn gofyn a oeddent wedi glanio mewn gwlad ddieithr, gan mai'r Gymraeg oedd yr iaith a siaredid ar bob tu. Pa le gwell i Meinwen a Dewi gasglu llofnodion ar gyfer yr ymgyrch deddf eiddo? O hir arfer, fe ymwahanodd y ddau i ddechrau gweithio'r ystafell.

Deuddeg o lofnodion oedd gan Meinwen, a hynny heb fawr o drafferth, erbyn iddi fynd at grŵp o ddynion a safai wrth y bar. Dim ond wyth y nos oedd hi, ond roedd golwg rhai a fu'n yfed drwy'r dydd arnyn nhw. Yn enwedig felly yn achos canolbwynt sylw y grŵp, sef y sgriptiwr Alwyn Dyfed. Datgenid ei statws fel llenor drwy'r ffaith ei fod yn gwisgo het *fedora* ddu, gorchudd ychydig yn ormodol dan gronglwyd gynnes Yr Arglwydd Rhys.

Er ei fod yn ei bedwar degau hwyr erbyn hyn, ef a fu ar un adeg yn *enfant terrible* y ddrama Gymraeg. Yn y 70au, ystyriwyd ei ddrama *Coler y Diafol* yn ddatguddiad cwbl arloesol o lygredd a rhagrith yn y sefydliad capelyddol Cymreig. Syfrdanwyd beirniaid Cymraeg gan ei herfeidd-dra. Mewn un olygfa, fe ddifwynodd gweinidog yr Hen Gorff ferch ifanc yn ei harddegau ar fedd Ann Griffiths; mewn golygfa arall, fe roddodd organyddes y capel uchafbwynt rhywiol iddi hi ei hun wrth ganu 'Adref rwy'n dod' ar ei harmoniwm yn ei pharlwr. Gwelodd rhai beirniaid mwy llydan eu gorwelion mai copïo ysbryd gwaith Saesneg Caradoc Evans o ddechrau'r ugeinfed ganrif yr oedd y ddrama, a bod y golygfeydd herfeiddiol wedi eu benthyg i raddau helaeth o dechnegau dramâu Saesneg diweddar megis *The Romans in Britain*. Ond chymerodd neb sylw ohonyn nhw. I'r byd Cymraeg cegrwth, roedd hyn yn rhywbeth syfrdanol o newydd. Roedd Alwyn Dyfed wedi gwneud ei enw.

Dros y degawdau a ddilynodd, fe gynhyrchwyd cyfres o'i ddramâu. *Emynau Uffern* oedd un ohonynt, lle dangoswyd diwygiwr 1904, Evan Roberts, yn mwynhau ffafrau rhywiol harem o ddilynwyr benywaidd. Yna *Ffedog y Fall* lle gwelwyd Seiri Rhyddion capelog yn cynnal ebyrth dynol yn y gyfrinfa leol. Wedyn dyna *Peli Beelsebwb* lle gwelwyd chwaraewyr o oes aur rygbi Cymru yn cymryd rhan mewn sesiynau rhyw hoyw. Mewn capel. Erbyn hyn, byw ar ei ddogn ddiweddaraf o arian datblygu gan Gyngor y Celfyddydau roedd Alwyn Dyfed, wrth iddo weithio ar ei ymgais ddiweddaraf, *Cyfrifiadur y Cythraul*, lle gwelid Aelodau'r Cynulliad yn syrffio pornograffi plant ar y we ar eu cyfrifiaduron personol yn y siambr. Cyn mynd i'r capel.

Rhaid dweud bod ei gais diweddaraf am arian wedi bod ychydig yn anoddach na'r rhai blaenorol. Bu i'r swyddog o Gyngor y Celfyddydau, a ddeliodd â'r achos, ryw led-awgrymu bod Dyfed efallai yn dechrau rhedeg allan o syniadau. Ond bu lladmeryddiaeth Dyfed yn drech na'r gwrthwynebiad. Wedi'r cyfan, onid oedd yn gwybod am beth yr oedd o'n sôn? Roedd y cyfan wedi ei seilio ar ffeithiau. Fe wyddai fod y pethau yma'n digwydd. Onid oedd ef ei hun yn fab i weinidog capel?

Roedd y swyddog yn rhy ifanc i fod wedi adnabod tad Dyfed, y Parchedig Ddoctor Dyfed ap Meredydd. Pe bai hi wedi ei adnabod, mae'n bosib y buasai wedi drysu wrth feddwl am chwerwder Alwyn Dyfed. Carcharwyd ap Meredydd fel gwrthwynebydd cydwybodol yn ystod yr Ail Ryfel Byd, ac fe gafodd ei 'wirfoddoli' yn erbyn ei ewyllys i fod yn wrthrych arbrofion meddygol – arbrofion a niweidiodd ei iechyd am weddill ei oes. Serch hynny, heb dorri o'i benderfyniad na chwerwi o'i ysbryd, fe ddaeth yn sgil y rhyfel yn lladmerydd pwysig dros gymod, ac yn y 50au roedd wedi cysylltu â'r meddyg a gynhaliodd yr arbrofion arno, ac wedi maddau iddo. Daethant yn ffrindiau agos. Disgrifiodd ap Meredydd y broses iacháu hon mewn llyfr, a ddaeth maes o law yn glasur bach ym myd ysbrydolrwydd Cristnogol ac a gafodd ei drosi i ddau ddwsin o ieithoedd. Bu farw ap Meredydd yn yr 80au wrth i ddrama ei fab, *Saboth Satan,* gael ei llwyfannu am y tro cyntaf. Ugain mlynedd yn ddiweddarach, mewn Cymru lle roedd llawer mwy o sgriptwyr dramâu nag o weinidogion Anghydffurfiol, roedd Alwyn Dyfed yn dal i geisio brawychu ei dad marw.

'Beth yw hyn, cytundeb?!' gofynnodd Alwyn Dyfed, wrth i Meinwen gynnig y ddeiseb iddo.

'Deiseb, Alwyn. Dros hawl ein cymunedau i oroesi.'

'Beth am hawl awdur i oroesi, 'te? 'Wi ar 'y nghythlwng fan hyn, *good girl*. Beth am wneud casgliad i fi?'

'Ti'n gwneud yn weddol, o be 'dwi'n clywed,' meddai Meinwen. Wedyn, gyda golwg at ei fol: 'A ti ddim yn edrych fel dy fod ar dy gythlwng i mi.'

'Na, ond fe rwyt ti,' atebodd. ''Wi wedi gweld mwy o gig

ar *chicken fillet*. Oes gen ti unrhyw dits o dan y jwmper 'na? Neu wyt ti 'di rhoi'r rheiny dros yr achos hefyd?'

Hanner ffordd drwy ddiwrnod hir o yfed oedd Alwyn, roedd hynny'n amlwg. Ond dechrau ar noson hir o gasglu llofnodion oedd Meinwen. Doedd ganddi ddim amser i hyn.

'Y ddeiseb, Alwyn.'

Roedd Dyfed yn mwynhau ei ffraethineb lawer gormod i gymryd unrhyw sylw ohoni. Roedd unrhyw gynulleidfa lle gallai ef ymddangos fel delw-ddrylliwr yn ormod o demtasiwn iddo.

'Ti'n edrych fel petait ti angen dipyn o gig ar dy esgyrn,' meddai. Gwyrodd yn nes: 'Wi'n gwbod – beth am i fi roi *meat injection* iti?'

Trodd Meinwen ymaith. Chwarddodd Alwyn yn ei chefn a throdd yn ol at ei ffrindiau.

Yn nes ymlaen, tu allan, cymharodd Meinwen nodiadau gyda Dewi. Deuddeg llofnod i Meinwen. Ugain i Dewi. Ni ddywedodd hi wrtho am Alwyn Dyfed. Doedd dim pwynt gwylltio dros y peth. Cerddodd y ddau ymlaen at Glwb y Cameo. Fesul enaid, fesul llofnod, aeth yr ymgyrch rhagddi.

* * *

'Sut wyt ti'n teimlo, Simone? Ychydig yn well heddiw?'

Pwysodd Madame Weil yn ôl yn erbyn canllaw'r llong, gan edrych i lawr ar ei merch, a orffwysai mewn cadair ddec, yn wynebu arfordir yr Eidal a oedd yn llithro heibio i'r gorllewin. Gorffwysai troed rwymedig Simone ar reng isa'r canllaw.

Rhoddodd Simone ei llyfr nodiadau a'i hysgrifbin i lawr; tynnodd ei sbectol ac edrychodd i fyny.

'Ydw, Mam, ychydig yn well bob dydd,' meddai hi.

Erbyn hyn, roedd tad Simone wedi cyrraedd, ac edrychai arni â golwg a awgrymai ddiddordeb proffesiynol yn gymysg â gofal tadol.

'Gwell fyth pan fyddi di wedi magu ychydig o bwysau,' meddai yntau. 'Mae'n rhaid iti gymryd mwy o faeth. Holl bwynt y gwyliau yma yw er mwyn iti orffwys a rhoi'r gorau i dy waith.'

Gwenodd Simone, a gafael yn llaw ei thad. 'Mi wna i drio 'ngorau, Papa.'

Gwasgodd Dr Weil ei llaw, gan nodi pa mor oer oedd hi er gwaethaf haul tanbaid y Môr Canoldir. Gadawodd ef a Madame Weil i Simone ddarllen ei llyfr, a cherddasant yn eu blaenau. Pan oedden nhw allan o glyw eu merch, stopiodd y ddau gan edrych allan tua'r Eidal. Roedd campanile *eglwys bentre i'w weld ar y lan, a thros sŵn peiriannau'r llong, meddylient y gallent glywed clychau'r eglwys ei hun.*

'Beth sy'n bod arni, Bernard? Dyw hi ddim yn bwyta. Prin ei bod hi'n cysgu. Dim byd ond darllen a gweithio . . .'

Edrychodd Dr Weil allan tuag at y pentref, heb ateb.

'Mae'r peth yn fy lladd i, Bernard.'

Ochneidiodd ei gŵr. 'Beth bynnag yw e, mae e tu hwnt i 'ngallu i fel meddyg . . . ac fel tad.'

Roedd eglwys y pentref i'w gweld yn gliriach yn awr wrth i'r llong hwylio'n agosach at yr arfordir. Roedd clychau'r eglwys i'w clywed yn canu'n araf.

'Pe bai hi 'mond yn gallu dod o hyd i beth bynnag mae hi'n chwilio amdano,' aeth Dr Weil ymlaen. 'Ond pan rwy'n meddwl be allai hynny fod, mae'n codi ofn arna i.'

Edrychent yn ôl i lawr y dec tuag at Simone. Roedd hi'n ysgrifennu eto. Cyn hyn, bu hi ond yn rhy barod i rannu ei syniadau, i ddarllen rhannau iddyn nhw allan o'i thraethodau ar eu hanner. Ond roedd beth bynnag a ysgrifennai yn awr yn rhywbeth yr oedd yn well ganddi ei gadw iddi hi ei hun.

Daliodd Simone ati i ysgrifennu. O'r diwedd, gwawriodd ar ei hymwybyddiaeth fod y clychau'n canu. Edrychodd i fyny a syllu ar yr arfordir am ennyd neu ddwy cyn dychwelyd at ei llyfr, gan ysgrifennu mewn llawysgrifen fechan, fanwl.

'Yn Assisi yr oeddwn pan deimlais am y tro cyntaf yr

angen i benlinio a gweddïo,' ysgrifennodd. 'Roedd fel dod adre. Syrthiais mewn cariad â St Francis cyn gynted ag y clywais ei stori. Gobeithiaf y gallaf rannu ei ysbryd o dlodi. Dim ond mewn tlodi y mae modd profi Duw.

'Pan deimlwn gyffyrddiad yr haearn mae'n rhaid bod teimlad o wahaniad oddi wrth Dduw. Teimlad o'r un fath ag a brofwyd gan Grist. Fel arall, Duw arall ydyw. "Fy Nuw, fy Nuw, paham y'm gadewaist?" Dyna lle mae gennym y prawf dilys bod Cristnogaeth yn rhywbeth dwyfol . . . Creu absenoldeb Duw mewn enaid sydd wedi ei wacáu'n llwyr o'r hunan. Mewn cariad. Dyna beth yw dioddefaint achubol.'

Ar y lan, daliai clychau'r eglwys i ganu, ond pa un ai ar gyfer priodas, offeren neu angladd, ni wyddai Simone na'i rhieni.

Ni fu gweinidog yn byw yn yr Hafan ers dros ddeugain mlynedd. Roedd y gymuned yr adeiladwyd Hermon, y capel drws-nesaf, i'w gwasanaethu wedi hen ddiflannu. Gadawodd y chwarelwyr pan ddisbyddwyd y cyflenwad o lechi yn y chwarel; gadawodd y ffermwyr mynydd pan nad oedd eu meibion a'u merched yn barod i wynebu crafu byw yn y topiau ddim rhagor. Ac ni fuasai'r ffermwyr-hobi, y ffoaduriaid o ddinasoedd Lloegr a'r crwydriaid Oes Newydd a ddaeth i'r tyddynnod yn eu lle wedi dychmygu mynychu Hermon, ddim mwy nag y buasent wedi dychmygu ymuno â'r *Flat Earth Society*. Mewn gwirionedd, fe fuasai'r *Flat Earth Society* wedi ymddangos yn fwy dealladwy o gryn dipyn i rai ohonyn nhw na'r diwylliant capel.

Wedi i'r gweinidog olaf adael yn y chwe degau, fe werthwyd y mans i aelod o'r capel. Yn yr wyth degau, fe adawodd yntau'r adeilad i'r Mudiad yn ei ewyllys. Rhygnu mlaen bellach yr oedd yr achos yn Hermon gyda rhyw ddyrnaid o ffyddloniaid – llai ohonynt bob blwyddyn – yn gwneud y daith o Borthmadog i fyny i fryniau eu plentyndod am awr o hiraeth crynedig bob prynhawn Sul. Os oedd hi gartre ar y Sul, roedd Meinwen yn hoffi gwrando arnynt. Gwyddai'r holl emynau y crynent eu ffordd drwyddynt, ac er y gwyddai fod mwy o arferiad nag o arddeliad yn nyfalbarhad cynulleidfa Hermon, roedd yn gysur iddi serch hynny i weld bod drws y tabernacl bach hwn yn dal ar agor, yn dal i herio ffeithiau caled economeg, demograffeg ac amser.

Roedd Meinwen yn hen law ar ddiwylliant capel. Arogl farnais, cabol a phren tamp mewn capel; y te dyfrllyd mewn festri oer; y storïau Ysgol Sul ar fyrddau *fuzzy-felt*. Yr holl ddeunyddiau treuliedig, henffasiwn, yr holl emynau anfarwol a ffurfiwyd gan y profiad Anghydffurfiol Cymraeg. Roeddent yn rhan ohoni. Serch hynny, achlysurol ar y gorau oedd presenoldeb Meinwen yn y cwrdd y dyddiau hyn. Fel arfer byddai'n mynd i oedfa'r Sul tra oedd yn ymweld â'i rhieni ym Mae Colwyn, er mwyn eu cadw nhw'n hapus. Ni fedrodd Meinwen honni erioed ei bod yn Gristion o argyhoeddiad. Ni phrofodd dröedigaeth erioed, nac ychwaith unrhyw eiliad o benderfyniad i ddilyn y grefydd. Ond fe'i magwyd hi gyda'r ffydd. Ac er ei bod hi'n ymwybodol o ba mor simsan oedd y strwythur o iawn dirprwyol a adeiladwyd ar ffeithiau bywyd Iesu o Nasareth, ni fedrai Meinwen lai na theimlo ymateb dwfn i berson y rabbi hwn o Galilea; y dyn o'r rhanbarth garw gogleddol a ddaeth i'r brifddinas i droi byrddau'r cyfnewidwyr arian ac a fu farw o'r diwedd trwy law'r grym ymerodraethol gormesol a reolai'i henwlad. Ef oedd ei model hi o radical gweithredol: y tangnefeddwr a erlidiwyd. Gallai Meinwen wneud heb ddiwinyddiaeth Cristnogaeth. Ond ni allai wneud heb esiampl Iesu.

Ar y Sul arbennig hwn, roedd Dewi wedi dod i ymweld. Galwodd yn y bore, a thrwy hynny fe ollyngwyd Meinwen o afael unrhyw euogrwydd a deimlai o beidio â bod yn y capel ei hun. Nid oedd modd iddi fynd os oedd ymwelydd ganddi, yn enwedig agnostig fel Dewi.

Ar ôl cinio, eisteddodd y ddau ohonynt allan yn yr ardd yn gwylio'r cymylau'n hwylio'n araf dros Fryn Aur. Tameidiog oedd eu sgwrs, fel yr hen ffrindiau ag oeddent. Am unwaith nid oedd ganddynt gyfarfod i'w fynychu. Ymestynnai'r Saboth o'u blaenau yn wag, yn llonydd ac yn ddiddigwydd.

'Ydy'r capel yn dal ar agor?' gofynnodd Dewi'n ddidaro. Nid oedd yn gallu cofio pryd y gwelodd gynulleidfa yno ddiwethaf.

'Ydy,' meddai Meinwen. 'Rwy'n cadw allwedd sbâr iddo fo. Wyt ti isio gweld tu fewn?'

'Pam lai?'

Roedd y capel mewn cyflwr rhyfeddol o dda. Rhyw fath o gapsiwl-amser o oes Fictoria ydoedd. Nid oedd fel petai'r ugeinfed ganrif wedi gadael dim ôl arno. Efallai mai trydan oedd yn gweithio'r lampau erbyn hyn, ond roedd eu harddull addurniedig yn gweddu'n well i danwydd olew. Cerddodd Dewi a Meinwen ar hyd y lloriau pren, a wichiai wrth iddynt fynd heibio. Ar y wal, gwelsant gofeb gyda rhestr hir o aelodau'r capel a fu farw yn y Rhyfel Byd Cyntaf, gyda'r geiriau aur yn nodi eu henwau ac enw'r mannau lle gwnaethant yr aberth eithaf dros frenin a gwlad: Mametz, Ypres, Amiens, Gaza. Cyfenw Cymreig oedd gan bob un ohonynt. Atodwyd i'r gofeb restr fyrrach o rai a fu farw yn yr Ail Ryfel Byd: El Alamein, Normandy, Burma. Uwchben y pulpud, mewn llythrennau gothig, roedd y geiriau: 'Ewch i mewn i'w byrth Ef â diolch.' Gwydr plaen oedd y ffenestri. Mor uchel i fyny yn y bryniau â hyn, nid oedd dim i'w weld drwyddynt ond yr wybren. Roedd y capel fel pe bai'n cael ei ddal yn yr awyr. Serch hynny, oni bai bod rhywun yn teimlo'r angen i weddïo yno, nid oedd yn yr adeilad fawr ddim i gadw sylw rhywun am fwy nag ychydig funudau. Cafodd Meinwen ei hun, o chwilfrydedd, yn agor cwpwrdd bach drws nesaf i'r pulpud.

Y tu fewn, fe welodd bentyrrau o hen bamffledi Ysgol Sul yn dyddio o ran gyntaf yr ugeinfed ganrif. Synnodd at ansawdd eu cyflwyniad, gyda lluniau lliw o olygfeydd o'r Beibl, a phapur sgleiniog, a chyda dim ond y rhwd ar y staplau i ddangos pa mor hen oedd y dogfennau hyn mewn gwirionedd. Gafaelodd mewn llond llaw ohonynt er chwilfrydedd. Roedd hi'n amlwg oedd nad oedd neb wedi edrych arnynt ers cenedlaethau.

Yn ôl yng ngardd yr Hafan, ffliciodd Meinwen a Dewi eu ffordd drwy'r pamffledi. Yn y lluniau, dyn tal gyda gwallt golau oedd Iesu. Gwenodd Meinwen iddi'i hun. Ni fuasai Meseia Iddewig ei olwg wedi gweddu i ddelwedd-corff yr Ymerodraeth Brydeinig, wrth gwrs. Ond wedyn, o ddarllen peth o destun y gweithiau, fe gafodd eu bod yn gwneud argraff arni er ei gwaethaf. Nid oherwydd bod Cymraeg y cyhoeddiadau hyn mor gywir ac mor brydferth nes rhoi gwaith bron pawb o'n llenorion presennol yn y cysgod, ond yn hytrach oherwydd difrifoldeb eu hamcanion. Roeddent yn llawn storïau am bobl a aberthodd dros eu ffydd, pobl a adawodd eu cartrefi a'u swyddi er mwyn dilyn eu galwad ddwyfol i bregethu neu i gynorthwyo'r tlawd. Dyna wedyn nodiadau am blant ysgol Sul a fu farw cyn eu hamser, oherwydd afiechydon rhemp y cyfnod hwnnw; cofnodai'r pamffledi eu cyraeddiadau bychain, eu dewrder, eu gobeithion nas gwireddwyd.

'Roedden nhw wir yn credu yn y dyddiau yna, on'd oedden nhw?' gofynnodd Meinwen, gymaint iddi'i hun ag Dewi.

'Am wn i. Nid 'i fod o 'di gneud lot o les iddyn nhw.'

Edrychodd Meinwen ar y tystiolaethau hyn i ffydd nad oedd wedi llwyddo i addasu i'r oes newydd, y negeseuon hyn o fyd lle'r oedd nefoedd ac uffern, lle roedd pechod a rhinwedd a barn mor real â drain, bara neu dân. Nid oedd yn cytuno am eiliad gyda'r ddiwinyddiaeth ddu-a-gwyn yn y cyhoeddiadau hyn. Ers degawdau roedd hi wedi cwestiynu a oedd y stori Gristnogol yn wir mewn gwirionedd, ac nid oedd hi'n coelio yn y gwyrthiau ddim mwy nag oedd hi'n coelio mewn Siôn Corn. Er hynny, fe'i synnwyd wrth iddi ei chael ei hun yn teimlo rhywbeth yn debyg i genfigen wrth ddarllen y pamffledi.

'Ond roedd ganddyn nhw rywbeth i gredu ynddo,' meddai hi. 'Hyd yn oed os oedden nhw'n anghywir.'

Nid oedd ar Dewi awydd anghytuno â Meinwen. Roedd ganddo fwy o feddwl ohoni nag oedd ganddo sgeptigiaeth ynglŷn â'r pwl bach hwn o grefyddoldeb sentimental.

'Mae gynnon ni rywbeth i gredu ynddo hefyd,' atebodd. 'Mae'r achos gynnon ni.'

Yr achos yr oedd Meinwen wedi ymroi iddo gyda sêl a fyddai'n glod i unrhyw genhades Fictoraidd.

'Ydy,' meddai hi. 'Am wn i.'

Roedd oedfa'r Sul drosodd. Rhoddodd Meinwen y pamffledi ar y bwrdd rhyngddyn nhw.

Wrth iddi wneud hynny, clywsant gar yn dod i fyny'r allt. Roedd hi'n rhy gynnar ar gyfer cynulleidfa'r capel, felly mae'n rhaid mai ymwelydd â'r Hafan oedd hwn. Cerddodd y ddau ffrind i weld pwy oedd yno.

Ond nid oedd y car yn cludo ymwelwyr. Stopiodd y tu allan i giât y capel, ac fe ddaeth dyn a dynes yn eu pedwar degau cynnar allan ohono, a cherdded i fyny llwybr graean y capel. Stopiodd y ddau i fwrw golwg dros yr adeilad, ond nid yn y modd y buasai twristiaid wedi'i wneud. Dynesu'n betrus a wnâi twristiaid, gan edrych ar y cerrig sylfaen a'u arysgrifiadau, ar y beddi yn y fynwent. Ond mwy busnesaidd oedd ymarweddiad y ddau yma: edrych ar y gwteri, y gwaith carreg a'r fframiau ffenestri yr oedden nhw. Fe drawyd Meinwen yn sydyn gan y sylweddoliad – roedden nhw'n meddwl prynu Hermon.

Galwodd draw atynt.

'Helô!' Mantais y cyfarchiad aml-ieithog oedd nad oedd rhaid iddi ymroi at y naill iaith na'r llall nes iddi wybod pa un a siaradai'r ymwelwyr. Troesant hwythau ati.

'*Oh, hello,*' meddai'r dyn. Lliw haul. Gwallt hir. Gwasgod. Sais heb os, o farnu wrth y llafariaid niferus a wthiwyd i'w gyfarchiad.

'*Are you the keyholder?*' gofynnodd. Sais yn sicr.

'*No, I'm not.*' Daeth y celwydd yn rhwydd i dafod Meinwen. Anwybyddodd edrychiad sydyn Dewi. '*What do you want?*'

'*We're thin-king of buy-ing it.*' Y ddynes oedd yn siarad 'nawr. Gwallt llaes, a'r math o lygaid mawr a ddefnyddid i geisio darbwyllo plant o ryw ffaith amheus. Siaradai ychydig yn rhy araf, fel pe bai'n ansicr a oedd Meinwen yn ei deall hi. '*We've been told it's com-ing on the mar-ket.*'

Nid oedd Meinwen yn dymuno iddyn nhw weld faint yr oedd wedi cael ei brawychu. Meddyliodd yn chwim. '*You must have got the wrong chapel. There are quite a lot of them around.*'

'*No, it's def-in-ite-ly this one. We asked down in the village, and they gave us clear dir-ec-tions.*'

'*Well, I'm sorry I can't help you,*' meddai Meinwen, gan fynd i mewn i'w thŷ, a gadael y pâr i'w taith archwilio.

Yn lolfa'r Hafan, trodd Meinwen at Dewi. 'Allan nhw ddim fod yn gwerthu Hermon! Rhaid imi ffonio Rolant Elis. Mae'n rhaid mai rhyw fath o gamgymeriad ydy o.'

Roedd Berlin wedi newid, meddyliodd yr ymwelydd, wrth i'r car swyddogol ei gludo drwy'r strydoedd o'r brif orsaf at ardal y llywodraeth. Buasai yma ddiwethaf cyn Rhyfel Cartref Sbaen. Erbyn hyn, yn 1939, gallai weld fod wyneb y ddinas wedi ei weddnewid gydag adeiladau newydd, gan gynnwys aruthrol Ganghellfa'r Reich, oedd i'w gweld i lawr Voss Strasse i gyfeiriad Potsdammer Platz. Teimlodd ias o dynged wrth iddo weld amlinell yr Ewrop newydd yn ffurfio'n llythrennol mewn concrid a charreg o'i amgylch.

Stopiodd y car y tu allan i adeilad mawr a addurnwyd, fel pob adeilad swyddogol, gyda baner goch a gwyn â'r

Hackenkreuz ddu yn ei chanol. Agorwyd drws y car ar gyfer yr ymwelydd. Dilynodd ef ei dywysydd drwodd i gyntedd yr adeilad.

Roedd y grisiau ar yr un raddfa enfawr â gweddill yr adeilad. Mae'n amlwg mai rhyw fath o balas bach fu'r adeilad hwn ar un adeg, palas a feddiannwyd gan y wladwriaeth newydd a'i addasu'n swyddfeydd. Rhedai'r ymwelydd ei ddwylo ar hyd y canllaw wrth esgyn y grisiau. Dyna'r peth gyda marmor; nid oedd byth yn twymo o orffwys llaw ddynol arno. Na, fe arhosai'n oer ac yn ddigyfnewid. Roedd rhywbeth i'w edmygu yn hynny, meddyliodd.

Aeth y grisiau â nhw at goridor hir gyda ffenestri uchel ar hyd un ochr. Ar y pen draw, cafodd yr ymwelydd ei dywys i mewn i swyddfa. Rhoddodd ei dywysydd y salíwt Hitler wrth gyflwyno'r ymwelydd i'r dyn a eisteddai wrth y ddesg dderw drom tu fewn. O ran yr ymwelydd, dim ond ymgrymu ei ben fymryn a wnaeth. Efallai ei fod yn ffasgydd ymroddedig, ond Ffrancwr ydoedd o hyd, nid Almaenwr, ac nid oedd mewn iwnifform, o leiaf nid heddiw.

Cododd y dyn tu ôl i'r ddesg a dychwelyd salíwt y tywysydd, yna fe drodd at yr ymwelydd ac ysgwyd ei law.

'Croeso, M'sieur Reynard,' meddai, yn Ffrangeg.

Ychydig funudau wedyn, a'r mân siarad cwrtais ar ben, ac ysgrifennydd y swyddog wedi ymuno â nhw ac yn cymryd nodiadau, fe aeth y drafodaeth ymlaen. Siaradai'r swyddog.

'Felly. Pe bai – a dim ond pe bai – yr Almaen mewn sefyllfa, ryw dro yn y dyfodol, i wneud rhywbeth i glirio ymaith yr elfennau . . . annymunol yng nghymdeithas Ffrainc, fe fyddech chi'n barod i helpu?'

'Â phleser.'

'Ac fe fyddech chi'n gallu ein cynghori ni ar bwy, a ble . . .?'

'O, ie. Gallwn yn wir.'

Agorodd ei gês a rhoi llond llaw o bapurau i'r swyddog. Edrychodd yntau drostynt, gan nodio'n foddhaus.

Fore Llun, am naw o'r gloch yn brydlon, galwodd Meinwen ym mhencadlys yr enwad oedd yn berchen ar Hermon.

Rolant Elis, Ysgrifennydd yr enwad, agorodd y drws, gan arwain Meinwen drwodd i'w swyddfa. Nid oedd yr enwad yn gallu fforddio ysgrifenyddes lawn-amser, felly Elis ei hun a wnâi'r rhan fwyaf o'r gwaith gweinyddol.

Dilynodd Meinwen ef i fyny'r grisiau. Roedd Rolant Elis yn gwisgo sgidiau llwyd. Pwy ond gweinidogion yr efengyl oedd yn gwisgo sgidiau llwyd, meddyliodd Meinwen. Erbyn meddwl, llwyd oedd popeth ynghylch yr hen Rolant. Sgidiau, siwt, crys, tei, gwallt a gwedd. Roedd ei wisg mor blaen fel y byddai aelodau'r Amish yn edrych fel criw o *Gangsta rappers* o'u cymharu.

Gwthiodd Rolant ddrws ei swyddfa ar agor. Roedd yr ystafell yn llawn papurau.

'O'n i'n bwriadu dweud wrthoch chi,' meddai, wedi i Meinwen esbonio'r rheswm am ei hymweliad. 'Ond o'n i'n meddwl y dylwn ddweud wrth y Pwyllgor Rhanbarthol yn gyntaf. Mae'n rhaid bod rhywun yno wedi gadael y newydd allan o weld yr eitem ar yr agenda. Ry'n ni wedi cael sawl ymholiad yn barod gan bobl sy'n awyddus i'w brynu. Y bobl welsoch chi yw'r rhai cyntaf i ddod i'w weld, wrth gwrs. Ond wedyn, maen nhw'n byw'n eitha agos felly roedd yn hawdd iddyn nhw ddod draw.'

'Pwy ydyn nhw?'

Rhedodd Rolant Elis ei fys i lawr ei lyfr nodiadau lle cadwai gofnodion o alwadau ffôn. 'Connor Meikle a Fran Skye,' meddai. 'Maen nhw'n rhedeg canolfan iacháu yn Nhal-y-sarn.'

'Skye?'

'Fel yr ynys.'

'Pa fath o iacháu?'

'O, bob math, dwi'n meddwl. Therapïau amgen, bwyd iach, y math yna o beth. Maen nhw'n bwriadu ehangu.'

'A ry'ch chi'n mynd i werthu Hermon i fewnfudwyr dim ond achos eu bod nhw'n gallu talu mwy na'r bobl leol?'

'Wel, dydyn ni ddim wedi penderfynu eto. Ond os gwerthwn ni nawr, mi fyddwn ni'n safio miloedd ar yr hysbyseb a'r ffi i'r arwerthwyr. Gall hynny arbed tua thair mil o bunnoedd inni. Mae hynny'n golygu dipyn o arian i enwad fel hwn. Gall fynd at gynnal achos arall.' Nid edrychai Rolant fel pe bai wedi ei argyhoeddi gan ei eiriau ei hun.

Chwarddodd Meinwen yn uchel. 'Be 'chi'n feddwl yw y bydd yn talu'r biliau ar ryw gapel arall am gwpl o flynyddoedd fel bod hanner dwsin o hen wragedd yn gallu'i ddefnyddio fo fel clwb cymdeithasol i hel atgofion. A phan maen nhw wedi marw mi fyddwch chi'n gwerthu'r capel hwnnw i fewnfudwyr hefyd.'

Ni cheisiodd Elis ei gwrth-ddweud.

Pwysodd Meinwen ymlaen.

'Rolant, 'dych chi'n gwybod cystal â mi fod yr enwad hwn yn marw. Mewn ugain mlynedd fydd 'na'r un capel ar ôl gynnoch chi. Yn enw Duw, pam na wnewch chi rywbeth gwahanol gyda Hermon? Gwerthwch o i bobl leol am bris fedran nhw ei fforddio. Rhowch o – ie, RHOWCH o – i gymdeithas dai. Gall wneud fflatiau i hanner dwsin o bobl. Pobl sy angen cartrefi, sy eisiau byw yn eu cynefin eu hunain. Peidiwch â jyst ei werthu o i'r prynwr mwyaf cefnog.'

Wrth iddi siarad, edrychai Elis i lawr ar y papurau ar ei ddesg. Cynlluniau am weithgareddau cenhadol na fyddai byth yn digwydd. Deunydd addysgiadol ar gyfer ysgolion Sul oedd heb unrhyw ddisgyblion. Biliau i gapeli oedd heb addolwyr. Ewyllys olaf Anghydffurfiaeth Gymraeg yn rhoi trefn ar ei phethau cyn diflannu'n dawel allan o gofnod hanes.

'Ry'n ni angen yr arian ar gyfer y genhadaeth . . .' meddai'n gloff.

'Cenhadaeth?! Ers pryd ry'ch chi 'di rhedeg unrhyw genhadaeth? Pryd oedd yr un dwetha dwedwch? 1904? Y cyfan 'dych chi'n wneud yw rhedeg caplaniaeth i gymuned sy'n marw. Pwy 'chi'n meddwl 'chi'n twyllo? Rolant, peidiwch â gwneud hyn. Peidiwch â gwerthu Hermon.'

Edrychodd Rolant Elis o'i amgylch fel pe bai'n chwilio am ysbrydoliaeth, neu am ddihangfa. Roedd Meinwen yn profi ei gydwybod fel llawfeddyg yn archwilio clwyf. Heb anasthetig. A, chwarae teg iddo, roedd ganddo yntau gydwybod yn hyn o beth hefyd. Pan fu farw ei fam ychydig flynyddoedd ynghynt, ni werthodd y tŷ a phocedu'r arian. Yn hytrach, penderfynodd ei osod ar rent i bâr ifanc lleol Cymraeg. Medrai gofio o hyd y teimlad o fodlonrwydd a gafodd wrth wneud hynny.

Dri mis ar ôl gosod y tŷ, a'r un geiniog o rent wedi'i thalu, fe ymwelodd â'r eiddo drachefn. Hwyrach fod angen cymorth ar y teulu bach, meddyliodd, wrth iddo guro ar ddrws yr hyn a fu'n gartref iddo yn ystod ei blentyndod.

Roedden nhw wedi rhacsio'r lle. Ciciwyd tyllau yn y drysau mewnol; roedd y toilet wedi ei dorri ac yn colli dŵr, ac roedd drewdod piso lond y tŷ. Rhwygwyd y llenni ac roedd y tridarn eistedd yn frith o losgiadau sigaréts. Roedd bachgen bach y pâr ifanc, Liam, yn gwylio *Reservoir Dogs* ar beiriant DVD, sef bron yr unig beth yn y tŷ oedd heb ei dorri. Wrth i Rolant geisio esbonio i'r pâr ei bryder ynglŷn â chyflwr y tŷ, roeddent wedi gweiddi ar Liam i droi'r teledu i lawr. Gweiddi yn Saesneg wnaethon nhw.

Pa ddiolch gâi ef am roi Hermon i ffwrdd? Yn fwy na thebyg, fe fyddai rhyw helynt am y peth yn y papurau. Roedd colofn John Sayle y bore hwnnw wedi disgrifio Meinwen fel Pol Pot Cymreig: '*She will turn the peaceful valleys of Wales into killing fields*'. Nonsens, wrth gwrs, ond roedd fel petai rhwydd hynt gan bobl i ddweud pethau fel 'na y dyddiau hyn. Pe bai'n rhoi'r tŷ yn rhodd fel roedd Meinwen yn dymuno'i wneud, byddai'n rhaid i'r peth fynd drwy'r pwyllgor cenedlaethol. Fe fyddai'n rhaid cael trafodaeth agored.

Golygai hynny gyhoeddusrwydd. Nid oedd ganddo'r stumog i frwydro yn erbyn y math o gasineb a gâi ef yn y wasg. A beth bynnag, nid ei rôl ef oedd bod yn anghyfrifol gydag eiddo'r deyrnas. Stiwardiaeth oedd yr egwyddor. Stiwardiaeth ddoeth.

Edrychodd i fyny at Meinwen.

'Mae'n ddrwg gen i,' oedd y cyfan a ddywedodd.

'Feddyliais i rioed . . . ddwywaith yn fy mywyd.' Yn sydyn, fe ymddangosai Dr Weil yn hŷn wrth iddo shwfflo rhwng y wardob a'r cês, gan daflu at ei gilydd yn frysiog yr hyn yr oedd ei angen at y daith. Llenwyd y tŷ, a oedd fel rheol yn dawel, gyda synau prysurdeb a brys: sŵn traed ar y grisiau, drysau'n clepian, lleisiau'n gweiddi. Ac yn y cefndir, fel rhyw fath o sylwebaeth, roedd y radio. Gadawsant y set ymlaen er mwyn clywed unrhyw newyddion pellach. Yr oedd y ffaith bod byddin Ffrainc wedi ildio'n llwyr ar ôl blitzkreig *yr Almaenwyr wedi taflu'r brifddinas i gyflwr o anrhefn. Roedd rhai o'r dinasyddion o blaid ymladd, eraill am aros a gobeithio am y gorau, ac eraill am ffoi. Nid oedd y teulu Weil, a hwythau'n sydyn iawn yn fwy ymwybodol nag erioed o'r blaen o'u hunaniaeth Iddewig, am gymryd siawns. Roeddent am adael Paris a ffoi i ran ddeheuol Ffrainc a oedd, dan delerau'r cadoediad, yn mynd i aros o dan reolaeth Ffrengig gyda llywodraeth led-annibynnol â'i phencadlys yn Vichy.*

Rhoddodd Dr Weil rai lluniau teuluol yn y cês, wedyn, wrth iddo ystyried eu heffaith ar y pwysau, fe'u tynnodd nhw allan o'u fframiau'n frysiog. Rhoddodd y lluniau eu hunain yn y cês a thaflu'r fframiau ar y gwely. Llithrodd un ohonynt i'r llawr a chlywyd sŵn cracio wrth i'r gwydr dorri. Petrusodd Dr Weil am funud, wedyn penderfynodd beidio â thrafferthu clirio. Rhoddodd ei offer meddygol yn y cês, gan ei bacio'n ofalus.

Roedd Simone yn brysur ar ochr arall yr ystafell.

Ymddangosai fel pe bai'n llenwi ei chês gyda dim byd ond llyfrau.

*   *   *

Mewn rhan dipyn tlotach o ddinas Paris, roedd prysurdeb a phacio hefyd yn digwydd. Roedd Yvette Bertillon a Charles Letellier yn gadael y fflat fach a fu'n gartref iddyn nhw ers dros ddwy flynedd. Nid anelu am Vichy oedd eu nod, ond am yr hyn y gobeithient fyddai'n dŷ diogel yn y wlad y tu allan i Baris. O'r fan honno, eu bwriad oedd cynorthwyo i drefnu'r gwrthsafiad yn erbyn y goresgynwyr ffasgaidd. Byddai eu cyfeiriad presennol, a oedd yn adnabyddus i'r heddlu fel cartref dau o Gomiwnyddion amlyca'r brifddinas, yn sicr o fod yn uchel ar y rhestr pan ddeuai'r Natsïaid heibio, fel y byddent yn siŵr o wneud.

Edrychodd Yvette o amgylch yr ystafell am un tro olaf. Cydiodd mewn cerflun bach o Lenin oddi ar y silff ben tân. Daliodd ef i fyny er mwyn i Charles ei weld.

'Hwn?' meddai.

Gwenodd, ond ysgydwodd ei ben.

'Hwn!'

Tynnodd lawddryll o flwch o dan eu gwely, a'i daflu ar y cwrlid. Chwarddodd Yvette mewn syndod. Roedd eu pacio bron ar ben.

Daeth cnoc ar y drws.

Edrychodd Yvette ar Charles: 'Simone!' meddai.

Rhuthrodd at y drws a'i agor. Yno safai dau filwr Almaenaidd yn eu cadwisg lwyd, gyda'u gynnau'n barod. Y tu ôl iddynt safai swyddog Natsïaidd mewn iwnifform ddu, a nesaf ato ef, mewn gwisg blaen, safai Jean Reynard. Edrychai'n ffyniannus, yn bwysig ac yn hapusach nag a fu erioed yn ei fywyd. Nodiodd at y swyddog Natsïaidd. Anelodd y milwyr eu gynnau at Yvette a Charles. Cododd y ddau eu breichiau.

*   *   *

'Mae'n bosib y bydd angen rhywfaint o ddillad arnat ti hefyd, cariad,' meddai Dr Weil, gan edrych ar gês llawn-llyfrau Simone.

'O'n i'n meddwl ei bod hi'n fwy twym yn y de,' atebodd hithau'n gellweirus.

'Mae'n fwy diogel yn y de, dyna'r peth pwysig. Rwy 'mond yn gobeithio y bydd modd inni fynd trwodd o hyd.'

Edrychodd ar ei gês. Ei offer, ei ddillad, ei luniau. Hanner canrif o'i fywyd wedi ei wthio i un hirsgwar bychan.

* * *

Y tu allan i'r bloc o fflatiau lle bu Yvette a Charles yn byw, astudiai Reynard fap a daenwyd ar fonet ei gar staff. Ni thrafferthodd hyd yn oed edrych ar ei ddau gyn-gyd-ddisgybl wrth iddyn nhw gael eu gwthio, ar flaenau'r gynnau, i gefn lorri, a oedd eisoes yn hanner llawn o bobl a arestiwyd yn gynharach. Roedd Reynard yn rhy brysur i glochdar, ac roedd yn mwynhau'r helfa hon ormod o lawer.

Trodd at yrrwr ei gar gyda phenderfyniad sydyn.

'Iawn,' meddai, gan bwyntio at gyfeiriad ar y map. 'Fan 'na.'

Dringasant i'r car, a'r swyddog Natsïaidd a'r ddau filwr gyda hwy, a rasiodd y cerbyd i ffwrdd. Y tu ôl iddynt, grwmaliodd peiriant y lorri, a rhuodd ar eu holau.

* * *

Roedd Simone wedi gorffen pacio. Edrychodd gyda thristwch ar y llyfrau na fedrai eu cario gyda hi. Wedyn, trodd at ei thad, fel pe bai rhyw syniad ysbrydoledig newydd ei tharo.

'Oes rhaid inni adael?' meddai. 'Pam na wnawn ni ddim aros yma a dangos iddyn nhw na wnawn ni ddim ildio? Gallwn ni roi esiampl o sut mae pobl Ffrainc yn gallu dioddef, sut y gallwn ni wrthwynebu heb dorri.'

'Ti'n anghofio rhywbeth,' meddai ei thad. 'Cyn belled ag y mae'r Natsïaid yn y cwestiwn, nid pobl Ffrainc ydyn ni. Iddewon ydyn ni. A ti'n gwybod be maen nhw'n ei wneud i Iddewon.'

Ychydig eiliadau ynghynt, bu'r argyfwng, i Simone, yn fater syml o ymgais frysiog i ddianc rhag perygl corfforol go-iawn. Bellach, roedd y sefyllfa wedi ei tharo fel dadl athronyddol – rhywbeth a oedd yn llawer mwy at ei dant.

'Ond dydyn ni ddim yn grefyddol,' meddai. 'Dwi erioed wedi bod mewn synagog. Do'n i ddim hyd yn oed wedi darllen yr Hen Destament tan ychydig flynyddoedd yn ôl.' Amneidiodd at y Beibl yn ei chês, 'A phan wnes i, o'n i'n meddwl ei fod yn llawn trais a rhagfarn.'

'Simone,' meddai ei thad yn amyneddgar. 'Wyt ti'n meddwl bod ots ganddyn nhw am hynny?'

*   *   *

Rasiodd car Reynard drwy'r strydoedd. Roedd y rheiny'n brysurach na'r arfer, gyda phobl yn llenwi'r gorsafoedd trenau, a cheir, yn drymlwythog dan eiddo ffoaduriaid, yn llenwi'r ffyrdd. Serch hynny, fe gafodd Reynard fod y gynnau a'r iwnifformau'n clirio tramwyfa'n ddigon buan ar gyfer ei gonfoi bach. Edrychodd ar enwau'r strydoedd, gan chwilio am yr un ar ei restr.

*   *   *

Rhuthrodd Madame Weil i fewn i'r ystafell wely.

'Barod?' gofynnodd.

Cymerodd Dr Weil un olwg arall o amgylch yr ystafell, a nodiodd ei ben. Cododd ei ddau gês mawr trwm. Dim ond un cês oedd gan Simone, er bod hwnnw'n drwm gyda'r holl gyfrolau a stwffiwyd i mewn iddo. Crymodd hithau i gynorthwyo'i thad.

*   *   *

Stopiodd car Reynard o flaen bloc fflatiau'r teulu Weil. Plyciai'r llenni yn ffenestri'r fflatiau cyfagos wrth i'r car a'r lorri gyrraedd. Neidiodd Reynard allan, edrych ar y cyfeiriad ar y rhestr yn ei law, ac wedyn, gyda golwg foddhaus, fe arweiniodd y swyddog Natsïaidd a'r milwyr i fewn i'r cyntedd ac i fyny i fflat y teulu. Cnociodd. Dim ateb. Cnociodd eto. Dim ateb. Amneidiodd y swyddog Natsïaidd ar y ddau filwr, ac fe giciodd y ddau y drws i lawr a rhuthro i fewn a'u gynnau ar annel. Dilynodd Reynard nhw o bellter diogel. Doedd e ddim yn llwfrgi, ond nid oedd am fod yn y rheng flaen os oedd rhyw ffanatig Comiwnyddol gyda phistol yn aros amdano. Edrychodd o'i amgylch. Gallai glywed y milwyr yn archwilio'r ystafelloedd eraill. Ar ôl ychydig, daeth un ohonynt i'r cyntedd lle safai Reynard. Ysgydwodd y milwr ei ben.

'Wedi mynd,' meddai.

Eisteddai Meinwen yn y stiwdio radio yn y dre, yn edrych ar y defnydd gwyrdd a orchuddiai'r bwrdd. Nid oedd fawr ddim arall i edrych arno. Nid oedd ffenestr yno, dim ond rhestr ar y wal o gyfarwyddiadau sut i weithio'r stiwdio. Roedd y rhestr yn ddwyieithog, chwarae teg. Yn absenoldeb unrhyw ddifyrrwch arall, fe sganiodd hi'r Gymraeg am wallau. Doedd 'na'r un. Roedd y Gorfforaeth, o leiaf, yn awyddus i gadw ei safonau. Ni wyddai p'un ai i deimlo'n falch fod yr iaith yn lân neu'n siomedig bod dim achos cwyno. Dros ei chlustffonau fe glywodd y clebran yn y stiwdio gant a hanner o filltiroedd i ffwrdd yng Nghaerdydd.

'Meinwen, elli di 'nghlywed i?' Y cynhyrchydd.

'Gallaf.'

'Syr Anthony, allwch chi ein clywed ni yn Abertawe?'

'*Loud and clear*,' clywodd Meinwen lais Syr Anthony. Mae'n rhaid ei fod wedi arfer gyda'r math yma o gyfathrebu yn y llu awyr. Siŵr o fod roedd o'n gorfod ei atal ei hun rhag dweud '*Over*' ar ddiwedd pob brawddeg.

Roedd Meinwen a Syr Anthony wedi eu gwahodd i gymryd rhan mewn trafodaeth ar ymgyrch newydd a oedd wedi datblygu yn sgil y rhyfel yn Irac a'r ymchwydd o brotest a'i dilynodd yn erbyn rhyfelgarwch. Nod yr ymgyrchwyr oedd cau pob sefydliad milwrol yng Nghymru, a phob swyddfa ricriwtio'r lluoedd arfog, a datgan bod y wlad yn 'ddad-filwroledig'. Roedd sawl aelod Seneddol mwy cenedlaetholgar yn cefnogi'r mesur. Afraid dweud, gwrthwynebu a wnâi Syr Anthony.

Byddent ar yr awyr mewn ychydig eiliadau. Clywodd Meinwen y cyflwynydd yn dechrau ei gyflwyniad. Ar yr awyr.

'Meinwen Jones,' meddai'r cyflwynydd. 'Mae'r alwad hon am i'r lluoedd arfog dynnu allan o Gymru'n llwyr wedi cael ei disgrifio fel symboliaeth wag. Gwleidyddiaeth ystumiau a dim byd arall. Beth ddywedwch chi i hynny?'

'Wel yn gyntaf oll,' meddai Meinwen, 'nid ystum yn unig yw hwn, ond polisi cadarn. A beth bynnag, mae ystumiau'n bwerus. 'Maen nhw'n symbolaidd. Byddai hwn yn anfon neges bod dim croeso i sefydliadau milwrol Prydeinig mewn Cymru ddemocrataidd. Maen nhw'n estron i draddodiad heddychiaeth y Cymry ac yn wrthun i'n gwrthwynebiad ni i ryfel ymhob ffurf.'

Siaradodd gydag arddeliad y sawl y mae ei chylch cymdeithasol ar hyd ei hoes wedi ei ffurfio'n gyfan gwbl o heddychwyr. Ni thrafferthodd ddatblygu'r ddadl. Roedd yr achos mor amlwg fel mai'r cyfan oedd ei angen oedd gwneud y gosodiad. Nid oedd dadl i'w chael. Roedd y ffaith ei bod hi'n ffyddiog y buasai rhan fwyaf y gwrandawyr yn cytuno â hi yn gwneud y peth gymaint â hynny'n haws.

Dyma oedd y fersiwn o hanes Cymru a gredid fel efengyl gan y rhai y treuliodd Meinwen ei bywyd bron yn gyfan gwbl yn eu plith, fersiwn lle y gosodwyd yn dawel o'r neilltu bob llafurwr, pob ceidwadwr, pob milwr a phob brenhinwr, fersiwn lle roedd gwladweinwyr byd-eang fel Lloyd George ac Aneurin Bevan yn llai na llwch yn y glorian, a lle roedd ffigurau fel Saunders Lewis yn rhychwantu'r byd fel colosswS. Hidlwyd cymysgedd blasus a chymhleth hanes y wlad drwy ridyll main anghydffurfiaeth, heddychiaeth a chenedlaetholdeb nes distyllu hylif clir, claear, di-wenwyn, di-alcohol a diniwed – elicsir a gadwodd rai fel Meinwen yn fythol ieuanc ac yn fythol grediniol y delai'r dydd pan fyddai cenedlaetholdeb yn sgubo'r wlad a'r iaith yn cael ei hail-orseddu. Dim ond yr iaith a gâi beth mor frenhinol â gorsedd yng ngweriniaeth feddyliol Meinwen.

'Syr Anthony,' meddai'r cyflwynydd eto. 'Estron. Dim croeso iddyn nhw yng Nghymru . . .'

Siaradodd Syr Anthony gyda'i rwyddineb arferol, fel pe bai'n gwneud problem gymhleth yn hawdd: 'Yn syml iawn, rwy'n parchu safbwynt Meinwen,' meddai. 'Mae heddychiaeth yn gred berffaith ddilys – er yn eithafol. Ond mae'n gred nad wyf yn digwydd cytuno â hi. Yn gam neu'n gymwys, mae Cymru'n rhan o'r Deyrnas Unedig, ac mae angen i bob gwlad ei hamddiffyn ei hun. Byddai Cymru rydd ac annibynnol yn dal i fod angen llu amddiffyn.'

'Na fyddai,' meddai Meinwen. Roedd Cymru rydd ac annibynnol yn rhan o'i heschatoleg. Deallai wleidyddiaeth a threfniadau'r cyflwr dyfodol hwnnw cystal ag y tybia efengylwr ei fod yn deall trefniant y nefoedd. Nid oedd hi'n mynd i dderbyn Syr Anthony yn dweud wrthi beth fyddai Cymru rydd yn ei wneud, ddim mwy nag y byddai ffwndamentalydd Cristnogol yn derbyn cyngor am y byd a ddaw gan Buffy the Vampire Slayer.

'Pe bai Cymru'n penderfynu nad oes angen llu arfog, gallai'n syml iawn wneud hebddo,' meddai hi.

'A pham y basach chi'n dymuno gwneud hynny?' gofynnodd Syr Anthony yn llyfndeg.

'I osod esiampl. I ddangos nad oes angen trais.'

Newidiodd Syr Anthony gyfeiriad ei ymosodiad. 'A fyddwn i'n gywir i gredu eich bod chi'n mynychu rali Cilmeri bob blwyddyn, Meinwen?' holodd.

'Byddech.'

'A beth yn union ydych chi'n ei ddathlu yno?'

Teimlai Meinwen y trap yn agor. Penderfynodd ochrgamu. 'Yr egwyddor o ryddid,' meddai.

'Popeth yn iawn; a sut yn union wnaeth Llywelyn hybu'r egwyddor honno? Drwy ddeiseb a phrotest eistedd-i-lawr, ie?'

'Dyw hynna ddim yn deg. Roedd hi'n oes wahanol . . .'

'Oedd hi? Roedd hi'n oes fwy Cristnogol na'n hoes ni, Meinwen. Roedd yr arfau'n wahanol, efallai, ond mae arna i ofn mai'r un yw realiti gwleidyddiaeth ryngwladol o hyd. Mae angen i bob gwladwriaeth ei hamddiffyn ei hun.'

Rhaid oedd i Meinwen gael y ddadl yn ôl i diriogaeth fwy diogel yr unfed ganrif ar hugain: 'O'n i'n meddwl mai sôn am sefydliadau milwrol yng Nghymru *heddiw* oedden ni.'

Ond roedd Syr Anthony wedi paratoi ei gudd-ymosodiad yn rhy ofalus.

'Chi yw'r un sy'n coffáu rhyfelwr o'r drydedd ganrif ar ddeg,' meddai. Daeth nodyn o lymder i'w lais, fel pe bai wedi boddio mympwy plentyn clyfar am ychydig, ond ei bod yn hen bryd bellach iddi gael dysgu gwers bwysig.

'Byw celwydd ry'ch chi,' meddai. 'Ry'ch chi'n ymgyrchu i amddiffyn cenedl sydd ond yn bodoli oherwydd bod ei gwlatgarwyr hyd at gyfnod Owain Glyndŵr wedi bod yn barod i'w hamddiffyn gyda thrais a rhyfel. Drwy ladd pobl. Yn waedlyd, yn boenus, ac yn aml. Dyna gadwodd Gymru mewn bodolaeth yn ddigon hir iddi oroesi i'r oes fodern. Chwarae teg iddyn nhw. Rwy'n tynnu 'nghap pig iddyn nhw. Ond dyw'r holl sôn yma am heddychiaeth yn ddim mwy na gwneud rhinwedd allan o reidrwydd. Dyw hi ddim wedi bod yn ymarferol i weithredu'n filwrol yn erbyn Lloegr ers chwe chanrif, felly o ganlyniad ry'ch chi'n gwenieithu'ch hunain mai heddychwyr ydych chi. Pe baech chi byth yn cael y cyfle i redeg gwlad, yn lle dim ond cwyno, buan iawn y dysgech chi rywfaint o realiti. Ac mae'r ddemocratiaeth sy'n rhoi rhyddid iti brotestio yn bodoli yn unig am fod aelodau o'r lluoedd arfog yn barod i farw er mwyn ei hamddiffyn hi, fel y gwnaeth digon o'ch cyd-Gymry yn Irac.'

Roedd y cyflwynydd yn ymwybodol bod Syr Anthony wedi cael mwy na'i siâr o'r amser ar yr awyr. 'Meinwen?' meddai.

Roedd Meinwen yn gandryll bod ei safbwynt wedi ei lurgunio i'r fath raddau. Efallai bod Syr Anthony yn ddadleuwr penigamp, ond roedd gwyrdroi'r gwirionedd fel yna yn ddim llai nag ystryw satanaidd. O hir arfer, roedd hi'n gallu rheoli ei dicter. Meddyliodd am Gandhi, am Simone Weil, am St Francis o Assisi. Ai heddychwr oedd o? Dim ots, roedd o'n garedig wrth anifeiliaid, ac roedd hynny'n ddigon da iddi hi. Gorfododd dinc o ferthyrdod i'w llais. Os na allai hi ennill brwydr rhesymeg, roedd hi'n benderfynol o ennill brwydr y galon.

'Mae croeso ichi wyrdroi pethau faint fynnoch chi,' meddai Meinwen mewn llais gwastad. 'Y cyfan wn i yw mai heddychwraig ydw i. Byddai'n well gen i farw na thywallt gwaed, ac mae'r ffaith eich bod chi'n dadlau o blaid trais yn gwrthbrofi eich dadl yn llwyr. A bydd pobl Cymru yn cytuno â mi.'

Roedd y cyfweliad drosodd. Pum munud arall o amser ar yr awyr wedi ei lenwi. Un cam yn nes at Gymru rydd. Neu un cam ymhellach i ffwrdd.

Diolchodd y cyflwynydd iddyn nhw dros y clustffonau. Dywedodd Syr Anthony hwyl fawr. Nid '*over and out*' fel yr oedd Meinwen wedi hanner gobeithio y gwnâi. Tynnodd hithau ei chlustffonau, a mynd o'r stiwdio.

Wrth iddi gau'r drws y tu ôl iddi a chamu allan i'r heulwen

sydyn ar y stryd, fe glywodd ru byddarol yn yr awyr uwchben. Dwy awyren ryfel yn sgrechian dros y dref, yn anelu am RAF Fali, siŵr o fod. Amddiffyn neu ormesu? Roedd hynny fel petai'n dibynnu lle roeddech chi'n sefyll. Ni allai Meinwen adael iddi'i hun feddwl amdanynt fel amddiffynwyr. Gwthiodd y syniad o'i meddwl. Ond arhosodd geiriau Syr Anthony fel olion tarth yr awyrennau yn yr awyr glir.

Bu'n siwrnai faith o Baris. Roedd y fan a brynwyd yn frysiog gan y teulu Weil ar gyfer y daith yn boeth ac yn llychlyd. Gallent deimlo'r newid yn yr hinsawdd wrth iddyn nhw deithio ymhellach i'r de. Bu Simone yn gwylio'r tirwedd yn newid drwy'r ffenestr; y caeau tonnog yn ildio i'r gwinllannoedd terasog. Aethant heibio i ffermwyr gyda'u merlod a'u troliau'n llawn o gynnyrch eu caeau. Nid oedd unrhyw arwydd gweladwy o'r drychineb a oedd wedi goddiweddyd eu gwlad. Trodd Simone at ei thad.

'Wyt ti'n siŵr y bydd croeso inni?'

Edrychodd ei thad ar y ffordd o'i flaen.

'Wel, pan oedden ni yn y fyddin, fe wnaeth e addo pe bawn i byth mewn angen, y dylwn i droi ato.'

Er gwaethaf hyder ei eiriau, edrychai Dr Weil yn anghysurus.

'Mae'n ganddo ddigon o fodd,' ychwanegodd.

'Ond dwi erioed wedi dy glywed di'n sôn amdano o'r blaen. Beth yw ei enw cyntaf?'

Oedodd Dr Weil ryw ychydig cyn ateb.

'Gustav.'

Meddyliodd Simone am eiliad, gan chwilio'i chof am yr enw cyfarwydd.

'Gustav Thibon! Yr arch-geidwadwr . . .!'

'Simone . . .' meddai Madame Weil yn benisel.

'Dwyt ti ddim yn ei adnabod e,' meddai Dr Weil.

'Dwi wedi darllen ei waith,' meddai Simone. 'Mae hynny'n ddigon. Llais yr hen drefn Gatholig yn y Ffrainc wledig; un o gefnogwyr Action Française. *Ydy e'n gwybod mai Iddewon ydyn ni?'*

Nid atebodd ei thad, dim ond syllu'n syth o'i flaen. Yna fe drodd ei olwg o anhapusrwydd yn olwg o syndod. Arafodd y fan. Roedd rhwystr ar draws y ffordd, a'r heddlu arfog yn aros wrth ei ymyl. Chwifiodd un o'r heddweision arnynt i'w cael nhw i stopio. Wrth i'r fan arafu, daeth yr heddwas gyda swyddog mewn gwisg blaen draw at ddrws y gyrrwr. Siaradodd y swyddog.

'Papurau.'

Rhoddodd Dr Weil ei ddogfennau iddo.

'Weil,' ddarllenodd y swyddog, gan ynganu'r gair yn y dull Almaenig. 'Ddim yn enw Ffrengig iawn, nac ydy?'

Atebodd Dr Weil yn ddigyffro, gan ddefnyddio'r ynganiad Ffrengig, 'Weil. Roedd fy nheulu'n hanu o Alsace.'

Daliodd y swyddog i astudio'r papurau, yna, heb edrych i fyny, gofynnodd yn hamddenol, 'Iddewon, dwi'n cymryd?'

Nodiodd Dr Weil. Rhoddodd Madame Weil edrychiad rhybuddiol i Simone. Bu saib hir. Yna, rhoddodd y swyddog y papurau yn ôl iddynt.

'Wel, Dr Weil,' meddai, gan ddefnyddio'r ynganiad Almaenig eto. 'Fydd dim modd ichi ymarfer eich proffesiwn yn Vichy, mae arna 'i ofn. Na chithau chwaith, Mademoiselle. Mae pob Iddew wedi'i wahardd rhag gweithio mewn proffesiwn yma.'

Beth bynnag oedd eu teimladau, fe lwyddodd y teulu i beidio â dangos eu pryder. Ni fu'r un ohonynt yn wrthrych erledigaeth o'r blaen, ond roedd rhyw reddf goroesi gynhenid yn dweud wrthynt am beidio â chodi helynt. Cadwent eu llygaid am i lawr, heb yngan yr un gair. Aeth y swyddog yn ei flaen.

'Efallai y gallwch chi ddod o hyd i waith ar y tir. Gwneud

rhywbeth cynhyrchiol am unwaith.' Edrychodd drostynt gyda dirmyg amlwg, wedyn dywedodd: 'Iawn. Gallwch chi fynd . . .'

Cychwynnodd Dr Weil y fan, a symud yn araf yn ei flaen, gan geisio canfod y cyflymder diogel rhwng brys gormodol a phetruster euog. Wrth i'r lorri fynd heibio'r swyddog, fe ychwanegodd hwnnw, gyda gwên,

'Gallwch chi fynd . . . Am y tro.'

Roedd rhywun yn cnocio ar ddrws yr Hafan. Agorodd Meinwen i weld bod Fran Skye, ei chymdoges newydd, yno. Roedd hi'n cario rhywbeth mewn basged, ac roedd ei llygaid mawr yn wyliadwrus, fel pe bai'n gwylio rhyw anifail swil y dymunai ei ddal.

Fflachiodd yr olygfa o'r wrach yn ymweld ag Eira Wen drwy feddwl Meinwen, wrth i'r ddelwedd neidio i'w chof o'r cartŵn Disney.

'*Potion*,' meddyliodd Meinwen. 'Mae hi wedi dod i roi swyn arna i.'

Edrychodd Fran arni mewn ffordd ofalus ond calonogol, fel pe bai'n ceisio ennill ei hymddiriedaeth. Rhoddodd gynnig ar wên: '*This Is For You*,' meddai, yn ei llais siarad ag *earthlings*.

'*What is it*?' meddai Meinwen yn ddrwgdybus.

'*Black-berr-y jam*,' meddai Fran. '*We made it this summ-er. We thought you'd app-rec-i-ate a gift as it's com-ing up to Sam-hain.*'

'*To* . . . Sadwrn?' Am eiliad, meddyliodd Meinwen fod Fran yn ceisio dweud y gair Cymraeg.

Ddim ffasiwn lwc.

'*Sam-hain. The anc-ient Cel-tic day of the oth-er-world.*'

'*I see*,' meddai Meinwen, gan deimlo y dylai mewn gwirionedd geisio swnio fel petai'n gwybod mwy am hen wyliau'r Celtiaid nag yr oedd hi mewn gwirionedd. Doedd hi ddim am adael i'r hipi ddiawl 'ma ddysgu dim iddi am y Celtiaid.

'*Of course. Thank you very much,*' meddai. '*You'll forgive me if I don't reciprocate just now. We usually give our gifts* after *Samhain.*'

'*Why's that*?' meddai Fran, a'i llygaid yn fwy fyth, bob amser yn barod am dipyn o *en-light-en-ment.*

Gostyngodd Meinwen ei llais yn gyfrinachaidd: '*Because they're cheaper in the shops then,*' meddai, gan ddal llygaid dwys Fran gyda golwg arwyddocaol.

Nodiodd Fran yn araf fel pe bai'n gwerthfawrogi'r ddoethineb. Gorfododd Meinwen wên cyd-gynllwyniwr i'w hwyneb, a chau'r drws.

Wrth iddi fynd yn ôl i fewn i'r lolfa, edrychodd ar y jam a roddodd Fran iddi. Roedd yn gas gan Meinwen wastraff. Ond mae eithriad i bob rheol.

Taflodd y jar llawn i'r bin sbwriel.

* * *

Pelydru drwy'r coed poplys yr oedd haul yr hwyr brynhawn wrth i fan y teulu Weil grensian ar raean y llwybr y tu allan i'r chateau *bach, a stopio o flaen y drws. Dringodd y teulu o'r caban gyrru, yn stiff ar ôl caethiwed yno yn ystod oriau hir y daith. Wrth iddynt wneud hynny, agorodd drws y* chateau *a daeth dyn talgryf canol-oed allan, a cherdded dros y graean tuag atynt. Dilynwyd ef gan sawl person arall, yn deulu neu'n weision neu'r ddau. Cerddodd y dyn at Dr Weil a'i gofleidio.*

'Bernard!'

'Monsieur Thibon,' atebodd Dr Weil, yn teimlo bwlch yr ugain mlynedd ers eu gwasanaeth rhyfel, ac embaras ei statws newydd yntau fel ffoadur.

'Nid "Monsieur," ond "Gustav".' Trodd Thibon at Madame Weil a chusanu ei llaw. 'Rwyf mor falch i gwrdd â chi. Byddwch yn addurn i'n cartref ni. Rydym wedi trefnu rhywle arbennig ichi aros.'

Amneidiodd at dŷ haf yn yr ardd.

'Bydd yn rhoi rhywfaint o annibyniaeth ichi. Gobeithiwn y byddwch yn hapus iawn yma.'

Trodd at Simone: 'A dyma eich merch brydferth!' Cododd ei law er mwyn gafael yn llaw Simone a'i chusanu. Ond dal yn dynn i ddau gês yr oedd hithau, ac ni ollygodd hwy. Rhoddodd Thibon y gorau i'w ymgais at gwrteisi henffasiwn, ond fe gadwodd ei wên yn ei lle. Bowiodd yn gynnil i Simone.

'Dydd da, Mademoiselle Weil. Gobeithiaf y bydd hinsawdd heulog ein Languedoc yn rhoi gwrid yn ôl ar eich gruddiau Parisaidd chi!'

'Efallai y gwnaiff rhyddid hynny, Monsieur Thibon,' atebodd hithau'n ddifynegiant. Cerddodd heibio i Thibon gyda'i bagiau, gan wrthod gadael i'r gweision eu cymryd nhw ganddi. Stryffagliodd i'r tŷ gyda hwy.

'Mae'n ddrwg gen i, Gustav,' meddai Dr Weil. 'Mae Simone yn . . .'

'Mae Simone yn ifanc, ac yn egwyddorol, ac mae'n dda gen i gael gwestai o'r fath.' Gwenodd ar Dr Weil. 'Nawr. Dewch i fewn.'

*　　　*　　　*

Yn ddiweddarach y noson honno, roedd y teulu'n dadbacio yn y tŷ haf, oedd â digonedd o le ynddo ac a oedd wedi ei ddodrefnu'n chwaethus.

'Wel, dychmygwch, mae gan Papa ffrind yn yr Action Française*!'*

'Ffrind i dy dad o adeg y rhyfel ydy e,' meddai Madame Weil, gyda nodyn o rybudd anarferol yn ei llais.

'A ffrind i Philippe Petain! Ffrind i'r ffasgwyr yna sy'n gwrthod gadael inni weithio!'

'Ffrind i geidwadwyr ydy e, Simone. Dyw hynny ddim yr un peth.'

'Ydy mae e . . . adweithwyr, tirfeddianwyr – maen nhw i gyd yr un fath.'

'Wel, rwy'n falch ei fod yn dirfeddiannwr. Achos mae'n meddu ar dir, ac mae'n fodlon ei rannu gyda ni.'

'Ond mae e'n geidwadwr.'

'Ydy, mae e'n geidwadwr, Simone. Ac yn geidwad i ni.'

* * *

Y noson honno, eisteddai'r teulu wrth y bwrdd yn ystafell fwyta Thibon. Roedd yr ystafell yn fawr ond yn syml ei haddurn. Gosodai gweision y bwyd: bara, gwin, olewydd, caws. Wrth i'r ddysgl olaf gael ei gosod i lawr, edrychodd Thibon o'i amgylch yn fodlon.

'Gadewch inni ddweud gras.'

Ymgroesodd, a phlethu ei ddwylo. Bu eiliad o saib cyn i'r teulu Weil ymgrymu pen a chau eu llygaid hwythau, ond heb ymgroesi. Cyn iddo gau ei lygaid, nododd Thibon y diffyg, ond ni ddangosodd unrhyw arwydd ei fod wedi sylwi. Dywedodd y gras.

* * *

'Mae'n rhyfedd, y rhyfel hwn,' meddai Thibon, wrth iddo dywallt y gwin i Dr Weil. 'Mae'r ffaith bod Ffrainc dan ormes wedi canolbwyntio fy meddwl yn fwy nag erioed o'r blaen ar natur a hanes y Languedoc fel rhanbarth.'

Torrodd Simone ar ei draws, gan siarad am y tro cyntaf y noson honno. 'Doedd hi ddim yn rhanbarth unwaith. Cenedl oedd hi, gyda'i hiaith a'i diwylliant ei hun.'

Nid atebodd Thibon, ond roedd y cwestiwn ar ei wyneb yn ei gwahodd hi i gario ymlaen.

'Roedd y diwylliant Provençal yn un o drysorau'r Oesoedd Canol,' meddai hi. 'A chafodd ei ddifetha gan Ffrainc. A'r

cyfan er mwyn ceisio bri ac unffurfiaeth. Fe ddinistriodd hi ei rhyddid a dileu ei diwylliant yn llwyr. Yn gyfan gwbl. Bellach dyw hi'n ddim ond enw ac atgof.'

Edrychodd Thibon i lawr, a rhedeg ei law o amgylch gwaelod ei wydryn o win, gan wrando.

'Mae gwladgarwch Ffrainc mor fympwyol,' aeth Simone yn ei blaen. 'Cymerwch bobl yng ngwlad Provence, neu yn Llydaw, neu Alsace.' Edrychodd ar ei thad; edrychodd yntau i lawr mewn embaras. ''Ry'n ni'n disgwyl iddyn nhw anghofio'u gorffennol a chydweithio â Ffrainc, ond dyma ni'n condemnio unrhyw un sy'n cydweithio â'r Almaen, sy ond eisiau gwneud i ni yr hyn ry'n ni'n ei wneud i'n trefedigaethau ni. Does dim rhesymeg yn y peth.'

Edrychodd Thibon i fyny.

'Na. Mae hynny'n rhy syml,' meddai. 'Hyd yn oed os y'n ni'n derbyn mai trosedd oedd gwneud y Languedoc yn rhan o Ffrainc – a dydw i ddim yn derbyn hynny; roedd rhesymau dros y peth – mae bellach yn rhan annatod o Ffrainc. Mae'n cael ei charu felly ac mae'n gysegredig felly. Rhywbeth go-iawn yw hynny. Rhywbeth cynnes a real. Amgylchedd sy'n magu eneidiau. Allwch chi ddim cymharu difa'r diwylliant hwn heddiw gyda rhyw drosedd honedig, a ddigwyddodd ganrifoedd yn ôl. Peidiwch dweud wrtha i eich bod chi'n teimlo fod y ddau beth cynddrwg â'i gilydd. Peidiwch dweud wrtha i bod modd teimlo poen y Languedoc fel mae modd teimlo poen Ffrainc heddiw.'

'Rwy'n ei theimlo hi,' meddai Simone. 'Rwy'n ei theimlo hi fel rwy'n teimlo dioddefaint y gweithwyr yn ein ffatrïoedd, neu'r brodorion yn ein trefedigaethau ni, neu'r Pwyliaid dan y Natsïaid. Does dim ots pryd ddaru'r peth ddigwydd – mae grym bob amser yn anghyfiawn, ac mae'n rhaid inni ei wrthsefyll a'i wrthod yn ein hanes ni ac yn ein presennol ni. Rhaid inni wrthsefyll grym yn ein gelynion ac ynom ni'n hunain.'

'Simone,' meddai Thibon yn araf. 'Mae'n rhaid imi ddweud mod i'n edmygu'r ffordd ry'ch chi'n dadlau'ch achos er gwaetha'r ffaith y gallech chi fod ar eich colled o wneud. Rwy'n cael fy atgoffa o'r geiriau yn y salm gawson ni yn yr eglwys heddiw: 'Pwy yw'r dyn cyfiawn? Yr hwn a dwng i'w niwed ei hun ac ni newidia.' Ydych chi'n gyfarwydd â hi?'

Ysgydwodd Simone ei phen. 'Nid Catholig ydw i.'

'Wn i. Ond o'r Hen Destament y daw'r salm. Meddyliais i y byddech chi'n ei hadnabod. Fel Iddewes, felly.'

Arhosodd. Edrychodd rhieni Simone ar Thibon. Am unwaith, roedd Simone yn methu dod o hyd i eiriau. Bu saib anghysurus.

Chwarddodd Thibon.

'Peidiwch â synnu. A pheidiwch â phryderu. Mae gen i lawer o wendidau, ond diolch i Dduw dyw gwrth-semitiaeth ddim yn un ohonyn nhw.'

Caeodd Madame Weil ei llygaid mewn rhyddhad.

Gyda'r argyfwng wedi mynd heibio, aeth Simone ar ei hunion yn ôl at y drafodaeth.

'Mae'r Hen Destament ei hun yn gwneud eilun o rym . . .' meddai. Wedyn fe oedodd, gan godi ei llaw i'w harlais. Ceisiodd gario ymlaen. 'Duw llwythol yn difa ei elynion . . . O, O, . . . Mae'n ddrwg gen i . . . maddeuwch imi.'

Cododd ei dwylo at ei phen. Roedd hi'n amlwg mewn poen. Rhuthrodd ei rhieni ati. Roedd Thibon yno hefyd mewn amrantiad. Edrychodd mewn pryder ar Dr a Madame Weil.

'Beth sy'n bod? Beth sydd o'i le arni?'

Erbyn hyn, roedd Simone bron â llewygu. Cydiodd ei rhieni ynddi a'i thywys at sedd gyfagos. Fel meddyg, roedd Dr Weil yn sydyn mewn sefyllfa o awdurdod.

'Ei phen,' meddai, wrth iddo gymryd pyls Simone. 'Mae hi wedi diodde cur pen ofnadwy ar hyd ei bywyd. Meigryn. Sinwsitis. Dy'n ni ddim yn siŵr. Dwi'n credu ei bod hi'n eu cael nhw'n amlach nag y mae'n fodlon ei gyfaddef. Maen

nhw'n ei llethu hi'n llwyr. Bydd hi angen gorffwys am ddyddiau. Mae'n rhaid imi ei chael hi i'w stafell.'

Gafaelodd Thibon ac yntau yn Simone, gan ei chynorthwyo allan o'r ystafell fwyta ac at y grisiau.

* * *

Fore trannoeth, agorodd Madame Weil y drws i ystafell wely dywyll Simone. Gorweddai ei merch yn ddisymud ar y gwely, gyda'i llygaid ar gau. Aeth Madame Weil i fewn a gosod yr hambwrdd brecwast i lawr ar y bwrdd erchwyn gwely. Dilynwyd hi gan Dr Weil.

'Sut wyt ti heddiw 'ngharIad i?' gofynnodd Madame Weil.

'Yn well,' meddai Simone. Ond roedd ei llais yn wan. Ceisiodd eistedd i fyny. 'Alla i ddim eistedd yma. Mae'n rhaid imi godi. Mae'n rhaid bod gwaith i'w wneud ar y fferm.'

Edrychodd Dr Weil yn graff ar ei ferch.

'Simone, fel dy feddyg ac fel dy dad, rwy'n dy orchymyn di i aros yn y gwely. Da ti. Mae'n rhaid iti orffwys. Ac mae'n rhaid iti fwyta. Rwyt ti'n rhy denau o lawer.'

Trodd Simone ei phen at y bwrdd yn ymyl y gwely: coffi ffres, croissant, *caws, jamiau cartref.*

'Alla i ddim bwyta hyn i gyd,' meddai. 'Alla i ddim. Yn foesol, alla i ddim. Maen nhw'n dogni bwyd yn y gogledd dan y Natsïaid. Fe fyddai'n anghywir imi fwyta mwy nag y maen nhw'n ei gael.'

Edrychodd ei rhieni at ei gilydd, gan geisio cuddio eu braw, ond gwyddent nad oedd modd iddynt fynnu ei bod yn bwyta. Ni fuasai gwrthwynebiad ond yn cryfhau penderfyniad Simone. Gorfododd Madame Weil wên i'w hwyneb.

'Wel, bwyta dy ddognau, 'te. Tost a choffi du. Ydy hynny'n ddigon llwm iti?'

* * *

Wrth iddynt gau drws yr ystafell wely y tu ôl iddynt, gwelsant fod Thibon yn aros ar y landin tu allan. Edrychodd mewn pryder ar y bwyd heb ei fwyta ar yr hambwrdd a gariai Madame Weil.

'Sut mae hi?'

'Mae hi'n benstiff,' meddai Dr Weil.

'Beth sy'n bod?'

Synhwyrodd Madame Weil fod téte-a-téte *ar y gweill, felly, gan wthio'i chwilfrydedd naturiol o'r neilltu, fe adawodd y ddau gyfaill, a mynd i lawr y grisiau.*

'Dwn i ddim be' sy'n bod arni, Gustav,' meddai Dr Weil. 'Rwy'n ei charu hi'n fwy na bywyd ei hun. Pe bawn i ond yn gallu ei helpu hi i ddod o hyd i beth bynnag mae'n chwilio amdano . . . Hwyrach y byddai hi'n rhoi'r gorau i gosbi ei hun. Hwyrach y byddai hi'n dewis byw.'

Rhoddodd Thibon ei law ar ysgwydd Dr Weil. Ni siaradodd yr un ohonyn nhw am ychydig.

Wedyn gofynnodd Thibon: 'Ga i ei gweld hi?'

'Cei. Rwy'n siŵr y byddai hi'n falch o dy weld di.'

* * *

Agorodd Thibon y drws yn dyner. Roedd bron yn sibrwd.

'Simone, mae'n ddrwg calon gen i os gwnes i aflonyddu arnoch dros ginio neithiwr. Doeddwn i ddim . . .'

'Na. Na. Wnaethoch chi ddim aflonyddu arna i. Rwy'n cael hyn yn aml, dadleuon neu beidio. Mae'n ddrwg gen i fod yn faich ichi. Cyn gynted ag y medra i, fe wna i godi a helpu'ch pobl chi gyda'r gwaith.'

'Ga i nôl rhywbeth ichi? Alla i wneud rhywbeth drostoch chi?'

Meddyliodd Simone am ychydig. 'Efallai. Ydych chi'n gallu darllen Groeg?'

'Y . . . ydw. Ddim cystal ag yr hoffwn i, efallai, ond . . .'

'Fyddech chi'n fodlon darllen imi, os gwelwch yn dda?'

'Â chroeso. Beth hoffech chi imi ei ddarllen?'

'Yn fy mag, mae 'na Destament Newydd. Fyddech chi'n fodlon darllen yr Ein Tad i mi?'

Daeth Thibon o hyd i'r llyfr, a'r dudalen, a dechreuodd ddarllen, yn herciog i ddechrau, ond wedyn gan ynganu'r geiriau Groeg yn fwy hyderus. Caeodd Simone ei llygaid a gwenu wrth iddi wrando. Nodiodd yn araf wrth iddo gyrraedd y geiriau olaf a'r Amen.

'Ro'n i'n meddwl nad Catholig oeddech chi?' meddai ef yn y man.

'Dydw i ddim.'

Siaradai Simone yn fyfyrgar, a'i llygaid ar gau o hyd. 'Rwy'n dweud yr Ein Tad bob dydd i fi fy hun yn y Roeg. Roedd yn dda eich clywed chi'n ei darllen.

'Weithiau rwy'n teimlo fel petai'r geiriau'n rhwygo fy meddyliau allan o 'nghorff ac yn fy nghario i rywle y tu hwnt i ofod. Rhywle heb safbwynt. Annherfynoldeb. Llawn tawelwch. Nid absenoldeb sŵn – rhywbeth mwy cadarnhaol na sŵn.'

Ni ddywedodd Thibon air. Llanwyd yr ystafell â thawelwch.

Ers iddyn nhw symud i mewn i Hermon, roedd Fran a Connor wedi bod yn mynd mwyfwy ar nerfau Meinwen. Fe fuasai'n well gan Meinwen esgus nad oedden nhw yno o gwbl, ond doedd pethau ddim mor hawdd â hynny. Yn ogystal ag ymweliad Fran gyda'r jam mwyar duon, roedd Connor wedi galw i gynnig helpu gyda gwaith cynnal-a-chadw ar yr Hafan. Roedd yn dda gyda'i ddwylo, meddai, ac yn hapus yn gwneud gwaith o'r fath. Dywedodd Meinwen yn swta nad oedd angen cymorth arni. Roedd Fran hefyd wedi gwahodd Meinwen i noson iacháu yn Hermon, lle byddai criw o bobl yn ymgynnull i ddysgu am ddulliau ysbrydol o wella anhwylderau. Er iddi gael derbyniad digon oeraidd, fe adawodd Fran y daflen hysbysrwydd gyda Meinwen. Roedd y noson yn rhad ac am ddim, oedd yn rhywbeth o'i phlaid, ond roedd y ffaith fod y daflen yn uniaith Saesneg yn ddigon i benderfynu'r mater i Meinwen. Fe allai'r pâr yna drws nesa fod yn iacháu gwahangleifion neu'n codi'r meirwon drwy ffydd, ond oni bai eu bod nhw'n dangos parch at y Gymraeg doedd gan Meinwen yr un rhithyn o ddiddordeb.

Pan nad oeddent yn creu swynion neu'n cynnal seremonïau iacháu, daeth yn amlwg fod gan Fran a Connor gariad at gerddoriaeth. Os gallech chi alw'r *didgeridoo* yn 'gerddoriaeth'. Byddai Connor yn ei chwarae am oriau bwygilydd, gyda'r dirgryniad yn ymwthio drwy waliau'r Hafan ac yn hydreiddio'r tŷ.

Meddyliodd Meinwen yn hiraethus am yr adegau pan yr arferai roi ei chlust wrth y wal i glywed cynulleidfa Hermon yn cwafro eu ffordd drwy'r emynau. Bellach fe stwffiai ei chlustiau'n llawn o wlân cotwm er mwyn cadw allan sŵn y *didgeridoo*. Cofiai'n drist am y nosweithiau pan nad oedd smic i'w glywed ond y gwynt yn y simdde a'r ffenestri.

Weithiau, ceisiai foddi sŵn y *ddigeridoo* drwy chwarae recordiau. Ond doedd lleisiau Maffia Mr Huws, Edward H neu Dafydd Iwan ddim ond yn ymddangos fel ymbiliad gwag i dduwiau marw a di-rym. Achos, pan beidiai'r nodwydd ar y peiriant recordiau, byddai *didgeridoo* Connor yn dal i riddfan ymlaen . . . ac ymlaen . . .

Roedd Madame Weil yn rhoi'r golch ar y lein ddillad yng ngardd y tŷ haf pan ddaeth Simone allan ati. Dechreuodd helpu ei mam yn syth, gan basio'r dillad o'r fasged iddi.

'Felly, wyt ti'n teimlo'n gryfach?'

Chwarddodd Simone: 'Mor gryf ag un o geffylau gwedd Gustav!'

Gweithiai'n egnïol, ond nododd ei mam mor welw ac mor wan yr olwg oedd hi o hyd. Newidiodd y pwnc.

'Wyt ti'n cofio bachgen o'r enw Reynard yn dy ddosbarth yn y Normale?'

Oedodd Simone am ychydig, wedyn fe atebodd: 'Ydw. Pam?'

'Wel, mae'n dda gweld Normalien yn dod ymlaen yn y byd, dyna i gyd.'

Gwelodd Simone yr eironi. Nid oedd yn arwydd da. Edrychodd ar ei mam gan ddisgwyl mwy o esboniad. Aeth Madame Weil ymlaen.

'Darllenais am y peth yn y papur. Mae e newydd gael ei benodi i swydd gyfrifol iawn yn llywodraeth Vichy – Comisiynydd Materion Iddewig.'

Edrychodd i fyw llygaid ei merch er mwyn gweld ei hymateb. Ond ysgwyd ei phen yn unig wnaeth Simone, ac estyn am ddilledyn arall.

'Rwy'n credu'n bod ni'n ddiogel yma,' meddai'n dawel. Yna, gan sirioli: 'Wyddoch chi, dwi'n credu y dylen ni aros yma am byth. Dwi'n credu mai dyma'r bywyd delfrydol. Gallwch chi gadw tŷ. Gall Papa ymarfer ei feddygaeth am ddim, ac fe alla i weithio ar y tir a gwneud gwaith dysgu gyda'r bobl leol. A gallen ni i gyd dyfu llysiau gyda'n gilydd!'

Gwenodd Madame Weil a pharhau â'i gwaith.

Roedd Meinwen yn darllen yn y lolfa pan glywodd sŵn curo ar ddrws yr Hafan. Gadawodd ei llyfr a mynd i agor y drws. Dyn yn ei dri degau cynnar oedd yno: *dreadlocks* golau, clustdlws, clipfwrdd.

'Hi, I'm Jamie. I'm collecting a petition against the windfarms at Bryn Aur.' Ynganodd y gair: 'Bryn Oyer'. *'Can I ask you to sign it?'*

'Why?' gofynnodd Meinwen.

'Well, it'll destroy a pristine landscape. We think it's a gross visual intrusion in the environment.'

'And who are "we"?'

'The neighbours. Most of them have signed.' Dangosodd y rhestr i Meinwen.

Y cymdogion. Roedd enwau'r holl fythynnod a thyddynnod yn y golofn cyfeiriadau yn gyfarwydd iddi. Bryn y Briallu, Maes Meillion, Tan y Graig Ucha, Tŷ'n y Fawnog. Ond doedd bron yr un o enwau'r trigolion yn gyfarwydd, heblaw rhai Connor a Fran drws nesa. Doedd yr un o'r enwau'n Gymreig. Dim un.

Gwyddai Meinwen am y fferm wynt, wrth gwrs. John Evans Tŷ'n y Mynydd oedd wedi gwneud y cais. Ar ôl blynyddoedd o grafu byw ar gyrion uchaf Cwm Aur, gwelodd ef y cnwd hwn o dyrbinau gwynt fel dull o gael incwm ychwanegol angenrheidiol. Pe bai'r cais yn cael ei ganiatáu, efallai y byddai ei deulu'n gallu ffarmio Tŷ'n Mynydd am genhedlaeth arall o leiaf. Am y rheswm hwnnw, ni fyddai Meinwen yn arwyddo deiseb yn ei erbyn. Serch hynny, mewn gwirionedd, gan wybod mai cwmnïau estron gyda golwg ar elw, nid ar yr amgylchfyd, oedd yn hybu'r ffermydd gwynt yn amlach na heb, roedd Meinwen yn eu casáu nhw gymaint ag yr oedd Jamie. Roedd yntau'n sefyll yn amyneddgar yn y drws yn edrych arni'n ddisgwylgar. Ond er mwyn yr hen John Evans, dywedodd Meinwen. '*I'm sorry, I don't think I can.*'

'But what about the visual impact?' meddai Jamie.

'This isn't just a landscape, you know,' atebodd Meinwen, gan ddechrau cynhesu i'r ddadl. '*It's a workplace for some of us.'*

'Well what about preserving the environment?'

Dyna ddigon. Nawr amdani, meddyliodd.

'What about preserving the cultural environment?' heriodd hi.

Edrychodd yr ymwelydd yn ddi-glem. *'What do you mean?'*

'John Evans is a Welsh speaker. One of the last ones around here, judging by your list of "neighbours". Do you want his farm to go out of business?'

Wrth iddi grybwyll yr iaith, fe gollodd llygaid Jamie eu diffuantrwydd 'ry'n-ni-i-gyd-yn-hwn-gyda'n-gilydd', gan gulhau'n agennau bychain amddiffynnol. Pe buasai ei fenywod ganddo, fe fuasai wedi dweud wrthyn nhw am fynd yn ôl i'r wagen.

'*Now wait a minute . . .*' meddai ef. Ond roedd Meinwen wedi achub y blaen arno. Roedd hi wedi cael y ddadl hon filoedd o weithiau. Efallai mai hwn oedd y tro cyntaf i Jamie. Wel, doedd hi ddim am fod yn dyner efo fo.

'*Do you want him to have to give up, and move to town so more of you white settlers can move in? Is that what you want?*'

'*White settlers . . . ?*'

'*I'll tell you what. I'd rather have a hundred windfams on Bryn Aur – that's how you pronounce it, by the way, BRYN AUR – than more of you. At least a windfarm does something useful. And . . .*' Roedd hi wedi codi hwyl erbyn hyn. Edrychodd i lawr ar ei ddillad: '*. . . it's clean.*

'Da boch chi,' ychwanegodd, gan roi clep ar y drws cyn iddo fedru ateb.

Buddugoliaeth dros-dro. Beth bynnag a ddigwyddai i'r cais ffermydd gwynt ar Fryn Aur, roedd dyddiau rhai fel John Evans wedi eu rhifo. Efallai y byddai ambell un yn gallu dal ymlaen am genhedlaeth neu ddwy eto. Ond yn hwyr neu'n hwyrach byddai'r llinach yn cloffi neu'r busnes yn methu a byddai Tŷ'n y Mynydd yn cael ei fframiau pren-caled, ei *carriage lamps* mursennaidd, ei enw newydd. Cynllwyniai byddin o rymoedd er mwyn gyrru John Evans a'i debyg o'u tiroedd teuluol; cynghrair rymus, ryngwladol a symudol, un a gyfunai drachwant, dinistr a diwreiddiad. Roedd y grym yn anodd ei ddiffinio, heb sôn am ei enwi. 'Globaleiddio' oedd yr agosaf yr oedd unrhyw un wedi dod at roi enw arno. Ond gwyddai Meinwen beth y buasai Simone wedi ei alw – 'Y Bwystfil Mawr'.

Ychydig wythnosau'n ddiweddarach, roedd Simone a Thibon wrth giât tyddyn un o denantiaid yr ystâd. Wrth i'r giât glecian yn ôl i'w lle y tu ôl iddynt, daeth gwraig y tŷ, Madame Rochelle, at y drws, gan sychu ei dwylo ar ei ffedog.

'Bore da, Marie!' gwaeddodd Thibon. 'Mae Francois yn y cae ucha, rwy'n cymryd, 'radeg hon o'r dydd. Da iawn, da iawn. A sut mae Bernadette? Wedi gwella o frech yr ieir, gobeithio. Nawr os yw hi'n dal i gosi, mae Madame Thibon yn dweud wrtha i fod eli camomeil ganddi yn y tŷ acw. Fe anfona i beth draw gyda Jean os 'ych chi'n meddwl y bydd yn helpu.'

'Ie, os gwelwch yn dda, M'sieur. Diolch, M'sieur.'

Roedd Thibon a Simone wedi cyrraedd at drothwy'r ffermdy. Edrychodd Madame Rochelle ar Simone heb guddio'i rhyfeddod. Gwenodd Simone yn ôl yn dalog.

'Madame Rochelle,' meddai Thibon. 'Dyma Mademoiselle Weil. Y mae hi a'i rhieni yn aros gyda mi fel gwesteion. Maen nhw wedi gorfod gadael Paris oherwydd y trafferthion. Mae hi'n credu bod bywyd yn rhy . . . gysurus yn fy nhŷ i . . .'

Crafodd ei ben. Edrychodd Simone yn ddifynegiant.

'Mae'n dymuno dysgu am fywyd ar y tir. Felly, ble gwell? Fe hoffwn i ichi ei chymryd hi i fyw atoch chi am ychydig.'

Dim ond syllu ar Simone wnaeth Madame Rochelle. Ond roedd yr ymwelydd erbyn hyn wedi colli amynedd gyda'r ffaith bod rhywun yn siarad drosti.

'Madame Rochelle,' meddai'n ddidwyll. 'Rydw i'n wirioneddol ddiolchgar ichi. Fyddai'n ddim trafferth o gwbl ichi. Byddaf yn hapus i gysgu yn unrhyw le, ac i rannu eich gwaith chi i gyd. Rwyf wedi gweithio mewn ffatri, ac rwy'n gyfarwydd â llafur corfforol. Byddwn yn falch petaech chi'n fy nhrin i fel un o'ch gweithwyr chi. Gobeithiaf y gallaf fod o gymorth ichi ac y gallaf ddysgu gennych chi.'

Plethodd Madame Rochelle ei dwylo yn ei ffedog. Cymerodd Thibon feddiant o'r sefyllfa. Trodd at fab Madame

Rochelle, bachgen yn ei arddegau a fu'n gwylio'r sgwrs o ddrws y ffermdy.

'Thomas! Dos â Mademoiselle Weil i fewn a gwna hi'n . . . gysurus.'

Heb ddweud dim, arweiniodd Thomas ei westai newydd i fewn i'r tŷ, gan adael Madame Rochelle a Thibon y tu allan. Gostyngodd Thibon ei lais er mwyn siarad gyda'i denant.

'Marie. Peidiwch poeni. Edrychwch.' Rhoddodd nifer o ddarnau arian papur iddi. 'Bydd hyn yn talu i'w chadw hi. Byddwch yn garedig wrthi. Mae ganddi feddwl aruthrol, a chalon dda. Ac rwy'n awyddus iawn i'w helpu hi.'

*　　　*　　　*

Yng nghegin y ffermdy y noson honno, gellid bod wedi torri'r awyrgylch anghysurus gyda chyllell. Cyllell fawr tŷ fferm fel yr un a orweddai yn ymyl y dorth o fara gwyn ar y bwrdd lle'r oedd y teulu a'u gwestai'n cael cinio.

Roedd Madame Rochelle, gyda'r parch greddfol a deimlai tuag at un o ffrindiau ei landlord, yn mynnu ceisio gweini ar Simone fel pe bai hi'n westai. Torrodd ychydig o dafelli o'r bara gwyn a ddarparwyd, yn ddiarwybod i Simone, fel rhodd arbennig iddi hi fel gwestai. Cynigiodd y plât i Simone, ond fe anwybyddodd hithau'r bara gwyn, gan estyn ei hun am ddarn o fara brown o ganol y bwrdd. Torrodd ddarn i ffwrdd.

'Mama, dyw hi ddim wedi golchi'i dwylo!' Daeth y llais llawn syndod gan aelod ieuengaf y teulu Rochelle, sef y bychan pum-mlwydd oed, Jacques. Rhoddodd ei fam hergwd iddo. Dechreuodd y bychan grio.

Roedd Simone wedi ei gofidio.

'Mae'n ddrwg gen i . . . o'n i'n meddwl . . . O'n i ddim eisiau gwneud ichi deimlo'n anghysurus.'

Siaradodd Monsieur Rochelle am y tro cyntaf y noson honno.

'Wnewch chi ddim ein gwneud ni'n anghysurus drwy ymolchi cyn bwyd, Mademoiselle.'

*   *   *

Drannoeth, roedd y tywydd yn braf ac yn sych, ac ymunodd Simone â gweddill gweithwyr yr ystâd yn medi a chywain y cynhaeaf. Cribiniodd y gwair yn bentyrrau er mwyn iddo gael ei gasglu a'i glymu'n feistrolgar gan y gweddill. O bryd i'w gilydd, ceisiodd Simone greu ysgub ei hun, ond nid oedd fawr o olwg ar ei hymdrechion.

'Ydy hi fel hyn bob blwyddyn?' gofynnodd yn gyffredinol i'r criw o weithwyr. Roedd ei hanadl yn anwastad a braidd yn llafurus. Ni ddaeth ateb gan y gweithwyr.

'Be dwi'n meddwl yw, faint o oriau ry'ch chi'n treulio bob dydd yn gwneud hyn?'

'Dwn i ddim, Mademoiselle,' meddai gweithiwr a oedd tua'r un oedran â Simone. ''Dwi ddim yn eu cyfri nhw. Ry'n ni'n gwneud y gwaith ac yn mynd adre. Weithiau mae'n cymryd mwy o amser, weithiau llai. Mae'n dibynnu ar y tywydd. Mae'n dibynnu faint o ddwylo sydd gennym.'

Edrychodd yn ddrwgdybus ar ysgubau blêr Simone.

'Ond eich cyflogau,' aeth Simone yn ei blaen. Rhedodd ias o embaras rhwng y gweithwyr, er na sylweddolodd Simone hyn. Canolbwyntiodd y criw yn ddwysach nag o'r blaen ar eu gwaith. 'Sut mae eich cyflog yn cymharu gyda, dwedwch, rhywun yn gweithio mewn siop 'lawr yn Saint Michel?'

Nid atebodd neb.

'Oes gennych chi undeb yma?' meddai Simone yn sgyrsiol.

Edrychodd y gweithiwr ifanc arni yn anghrediniol: 'Undeb?'

Heb i Simone sylweddoli, roedd y gweithwyr eraill yn chwerthin ar ei phen.

'Na, Mademoiselle,' meddai un ohonynt, gan orfodi wyneb syth. 'Ond mae gynnon ni gyfrinfa'r Seiri Rhyddion yn y dre.'

Gwenodd y gweithwyr tu ôl i gefn Simone. Nid oedd hi'n ymwybodol o'r coegni. Rhoddodd gynnig ar bwnc newydd. Edrychodd o'i hamgylch at y plant yn clymu'r ysgubau'n destlus.

'Mae'n rhaid ei bod yn anodd i'r plant fynd i'r ysgol adeg y cynhaeaf?'

Edrychodd y gweithiwr ifanc fel pe baent yn teimlo peth rhyddhad o gael cwestiwn eithaf call am unwaith. 'Wel, y ffordd ry'n ni'n meddwl am y peth, fe fyddai'n anodd i gael y cynhaeaf i fewn pe bai'r ysgol ar agor. Mae'n rhaid i'r cynhaeaf ddod i mewn. Gall addysg aros.'

Cymerodd yr ysgub ddi-siâp o ddwylo Simone, gan ei chlymu'n ddeheuig mewn amrantiad a'i stacio gyda'r gweddill.

Rai dyddiau'n ddiweddarach, cyfarfu Dewi a Meinwen drwy drefniant mewn caffi ar y Sgwâr yn y dre. Daethant o hyd i sedd ger un o'r byrddau oedd allan ar y palmant. Roedd llefydd bwyta mwy modern ar y Sgwâr, gyda 'modern' yn golygu fod ganddynt *cappuccino* ar y fwydlen a bod dim priflythyren yn agos at eu harwyddion. Ond dewisodd y ddau 'Y Caffi' am ei fod yn sefydliad henffasiwn go-iawn, yn dal ym meddiant teulu lleol, ac am fod ganddo enw Cymraeg.

Wrth iddi edrych o amgylch y Sgwâr, gwnaeth Meinwen yr amcangyfrif a ddeuai'n reddfol i ymgyrchydd cymunedol profiadol. Sawl un o'r busnesau yma oedd mewn dwylo lleol? Eu hanner ar y mwyaf. Ar y gornel, roedd ffitwyr wrthi'n trawsffurfio'r hen fanc yn siop goffi newydd, yn un ddolen mewn cadwyn fyd-eang o gannoedd o siopau yn dwyn yr enw *café havana*. Pe baent wedi eu lleoli yn Auckland neu yn Anchorage, roedd gan siopau *café havana* yr un diwyg a'r un stoc. Pan fyddai'r *café* newydd hwn yn agor, byddai 'Y Caffi' yn cau ei ddrysau ymhen chwe mis, cyn sicred â bod coffi ym Mrasil. Dim ond un farchnad arall oedd Gwynedd, yn barod i'w choloneiddio gan gyfalaf byd-eang.

'Be gymri di?' gofynnodd Dewi.

Cododd Meinwen y fwydlen â blaenau eu bysedd. Roedd ar y cloriau plastig ugeiniau o staeniau bwyd. Agorodd y fwydlen. Tu fewn, roedd hyd yn oed mwy o olion bwyd, gyda briwsion o wahanol fwydydd wedi eu sodro rhwng y plastig tryloyw â'r geiriau teipiedig, priflythrennog. Roedd fel petai'r caffi'n ceisio arddangos cymaint o'i gynnyrch â phosib i'w ddarpar-gwsmeriaid. Efallai fod 'Y Caffi' mewn gwirionedd yn fwy modern nag yr edrychai; efallai ei fod wedi dyfeisio'r fwydlen *scratch-and-sniff* gynta yn y byd. Ond os felly, roedd wedi methu â chodi archwaeth ar y cwsmer hwn o leiaf.

'Dwi ddim yn llwglyd,' meddai Meinwen.

'Na? Wyt ti'n siŵr? Wel, mi ga' i'r *teacake* a choffi.'

Roedd y weinyddes wedi cwrdd â ffrind iddi ar fwrdd arall, ac roedd y ddwy ohonynt erbyn hyn wedi ymgolli mewn sgwrs ddal-i-fyny: 'Na, mi es i efo fo am chwe mis, ond wedyn nes i dympio fo . . .' 'Felly, be ti 'di bod yn 'neud?' Ceisiodd Dewi ddal llygaid y weinyddes, a methu.

Tra oedd yn aros, tynnodd rai papurau o'i fag. 'Yli,' meddai wrth Meinwen. 'Manylion yr orymdaith yn Hwlffordd y penwythnos nesa. Mae Mei yn mynd i yrru grŵp 'lawr. Mae ganddo fo le i un arall yn ei gar os ti isio dod.'

Edrychodd Meinwen ar y taflenni a'r posteri. Trefnwyd y brotest mewn ymateb i'r cynllun i werthu safle hen hufenfa i gwmni Americanaidd oedd yn dymuno ei ddefnyddio i greu ffatri uwch-dechnoleg yn creu cydrannau ar gyfer offer milwrol gwrth-derfysgaeth. Byddai'r ffatri'n rhoi bywoliaeth i ryw gant o bobl leol, ond dim ond drwy borthi anghenfil militaraidd America a Phrydain. Roedd yn rhaid i bob ymgyrchydd gwerth ei halen fod ar yr orymdaith. Byddai llawer yn dod o'r tu hwnt i Gymru hefyd.

Dychwelodd Meinwen y taflenni i Dewi.

'Mi ddo i,' meddai.

Llwyddodd Dewi i gael sylw'r weinyddes o'r diwedd. Fe

lusgodd hithau ei hun o'i sgwrs yn anfoddog, a chymryd ei archeb, heb wên, wedi pwdu o orfod gadael ei ffrind.

Roedd popeth yn 'Y Caffi' fel pe bai wedi ei gynllunio i wneud profiad y cwsmer mor annymunol â phosib. Hwyrach y byddai *café havana* yn gorfodi'i gystadleuydd brodorol i newid ei arddull a siapio ryw ychydig er mwyn goroesi. Ond o ystyried nad oedd 'Y Caffi' wedi newid manylyn o'i fwydlen na'r decor mewn cenhedlaeth gyfan, go brin y newidiai nawr, hyd yn oed er mwyn cadw ar agor. Mwya tebyg, lladd y lle'n farw gelain a wnâi'r cystadleuydd. Roedd hynny'n drueni, achos pa mor wael bynnag oedd 'Y Caffi', o leiaf roedd unrhyw elw a wnâi yn aros yn lleol; a pha mor ddi-serch bynnag y staff, o leiaf roedden nhw'n bobl leol, nid symudwyr o Glasgow neu Amsterdam neu rywle, fel y byddai rheolwyr *café havana*.

Ar ôl amser hir, dychwelodd y weinyddes gydag archeb Dewi, a'i chlepio'n ddiseremoni ar y bwrdd o'i flaen heb ddweud gair, cyn troi'n ôl at y sgwrs gyda'i ffrind. Roedd y *teacake* wedi llosgi, a'r coffi'n llugoer ac yn ddi-flas.

Roedd Comisiynydd Materion Iddewig Vichy yn mwynhau ei ddiwrnod gwaith. Roedd gan Jean Reynard ei swyddfa ei hun, sawl ysgrifennydd, a staff o ugain person. Staff prysur iawn. Daeth ei ysgrifennydd â phentwr o lythyron i fewn ato, a dechrau crynhoi eu cynnwys ei gyfer. Dyn prysur oedd y comisiynydd; ni fyddai'n gwastraffu ei amser yn darllen pob ymbiliad dagreuol. Gwnâi crynodeb llafar y tro iddo'n iawn.

'Mae hwn gan ryw Ddoctor Goldberg,' meddai'r ysgrifennydd. 'Mae'n gofyn am drwydded teithio er mwyn ymweld â'i chwaer ym Morocco. Mae'n dweud ei bod hi'n marw.'

Cymerodd Reynard y llythyr, edrychodd drosto yn gyflym, a gwenodd yn eironig.

'Alla i gredu ei fod e.'

Rhoddodd y llythyr yn ôl i'r ysgrifennydd.

'Na, yw'r ateb,' meddai.

Aeth yr ysgrifennydd ymlaen at y llythyr nesaf.

'A dyma un gan athro athroniaeth. Yn mynegi diolchgarwch diffuant am gael ei gwahardd rhag y proffesiwn . . .'

Crychodd talcen yr ysgrifennydd.

'Mae'n dweud ei bod yn ddiolchgar . . . am gael y cyfle i weithio ar y tir.' Dyfynnodd: 'Yr ydych chi a gweddill arweinwyr Vichy wedi estyn imi rodd amhrisiadwy, sef tlodi . . . ac yn ogystal, gan eich bod wedi gwrthod talu imi yr yswiriant a roddir i Iddewon a waherddir o'u proffesiynau, yr ydych hefyd wedi rhoi imi deimlad o foddhad personol nad oes gennyf unrhyw ran yn nhrafferthion ariannol y wlad.'

Dechreuodd yr ysgrifennydd wenu er ei waethaf. Dyfnhau wnaeth y gwg ar wyneb Reynard.

'Aros!' meddai. 'Beth yw'r enw?'

Trodd yr ysgrifennydd y llythyr drosodd er mwyn gweld.

'Weil,' meddai, gan ynganu'r enw yn y dull Almaenig.

'Weil!' meddai Reynard, gan ddefnyddio'r ynganiad Ffrengig. Cipiodd y llythyr o law'r ysgrifennydd, a rhythu arno.

'Simone Weil.' Trodd y llythyr drosodd eto. 'Does dim cyfeiriad.'

Gwthiodd y llythyr yn ôl i ddwylo'r ysgrifennydd.

'Dwi eisiau ichi ddod o hyd iddi,' meddai. 'Nawr.'

Clywodd Meinwen y car yn stopio tu allan. Edrychodd drwy'r ffenestr. Wrth y llyw yn yr hen Ford Sierra roedd Mei. Tu fewn, fe welai hi Dewi a dau ymgychydd arall. Dringodd Dewi o'r car a chwifio arni. Aeth Meinwen allan, gan gau'r drws ar ei hôl, a cherdded i lawr at y car. Roedd hwnnw hyd yn oed yn fwy clapiog na'r tro diwethaf iddi ei weld. Mae'n debyg taw'r unig bethau oedd yn dal y car wrth ei gilydd oedd y sticeri: Kernow, Breizh, Cymru Ddi-Niwcliar, *Stop the War.* Roedd geiriau fel 'Dim,' 'Na', 'Not' a 'Stop' yn gyffredin ar y datganiadau lliwgar gludiog yma, oedd yn cynrychioli cyfres o ymgeisiau, ofer bron i gyd, i atal pethau rhag digwydd. Roedd cefn car Mei yn wers mewn hanes cymdeithasol radicaliaeth Gymreig y ddau ddegawd diwethaf. Gallasai rhywun ddarlunio traethawd ymchwil dim ond drwy gerdded o amgylch ei gar. Dringodd Meinwen i fewn i'r sedd gefn.

Eisteddodd Dewi yn y sedd flaen a throdd rownd i'w chyfarch. Rhoddodd bapur newydd iddi. Dim ond un peth yr oedd hyn yn debyg o'i olygu. Dechreuodd Meinwen ddarllen wrth i Mei yrru i ffwrdd i lawr yr allt. Colofn John Sayle oedd hi. '*The enemy in our midst*' oedd y teitl.

'September the 11th showed us the lengths to which crazed fanatics will go to destroy democracy,' darllenodd. *'Murdering the innocent and spreading terror without pity and without regret. Don't think it couldn't happen here. Wales has its own Bin Ladens, its own al-Qaeda. Or perhaps that should be 'ap-Qaeda'. It's the Welsh language lobby. Like al-Qaeda, they can't accept the modern world. Like al-Qaeda, they'd sooner destroy it than face the fact that their way of life is doomed. And like al-Qaeda, they'll stop at nothing. Their latest target is the proposed American military manufacturing installation at Haverfordwest. They ignore the fact that this will bring jobs to hundreds of Welsh people. They ignore the fact that the factory is a vital part of our shield against terror and oppression. Like al-Qaeda, incensed that American bases are on the holy land of Saudi Arabia, they are determined to drive them out. And after the Americans have gone, who will be next? Yes, the hated English, of course. And then? Well, any Welsh people not fanatical enough to insist on speaking the useless Welsh language. The front line in the battle against terror is not just in Afghanistan or in Iraq. It's right here in Wales. And it's a*

battle which everyone who loves freedom must make sure the Welsh-language al-Qaeda never win.'

Rhoddodd Meinwen y papur yn ôl i Dewi. Eisteddodd yn ôl a chau ei llygaid.

'Does dim ots,' meddai'n dawel. 'Dyw e'n newid dim. Mae'n dal rhaid inni weithredu. Gweithredu sy'n bwysig.'

Gyda llwyth llawn, roedd yr hen gar yn straenio'i beiriant wrth straffaglu i fyny'r allt i gyfeiriad Dinas Mawddwy. Shwfflodd Mei y gerau a phwmpio'r sbardun gan geisio cynnal y cyflymder. Roedd y car hwn wedi gweld llawer o brotestiadau, ond doedd e ddim yn ymddangos fel pe byddai'n gweld llawer mwy.

'Mecaneiddio. Ydych chi'n meddwl y bydd yn rhyddhau'r gweithwyr neu'n eu caethiwo nhw?'

Gofynnodd Simone y cwestiwn mewn modd didaro. Ond dyma luniaeth ddeallusol fwy cyfoethog na'r hyn yr arferai'r teulu Rochelle ei dreulio wrth y bwrdd bwyd wedi diwrnod yn y meysydd. Edrychodd Monsieur Rochelle ar ei blât.

'Dwn i ddim, Mademoiselle. Alla i ddim dweud.'

Nodiodd Simone yn foddhaus, fel pe bai ef newydd ddatrys problem ddyrys drosti.

Siaradodd Jacques, y bachgen ifancaf.

'Sut oedd Paris? Ydy'r Almaenwyr yn greulon iawn?'

Roedd Simone yn falch o gael disgybl.

'Wel, fe wnes i ddianc o Baris cyn bod rhaid imi gwrdd ag unrhyw Almaenwyr,' meddai. 'Ond fe wnes i gwrdd â llawer ohonyn nhw yn yr Almaen cyn y rhyfel. Ac yn Sbaen.

'Dynion ydyn nhw, 'ti'n gweld. Mae rhai'n greulon; mae rhai'n garedig. Mae Natsïaeth yn ofnadwy o ddrwg, ond mae'r Almaenwyr eu hunain yn dda ac yn ddrwg, yr un fath ag unrhyw bobl. Yr un fath â'r Ffrancwyr.'

Edrychodd y plentyn yn anesmwyth ar ei rieni. Aeth Simone yn ei blaen.

'Mae'n rhaid cofio, gall ein milwyr ni fod yn greulon hefyd. Ac mewn llawer o lefydd yn y byd mae'r bobol frodorol – plant bach melyn a brown – yn meddwl am ein milwyr ni fel rydyn ni'n meddwl am yr Almaenwyr.'

Pesychodd Monsieur Rochelle. Edrychodd Madame Rochelle ar y wal y tu ôl i Simone, wedyn fe gododd o'r bwrdd ac aeth allan i'r gegin.

Trodd Simone i edrych ar y wal y tu ôl iddi. Nid oedd wedi sylwi o'r blaen, ond ar silff fe safai ffotograff o ddyn ifanc mewn lifrai byddin Ffrainc. Gosodwyd blodau wrth ymyl y llun fel pe bai'n eicon. Neu'n fedd. Sylweddolodd Simone yr hyn yr oedd hi wedi ei wneud.

'Mae'n ddrwg gen i,' meddai'n ofidus. 'Mae'n wir ddrwg gen i. Wyddwn i ddim.'

Pan gyrhaeddon nhw Hwlffordd, parciodd Mei ei gar, ac fe ddringodd y pump ohonyn nhw allan ohono. Bwriad yr ymgyrchwyr oedd ymgynnull yn y brif stryd am ganol dydd cyn gorymdeithio i safle'r ffatri, oedd ar gyrion y dref. Roedd ganddyn nhw awr cyn i'r brotest ddechrau.

'Amser am beint,' meddai Mei.

Y dafarn agosaf at ddechreubwynt y gwrthdystiad oedd eu dewis. O fynd i fewn, fe ddarganfyddon nhw fod llawer o brotestwyr eraill wedi cael yr un syniad. Roedd y bar yn llawn dop. Sgarffiau enfys, siwmperi wedi eu gwau â llaw, *dreadlocks,* clustdlysau, trwyndlysau, tafod-dlysau, bogeldlysau. Edrychai criw'r Mudiad yn barchus iawn o gymharu, ac fe ddenon nhw ambell i olwg ddrwgdybus gan rai o'r ymgyrchwyr eraill mwy *outré.* Llwyddodd y criw o Gymry i ddod o hyd i fwrdd, ac aeth Mei at y bar.

Bu Mei yn aelod o'r Mudiad bron ers ei gyfnod Jwrasig, ac nid oedd ef wedi newid fawr ddim yn ystod y cyfnod hwnnw, yn ei wisg nac yn ei agweddau. Roedd yn byw mewn byd o gynllwyniau, mudiadau a chynghreiriau annelwig a symudol rhwng cenedlaetholwyr a'r chwith radical. Doedd dim amau ar ei ymroddiad ond, ac yntau wedi treulio'i oes ar y cyrion, credai bellach mai'r cyrion oedd y canol. Nid oedd apwyntio prif weinidog newydd ar y Deyrnas Unedig yn golygu fawr ddim iddo. Ond pe sonnid am ryw awgrym o wrthgilio gan ymgyrchydd mewn rhyw fudiad gweriniaethol gyda thri o aelodau, yna byddai'n trin hynny fel digwyddiad o arwyddocâd gwirioneddol gosmig, ac yn bwnc a deilyngai drafod a damcaniaethu diddiwedd. Wrth gwrs, efallai, yn nhermau Zen, neu yn nhermau theori anhrefn, roedd Mei yn llygad ei le; efallai bod symudiad adain pili pala yn gallu achosi daeargryn yn rhywle arall yn y cosmos. Efallai'n wir. Ond yn nhermau defnyddioldeb ymarferol y ddamcaniaeth honno i wleidyddiaeth Cymru, nid oedd yr achos wedi ei brofi ac, o ganlyniad, roedd dylanwad Mei a'i gynllwynion ar dreigl hanes yng Nghymru dipyn yn fwy cyfyngedig nag yr hoffai ef ei gredu.

Wrth iddo ddychwelyd o'r bar gyda'r rownd, fe orglywodd Mei sgwrs ar y bwrdd nesaf. Roedd dwy ferch ifanc mewn dillad ffasiynol-anffurfiol yn cyfnewid storïau am eu profiadau mewn gwrthdystiad diweddar adeg uwchgynhadledd yr G8 yng Nghopenhagen. Roedd gan un o'r merched acen Ffrengig gref. Roedd hynny'n ddigon i Mei. Pwysodd drosodd tuag atynt gan wenu.

'Are you Breton?' gofynnodd yn llawen, mewn llais y gallesid fod wedi ei glywed yn Llydaw ei hun.

Peidiodd y ferch â'i sgwrs. Edrychodd yn gyflym ar Mei, gan ei gloriannu mewn un edrychiad eiliadol. O weld bod yr olwg oedd ar Mei yn cadarnhau'r dybiaeth a grewyd gan ei gwestiwn, fe drodd hi'n ôl at ei ffrind gyda '*Non*' swta.

Ni ddigalonnodd Mei.

'Have you BEEN to Brittany?'

Rhoddodd hi'r un edrychiad iddo eto, ond y tro hwn fe ddaliodd hi'r olwg ychydig yn hirach, fel bod modd i Mei ei gwerthfawrogi a derbyn yr awgrym dieiriau iddo gymryd ei gwestiynau, a'i hunan blêr, i ffwrdd.

'Non, I am a Parisienne.'

Trodd yn ôl at ei chyfaill eto. Erbyn hyn, fe fyddai llawer o holwyr – os oeddent wir yn benderfynol o geisio parhau gyda'r sgwrs – wedi derbyn y ffaith y buasai Paris yn well syniad na Llydaw fel pwnc trafod. Ond nid Mei. Iddo ef, Llydaw oedd Ffrainc i gyd, gyda Pharis fel rhyw atodiad annelwig, damweiniol – dinas yn llawn o bobl oedd yn aros i rywun goleuedig fel yntau i ddeffro eu diddordeb cudd yn Llydaw a'i threftadaeth Geltaidd.

'They have their own language there,' bloeddiodd Mei, fel pe bai'n annerch cyfarfod cyhoeddus. *'It's like the* Welsh *language.'*

'The what?' meddai'r Parisienne, gyda diffyg diddordeb amlwg a diffyg amynedd cynyddol.

'Welsh. The language we speak here.' Ni feddyliodd Mei hyd yn oed am guddio'r balchder yn ei lais. Edrychodd arni yn ddisgwylgar, gan aros am ei chymeradwyaeth, am ei chwestiynau eiddgar, cydymdeimladol. Disgwyliai gael ei edmygu am ei hynodrwydd.

Daliodd i ddisgwyl.

Wedyn, gan synhwyro nad oedd hi â chymaint o ddiddordeb ag y gobeithiai, ond mewn dryswch llwyr ynglŷn â pham mai felly'r oedd, fe wnaeth ymdrech olaf eithaf er mwyn ceisio uniaethu â hi.

'Do you know any Bretons in Paris?'

Casglodd y ferch ei bod yn ddiogel iddi anwybyddu'r ynfytyn hwn, ac fe drodd hi'n ôl at ei sgwrs. Aeth Mei yn ôl at y grŵp, mewn penbleth.

Wrth iddo wneud hynny, daeth bloedd fawr o gyfeiriad y stryd; clywyd chwibanau, a dechreuodd drymiau guro. Roedd y brotest ar fin dechrau.

Edrychodd Thibon ar Madame Rochelle gyda golwg ddifrifol, wrth iddi sefyll o flaen ei ddesg yn swyddfa ei ystâd. Er ei bod mor ymostyngar ag erioed, roedd hi serch hynny'n benderfynol.

'Mae'n ddrwg gen i, M'sieur, ond dydyn ni ddim eisiau cael Mademoiselle Weil gyda ni ddim rhagor.'

Ffugiodd Thibon olwg o syndod. Nid oedd am golli'r cyfle i gael ychydig o fwynhad preifat wrth weld dryswch Madame Rochelle, yn enwedig gan ei fod eisoes wedi penderfynu beth i'w wneud er mwyn datrys y sefyllfa. Aeth hithau ymlaen:

'Dyw hi byth yn molchi cyn bwyd. Dyw hi ddim wedi newid ei dillad ers iddi fod gyda ni. A chwestiynau, cwestiynau byth a hefyd. Beth ry'n ni'n feddwl am y rhyfel dosbarth, am addysg, cyflogau, y Bwystfil Mawr; faint ry'n ni'n ei wario ar fwyd, faint ar ddillad . . . faint . . .'

'Mae'n iawn, mae'n iawn, Marie, rwy'n deall yn llwyr,' meddai Thibon. 'Mae Mademoiselle Weil wedi astudio'n ddwfn iawn, ond dyw hi ddim yn deall sut ry'n ni'n gwneud pethau yma. Fe wna i siarad gyda hi. Fe wna' i ddweud wrthi . . . beth, nawr? Fe ddyweda i . . . bod gennych chi gefnder yn dod i aros a'ch bod chi felly angen ei gwely hi. Cefnder TLAWD; bydd hynny'n well byth, yn bydd? Bydd y cefnder yn dod . . . heno?'

Lledodd rhyddhad dros wyneb Madame Rochelle, ac fe wenodd yn gynnil.

'Diolch ichi, M'sieur,' meddai, ac aeth allan o'r ystafell.

Wedi iddi fynd, gollyngodd Thibon ei olwg ddifrifol, a gwenodd iddo'i hun, gan ysgwyd ei ben.

Bu'r gwrthdystiad yn eithaf llwyddiannus, meddyliodd Meinwen. Fe ymddangosodd rhai cannoedd o brotestwyr: diaconiaid capel yn eu siwtiau tywyll, cenedlaetholwyr crys-rygbi, ymgyrchwyr gwrth-globaleiddio mewn mygydau a bandanas, dilynwyr breuddwydiol Wicca, a *crusties* di-ri gyda'u drymiau a'u chwibanau. Roedd Meinwen yn falch o weld camerâu teledu a ffotograffwyr y wasg yn recordio'r digwyddiad.

Wedi iddynt gyrraedd safle'r ffatri arfaethedig, gwrandawsant ar araith gan Aelod Seneddol o Loegr, un a fu'n llafar ei wrthwynebiad i ryfel Irac. Rhaid oedd i Meinwen gyfaddef, fe siaradodd yn dda. Nid oedd yr un Aelod Seneddol na'r un Aelod Cynulliad o Gymru wedi bod yn barod i siarad yn y rali. Ni fuasai'r un ohonyn nhw'n barod i ddadlau yn erbyn 100 o swyddi newydd yng ngorllewin Cymru. Roedd eraill wedi mynd mor bell â dweud bod y swyddi i'w croesawu gan eu bod yn rhan o fenter oedd yn mynd i sicrhau diogelwch y gorllewin rhag ymosodiadau terfysgol fel a gafwyd yn Efrog Newydd a Madrid. Roedd y tu hwnt i ddirnadaeth Meinwen sut y gallai unrhyw aelod Cymreig gefnogi gweithgaredd filwrol dan ochl esgus mor wan, a bu'n rhaid iddi groesi un neu ddau o enwau eraill oddi ar ei rhestr feddyliol o'r gwleidyddol gadwedig. Roedd y rhestr honno'n prysur fyrhau.

Yn absenoldeb yr aelodau etholedig, cynrychiolid Cymru o'r platfform gan Mallwyd Price. Serch hynny, fe gyfyngwyd ar effaith sylwadau Mallwyd gan y ffaith mai yn Gymraeg yn unig y llefarodd, iaith nad oedd mwy na rhyw ddeg y cant o'r dorf yn ei deall. Efallai mai da o beth oedd hynny, meddyliodd Meinwen, gan fod Mallwyd, fe ymddengys, yn meddwl fod y dorf gyfan, oll ac un, yn heddychwyr o Gristnogion ymroddedig fel yntau. Fe wnaeth apêl ar ôl apêl at yr hyn a dybiai oedd eu gwerthoedd crefyddol cyffredin. Gwrandawodd y maes llawn paganiaid, Bwdistiaid, animistiaid a Wiccans mewn diflastod cwrtais, heb sylweddoli fod Mallwyd wedi eu cyd-ethol nhw i gyd i'w Eglwys Ymneilltuol Gymreig ef.

Wrth i Mallwyd gario ymlaen, gan ddyfynnu Waldo Williams, edrychodd Meinwen o'i hamgylch. Faint oedd ganddi'n gyffredin gyda'r protestwyr yma mewn gwirionedd? Daethai llawer ohonynt o Loegr ar gyfer y brotest hon, tra bod eraill wedi teithio ymhellach fyth. Ond roedd llawer, mae'n siŵr, yn byw yma yng ngorllewin Cymru, yn rhan o'r llifeiriant o bobl o ddinasoedd Lloegr a geisiai ddulliau bywyd amgen, gan ganfod yng Nghymru'r math o dai rhad a wnaeth eu breuddwydion yn bosibl. Yn warchodwyr pob mamal dan fygythiad, yn amddiffynwyr pob rhywogaeth o blanhigyn prin, yr oeddent, mewn paradocs creulon, yn rhy aml yn elyniaethus tuag at y diwylliant dynol hynafol yr oeddynt wedi dewis byw yn ei ganol. Fe fuasai'r rhan fwyaf ohonyn nhw'n debycach o feddwl am ymuno â'r *Women's Institute* nag o feddwl am ddysgu Cymraeg. A phe meiddiai unrhyw un eu herio ar y pwnc, yr hyn a ddigwyddai gan amlaf fyddai i'r mewnfudwyr hyn droi ar y gymdeithas frodorol frau yr holl arfdy o gyhuddiadau chwerw a gadwent i'w defnyddio yn erbyn unrhyw fygythiad i'w rhyddid: 'gormes', '*apartheid*', 'ffasgaeth', 'hiliaeth'. Roeddent yn fodlon achub y ffwng a'r adar yng ngorllewin Cymru, ond i'r diawl â'r brodorion. Roedd yn hen bryd i'r Cymry ddod o hyd i ryw '-aeth' o'u heiddo'u hunain er mwyn amddiffyn eu hunain rhag y gawod o gyhuddiadau. *Cambrophobia*, efallai. *Celtophobia. Anticelticism. Anglo-Saxon supremacism.*

Edrychodd Meinwen ar y dyn wrth ei hymyl. Roedd yn ei bum degau canol, ei wallt brith wedi'i glymu'n gynffon. Gwisgai wasgod wedi'i brodio. Yn yr ardal hon, gwisgai Cymry brodorol o'i oedran ef siacedi brethyn a chapiau fflat. Nid brodor mohono, felly. Ac eto, fe wrandawai ar Mallwyd fel pe bai'n ei ddeall, neu o leiaf fel pe bai'n ddigon cwrtais ag i esgus ei fod yn deall, oedd yn well na dim.

Synhwyrodd y dieithryn edrychiad Meinwen, a throdd i edrych arni. Llwyd disglair oedd ei lygaid, fel cwmwl storom a gyffyrddwyd gan yr haul. Nid edrychai bellach fel pe bai yn ei bum degau. Er bod ei wallt wedi britho, roedd ei groen yn llyfn a di-grych. Anodd oedd dweud beth oedd ei oedran bellach.

Prin oedd sgwrs gymdeithasol Meinwen ar y gorau, ac ni fyddai hi byth yn cychwyn sgyrsiau cymdeithasol gyda dieithriaid. Gostyngodd ei llygaid. Wrth iddi wneud hynny, peidiodd llais Mallwyd, a bu ychydig o gymeradwyaeth wasgaredig.

'I wonder what Waldo Williams would have thought of it,' meddai'r dieithryn.

Edrychodd Meinwen i fyny eto. Acen Americanaidd oedd ganddo, ond roedd yn amlwg wedi deall araith Mallwyd.

'Cymro 'dych chi?' gofynnodd.

'Rwy'n gallu deall,' meddai. 'Y rhan fwyaf. *But I've not been in Wales for a year yet, so I'm still learning, and I'm not as fluent as I'd like to be.'*

Calonogwyd Meinwen gan y ffaith ei fod yn dysgu o gwbl, heb sôn am y ffaith iddo ddod mor alluog mewn cyn lleied o amser. Llongyfarchodd ef ar ei lwyddiant.

'Wel, rwy'n trio fy ngorau,' meddai. *'I've learned a couple of Native American languages so, after that, Cymraeg is not so difficult.'*

'Native American languages?'

'Navajo and Comanche. Navajo was a bit easier, as there are more materials. But with Comanche, there aren't so many speakers and there still isn't a proper dictionary.'

'How did you come to learn them?'

Erbyn hyn, ar flaen y dorf, roedd grŵp drymio wedi cychwyn, ac roedd y sŵn yn ei gwneud yn anodd i neb siarad. Amneidiodd y dieithryn ar i Meinwen ddod gydag ef i rywle tawelach. Edrychodd Mei a Dewi i fyny at Meinwen wrth iddi godi. Pwyntiodd Meinwen at ei chlustiau, gan wgu; pwyntiodd at ymyl y dorf lle y byddai'n fwy tawel. Nodiodd Mei a Dewi a throi eu sylw'n ôl at y band.

Ar ymyl y dorf, daeth Meinwen a'r dieithryn o hyd i

dderwen. Eisteddodd y dieithryn i lawr wrth ei bôn, ac ymunodd Meinwen ag ef. Gyda'r drymiau yn gefndir, dechreuodd ef ddweud wrthi am ei fywyd gyda'r Americaniaid Brodorol.

Ymestynnodd Thibon a thynnu un o'r grawnwin oddi ar y winwydden, a'i flasu. Gan oedi dros y blas, cerddodd ymlaen. Dilynodd Simone ef.

'Ond sut elli di amddiffyn yr hen drefn?' gofynnai. 'Yr hen ffyrdd hynafol yma.'

'Dyw pawb ddim fel ti, Simone, yn byw ar rym ewyllys. Mae pobl angen gwreiddiau, sefydlogrwydd, teulu, ymberthyn. Dyna sy'n gwneud pobl yn gyflawn.'

'Efallai wir, ond dwyt ti ddim yn gwneud hyn allan o egwyddor, nag wyt? Ceidwadwr o reddf wyt ti.'

'Ie, ond mae'n dibynnu beth rwyt ti'n ceisio'i gadw on'd yw e? Efallai mod i'n ceisio cadw rhyddid rhag crafangau eich Bwystfil Mawr.'

Oedodd y ddau ar ymyl y winllan, yn ymyl giât a edrychai dros y dyffryn. Pwysodd y ddau arni, gan edrych allan.

'Mae'r byd yn newid,' meddai Thibon. 'Y meysydd yma ry'n ni'n eu trin â llaw ac â cheffyl; tractoriaid fydd yn eu trin nhw cyn hir. Bydd y cysylltiad gyda'r tir yn cael ei dorri; bydd y gwreiddiau yn y pridd yn gwywo. Bydd y cartrefi yma lle mae'n gweithwyr ni'n byw – lle maen nhw wedi byw ers cenedlaethau – bythynnod gwyliau fyddan nhw, i bobl o'r trefi. Fydd dim angen gweithwyr ar y tir ddim rhagor. Y dirwedd yma: chaiff hi mo'i phrofi a'i theimlo. Tirlun fydd hi, dyna i gyd. Rhywbeth i'w wylio. Rhywbeth i fodurwyr a phicnicwyr o'r dinasoedd ymweld â hi. A phan fydd ein gwreiddiau ni wedi marw, beth fydd ar ôl inni? Pa ffrwyth gawn ni ar beilonau'r byd modern? Pa adar fydd yn canu ynddyn nhw? Pa sagrafen o ddyn a natur fydd bryd hynny?'

Edrychodd Simone i lawr i'r dyffryn. Islaw, roedd trol a

cheffyl yn ymlwybro ar draws y caeau gan gario rhai o ysgubau olaf y cynhaeaf.

'Sagrafennau. Wyt ti'n credu ynddyn nhw?' gofynnodd.

Roedd Thibon wedi dechrau dod i arfer gyda dialecteg herciog ac aflonydd Simone. Ar y dechrau, fe gafodd fod ei phrosesau meddwl chwim yn ei ddrysu, yn ei luddedu hyd yn oed. Ond erbyn hyn, roedd wedi dod yn fwy cyfarwydd â'r dechneg. Roedd fel cleddyfa gyda meistr ar y grefft: i gychwyn, nid oedd unrhyw batrwm i'w weld, nid oedd unrhyw ffordd o rwystro'r ergydion. Ond o graffu'n fanylach, roedd modd dirnad celfyddyd y tu ôl i'r corwynt, ac roedd modd dysgu. Yn boenus ac yn araf, mae'n wir, ond roedd modd dysgu. Meddyliodd am lyfr y Diarhebion, llyfr yr oedd yn llawer mwy cyfarwydd ag ef nag oedd yr Iddewes Simone. Cofiodd y ddihareb: 'Y mae haearn yn hogi haearn, ac y mae dyn yn hogi meddwl ei gyfaill.' Gwyddai ef erbyn hyn y gallai fforddio casglu ei feddyliau cyn ateb Simone.

'O ydw, rwy'n credu yn y sagrafennau,' meddai. 'Bara a gwin, pridd, heulwen, harddwch. Maen nhw i gyd yn ymgorffori Duw.'

'A'r Eglwys?'

'Sagrafen arall. Amherffaith. Materol. Ond felly mae popeth yn y byd hwn.'

Trodd Simone i edrych arno.

'Gustav . . . Allwch chi gymryd y sagrafen Gatholig heb fod yn Gatholig eich hun?'

Roedd Thibon mewn penbleth, ond sylweddolodd mai cwestiwn diffuant oedd hwn, yn haeddu ateb sylweddol.

'Nid offeiriaid ydw i. Dwn i ddim. Ond fe wna i holi.'

Enw'r dieithryn oedd Thomas Ozark. Americanwr, o dras yr Alban, Iwerddon a Lloegr hefyd. A *shaman* oedd ef.

Roedd Meinwen wedi hen arfer cwrdd â hipis penwag oedd yn credu eu bod yn dderwyddon, ond na wyddent y gwahaniaeth rhwng derwen a pholyn teligraff. Roedd wedi hen alaru ar y math o ddrifftiwr di-ddal a feddyliai fod deiet o fadarch hud yn gyfystyr â dirnadaeth ysbrydol.

Ond nid oedd modd cyhuddo Thomas o'r diffyg sylwedd, o'r oriogrwydd, o'r fath hunan-ddramateiddio di-sail a nodweddai'r bobl Oes Newydd y cyfarfu Meinwen â hwy o'r blaen. Lai na deuddeg mis i fewn i'w arhosiad ef yng Nghymru, lle roedd yn astudio shamaniaeth Geltaidd er mwyn ehangu ei brofiad, ymddangosai Thomas mor wreiddiedig ac mor dawel â'r dderwen yr oeddent yn pwyso yn ei herbyn.

Cafodd Meinwen ei hun yn gofyn cwestiwn ar ôl cwestiwn ynglŷn â shamaniaeth. Ai crefydd oedd hi? Nage, mae'n debyg, ond yn hytrach gasgliad o ymarferion er mwyn newid ymwybyddiaeth. Oedd ganddi nefoedd? Nagoedd, fe ymddengys, yn sicr nid yn yr ystyr Gristnogol. Ond fe gredai mewn trawsfudiad eneidiau a bod popeth yn bodoli mewn cyflwr parhaol o newid. Oedd hi'n hen, neu ai rhyw lobsgows modern fel Wicca, yn honni gwreiddiau hynafol, oedd hi? Roedd yn hen, dysgodd Meinwen. Yn hen iawn, iawn.

Roedd Thomas wedi dysgu ieithoedd yr Americaniaid Brodorol wedi iddo ddod yn gynyddol ymwybodol ei fod yn trigo mewn gwlad a ladratawyd drwy rym neu drwy ddichell oddi ar ei thrigolion gwreiddiol. Teimlai'r angen i fyw gyda gonestrwydd oddi fewn i'r diriogaeth honno a gipiwyd mewn modd mor greulon. Roedd fel petai'r enwau Indiaidd ar dirwedd ei blentyndod wedi galw arno i'w dehongli. Ymatebodd ef, gan astudio'r ieithoedd yn yr unig fodd oedd yn bosibl, sef trwy fyw gyda chymunedau'r Indiaid brodorol, gan deithio'r sbectrwm anghysurus o embaras, i gyfarfyddiad poenus, i ddealltwriaeth gynyddol, ac, yn y diwedd, i ymuniaethiad dwfn. Ar ddiwedd y daith, flynyddoedd lawer yn ddiweddarach, gallai siarad dwy iaith Indiaidd a gallai hefyd ddeall y teimlad o ddiwreiddiad a'r angen am gyfanrwydd a chyfiawnder sy'n gyffredin i bobl ddadwreiddiedig. Roedd hefyd wedi cael ei gyflwyno i fyd ysbrydolrwydd y brodorion: yr ymprydio, y chwilio breuddwydion, y defodau, y drymio a'r arferion ysbrydol o bob math – arferion a'i gwnaeth, ymhen hir a hwyr, yn shaman ei hun. Erbyn hyn, fe deithiai 'dan arweiniad y gwynt', fel y disgrifiai ef y peth, gan ymgyrchu, a dysgu, ac weithiau, gan addysgu hefyd.

Wrth i'r drymio a'r chwibanu fynd yn eu blaenau, fe gafodd Meinwen ei hun yn dweud wrth Thomas am ei rhwystredigaethau; am ei hofn ynghylch yr hyn a ddigwyddai i'w phobl ac i'w diwylliant, o'i blinder â'r dasg ymddangosiadol anobeithiol o geisio cadw ei hiaith yn fyw, am yr adegau pan deimlai'n agos at anobaith. At anobaith real, diwaelod.

Gwrandawodd Thomas. Stwyriodd y gwynt yng nghanghennau'r dderwen, gan siffrwd y dail.

'Sometimes I just think it's hopeless,' meddai Meinwen. *'The more we press our case, the more hostility we seem to get. It seems like they won't be happy until they've driven us out of our own country altogether.'*

Roedd hi'n dweud wrth Thomas y pethau nad oedd yn gallu eu dweud wrth Dewi na'r gweddill; pethau nad oedd hi prin wedi eu cyfaddef iddi hi ei hun. Fe'i cafodd ei hun yn y cywair cyffesiadol hwnnw a sbardunir weithiau drwy agosatrwydd sydyn gyda dieithryn y gwyddoch na fyddwch yn ei weld, fwy na thebyg, fyth eto.

'I can't give up. I've given my life to the struggle for Wales. But we're losing. Nothing we do seems to make any difference.'

Meddyliodd Thomas am dipyn. Wedyn meddai: *'Don't lose heart. Everything must change.'*

Ar draws y cae, daeth sŵn cymeradwyaeth. Roedd y rali'n dod i ben.

Eisteddodd Thomas yn ôl yn erbyn y goeden. Edrychai allan y tu hwnt i'r gwrthdystiad, tu hwnt i'r ffatri, a thu hwnt i'r bryniau, at y cymylau yn y gorllewin. Pan siaradodd, roedd rhywfaint o'r pellter hwnnw yn ei lais.

'Bydd gall fel sarff, ddiniwed fel colomen,' meddai; wedyn edrychodd ar Meinwen gyda hanner gwên.

Roedd y geiriau o'r epistolau'n gyfarwydd iddi. Ond ai ateb oedd hwn i fod, ynteu cwestiwn arall?

Dal i bendroni dros arwyddocâd y geiriau yr oedd hi pan welodd Dewi a Mei a'r gweddill yn dod i fyny drwy'r dorf tuag atynt. Safodd Thomas a hithau ar eu traed, ac aethant i'w cyfarfod. 'At y drin aeth eto draw', meddyliodd Meinwen. Wedi ychydig o gyflwyniadau er mwyn cwrteisi, esgusododd Thomas ei hunan, gan adael y Cymry gyda'i gilydd.

Â'i ddyletswydd brotestiadol wedi'i chyflawni, roedd Mei yn barod i ddathlu. Uchel ŵyl oedd diwrnod protest iddo ef, byth ers dyddiau perlewygol yr ymgyrch yn erbyn yr Arwisgo. Nid oedd na'i steil o wisgo na'i ddull o ddathlu wedi newid ers hynny. Doedd e'n ddim os nad yn gyson.

'Dewch inni fynd yn ôl i'r dafarn 'na,' meddai.

Cerddodd y criw tua'r dref. Protest arall, sesiwn arall, meddyliodd Meinwen. *And tonight we're going to party like it's 1969.*

Edrychai'r Tad Joseph-Marie Perrin fel pe bai'n meddwl yn ddwys. Ni fu'n offeiriad ond am ychydig o flynyddoedd, ond ceisiodd feddwl tybed a fyddai oes mewn urddau sanctaidd wedi ei baratoi ar gyfer y cais a oedd ger ei fron yn awr. Nid oedd unrhyw ran o'i gwrs yn y coleg diwinyddol wedi rhag-weld hyn. Esboniodd ei gyfaill Gustav Thibon yr achos iddo wrth iddynt gerdded drwy glwysty'r fynachlog.

'Mae hi'n dymuno perthyn i'r eglwys, Joseph. Mae arni eisiau cymryd y sagrafennau. Ond mae hi'n dymuno cael rhyddid llwyr ynglŷn â beth i'w gredu. Dyw hi ddim yn fodlon

cael ei chlymu gan gredoau'r eglwys. Dyw hi ddim am dderbyn uniongrededd fel amod aelodaeth. Mae'n credu y dylai sagrafennau'r eglwys fod ar gael i bawb, beth bynnag yw eu cred neu eu diffyg cred.'

'Mae'n swnio fel dilettante *i fi. Ydy hi o ddifri?'*

Chwarddodd Thibon: 'Dwi erioed wedi cwrdd â neb sydd fwy o ddifri!' Ysgydwodd ei ben, wedyn fe gariodd ymlaen, wedi difrifoli. 'Rwy'n dweud wrthyt ti, Joseph: mae 'na ryw gyfriniaeth eglur yn llewyrchu ohoni. Dwi erioed wedi dod ar draws yr un enaid byw sydd mor gyfarwydd â dirgelion crefydd. Dwi erioed wedi teimlo bod mwy o ystyr i'r gair "goruwchnaturiol" na phan dwi yn ei chwmni hi.'

'Wela i,' meddai Perrin, a'i chwilfrydedd wedi ei ddeffro. 'A wnei di ofyn iddi ddod i 'ngweld i?'

'Gwnaf.'

* * *

Ychydig ddyddiau wedyn, eisteddai'r Tad Perrin a Simone ar fainc y tu allan i'r capel. Roedd Simone yn siarad.

'Dyma beth sy'n fy mhoeni,' meddai hi. 'Gall yr eglwys ddatgan fod pobl yn anathema. Pechaduriaid, hereticiaid. Mae'r anathema'n dotalitaraeth, dim byd arall. Alla i ddim derbyn bod unrhyw un yn cael ei gau allan o'r sagrafennau fel yna. Dylai'r sagrafennau fod ar gael i bawb.'

'Dyw hynny ddim yn bosibl.'

'Pam lai? Pam bod rhaid ichi gau allan?'

'Mae'n rhaid bod dealltwriaeth. Mae'n rhaid bod ffydd.'

'Mae'n rhaid bod trugaredd hefyd.'

'Ie, ond deddfau'r eglwys . . . Mae'n rhaid ichi gael eich bedyddio. Allwch chi ddim cael y manteision heb y gred. Rydych chi'n amlwg yn ddynes ddeallus iawn, ond dyw'r deall ddim yn bopeth. Mae 'na brofiad, defod . . .'

Nodiodd Simone ei chydsyniad.

'Ie, wn i. Cyn y gallwn ni gyrraedd y cyflwr 'na o weddi fewnol barhaol, mae'n rhaid ein bod ni wedi darostwng ein hewyllys drwy gadw rheolau.'

Calonogwyd Perrin: 'Ie. Dyna ddirgeledd yr Offeren ichi, neu sagrafen cerddoriaeth, neu weddi dawel . . .'

Roedd Simone yn falch o gael cwmni rhywun oedd yn gyfarwydd â'r cyffroadau ysbrydol oedd wedi dechrau gweddnewid ei bydolwg.

'Ie, fe wn i. Tawelwch,' meddai hi. 'Mae fel harmoni sy'n fwy perffaith na sŵn. Ac nid yw pob tawelwch yn y bydysawd ond fel sŵn o'i gymharu â thawelwch Duw.'

Yn y cefndir, dechreuodd cloch y capel ganu, yn galw'r ffyddloniaid i'r offeren. Cododd Perrin ar ei draed. Cerddodd Simone ac yntau tua'r capel.

'Fy merch i. Mae gynnoch chi gymaint o ddymuniad i ymuno â'r eglwys. Ry'ch chi mor ynysig. Yn yr eglwys, rwy'n addo ichi, fe gewch chi dangnefedd. Mae gynnoch chi gymaint o awydd i wneud daioni. Gallech chi wneud pethau mawr dros y ddynoliaeth. Mae 'na gylch Catholig sy'n barod i groesawu pawb sy'n dymuno dod yn aelod.'

Pylodd y brwdfrydedd o lais Simone, a chrychodd ei thalcen.

'Dyna'r union beth. Dwi ddim eisiau cael fy mabwysiadu fel rhan o ryw gylch. Dwi ddim eisiau byw ymhlith pobl sy'n dweud "ni"; dwi ddim eisiau bod yn rhan o ryw "ninnau"; dwi ddim eisiau bod yn gartrefol mewn unrhyw sefyllfa ddynol o gwbl.'

Oedodd am eiliad, fel pe bai wedi colli ei thrywydd meddwl, yna aeth yn ei blaen.

'Na, dwi ddim yn mynegi fy hun yn dda iawn. Fe fyddwn yn hoffi'r peth yn fawr iawn. Fe fyddwn i wrth fy modd. Ond dwi ddim yn teimlo bod y peth yn ganiataol imi. Rwy'n credu ei bod yn angenrheidiol – yn ordeiniedig – imi fod yn unig, imi fod yn ddieithryn ac yn alltud o bob cylch dynol. Heb eithriad.'

Roeddent wedi oedi wrth ddrws agored y capel. Drwyddo,

gallent weld yr allor ddisglair, a chlywed cân ragarweiniol yr organ, wrth i'r paratoadau at y gwasanaeth fynd rhagddynt.

Edrychodd y ddau ohonynt ar ysblander seremonïol yr addurniadau; holl rwysg a phrydferthwch sancteiddrwydd Catholig; cartref naturiol Perrin, dyhead anghyraeddadwy Simone. Nid oedd ganddynt fwy o eiriau; roedd eu dadl wedi cyrraedd impasse.

Bendithiodd Perrin Simone a throi i fewn i'r capel ar gyfer yr offeren, gan adael y drws ar agor. Arhosodd Simone yn y porth, gan wrando ar y gerddoriaeth. Draw yn y gysegrfa, roedd y gweision allor yn paratoi elfennau'r offeren. Ymhlith yr holl allanolion rhwysgfawr, pethau digon syml a ddefnyddid fel rhan o'r ddefod: bara, gwin, blodau, fflam. Y symlrwydd y tu hwnt i gymhlethdod; y symlrwydd yr ysai Simone i brofi y tu hwnt i holl droeon a rhwystrau ei deall.

Cerddodd pâr oedrannus heibio iddi ar eu ffordd i'r offeren; dau o'r Pabyddion yr oedd y grefydd hon yn rhan o'u gwaed a'u hesgyrn; dau nad oedd rhwystr na bagl ar eu llwybr at wyrth y bara.

Aethant i fewn i'r capel. Caewyd y drws ar eu hôl gan adael Simone y tu allan.

Fel rhan o adladd protest Hwlffordd, fe wahoddwyd Meinwen i gymryd rhan mewn cyfweliad teledu ar bwnc economi'r Gymru wledig. Mewn gwirionedd, roedd Meinwen yn gwybod cymaint am economeg ag y gwyddai am astroffiseg, sef dim o gwbl. Ei hunig ddiddordebau economaidd oedd pwy oedd yn berchen ar y siopau lleol ac ym mha iaith yr oedd eu harwyddion; y tu hwnt i hynny, roedd cwestiynau megis GDP, trosiant, gorbenion ac incwm blynyddol yn bur dywyll iddi. Serch hynny, cyn belled â bod gwneuthurwyr y rhaglen yn y cwestiwn, gallent ddibynnu ar Meinwen i droi i fyny a bod â rhywbeth i'w ddweud, a dyna oedd y peth pwysig iddyn nhw.

Y tro hwn, mewn stiwdio yng Nghaernarfon yr oedd y cyfweliad, felly nid oedd rhaid iddi wneud y daith lafurus i Gaerdydd. Yn yr ystafell werdd, cafodd Meinwen ei hun yn eistedd nesaf at ei gwrthwynebydd yn y ddadl, Syr Anthony Thomas.

'Dyma ni eto,' gwenodd ef.

'Yma o hyd,' atebodd hithau'n eironig.

Roedd gan Syr Anthony y gallu i sgwrsio'n rhwydd gydag unrhyw un.

'Dwedwch wrtha i,' meddai. 'Ry'ch chi wedi dyfynnu Simone Weil yn eich erthyglau diweddar. On'd yw hi'n ffigwr rhyfedd i genedlaetholwraig Gymraeg ei hedmygu? Rhywun cymhleth a rhanedig iawn, bydda i bob amser yn meddwl. Roedd hi'n casáu ei hun am fod yn Iddew, ac yn ferch, on'd oedd hi?'

'Efallai,' atebodd Meinwen, gan feddwl tybed pa fagl yr oedd Syr Anthony yn eu pharatoi ar ei chyfer y tro hwn. Ond roedd hi bob amser yn barod i sôn am Simone.

'Roedd hi'n berson cymhleth yn sicr,' meddai hi. 'Ond meddyliwch am ei phrofiad fel menyw Iddewig yn teimlo'r pwysau i ymdoddi i'r gymdeithas ehangach. Mae cywilydd diwylliannol yn ddigon cyffredin yng Nghymru, mae'n sicr. Ond rwy'n 'i darllen hi oherwydd ei bod hi'n deall pa mor bwysig yw bywyd cymunedol. Byddai'n dda gen i petai mwy o bobl yn gwerthfawrogi cymuned.'

Bwriadai i'r frawddeg olaf swnio fel sylw crafog. Ond nid oedd Syr Anthony fel petai wedi sylwi. Nodiodd ei ben yn feddylgar.

'Diolch i chi,' meddai, fel petai'n pwyso a mesur ei eiriau. 'Rwy'n gweld beth ry'ch chi'n feddwl.'

Gwyddai Meinwen ei bod hi ar dir sigledig. Yn ogystal â'i ddiddordebau milwrol ac amaethyddol, roedd Syr Anthony yn ysgolhaig Ffrangeg disglair, ac roedd wedi cyhoeddi erthyglau ar wleidyddiaeth Ffrainc rhwng y rhyfeloedd. Pe dymunai, gallai ddyfynnu Simone yn y gwreiddiol, siŵr o fod, gan wneud i Meinwen ymddangos fel amatur. Cofiodd sut yr oedd ef wedi ei drysu a'i dal hi yn y cyfweliad hwnnw ar y radio ynglŷn â heddychiaeth. Roedd yr atgof yn dal i frifo. O wel, gallai ddelio â hynny os digwyddai. Dyna oedd y lleiaf o'i phryderon.

* * *

Hanner ffordd drwy'r cyfweliad, a phroblemau amaethyddiaeth a busnesau cefn-gwlad wedi eu trin a'u trafod hyd syrffed, penderfynodd Syr Anthony, gyda'i esmwythdra nodweddiadol, y byddai'n troi'n holwr am ychydig.

'Mae gen i gwestiwn yr hoffwn ei holi i Meinwen, os caf,' meddai.

Dyma ni, meddyliodd Meinwen. O leiaf fe fyddai Syr Anthony yn ymosod arni mewn modd cwrtais, nid fel y gwnâi Sayle a'i debyg. Ond os nad oedd y *rapier* yn gwneud cymaint o lanastr â'r fwyell, roedd yn dal yn gallu bod yn farwol.

'Dwedwch wrtha i,' meddai wrthi. 'Ry'ch chi wedi dyfynnu Simone Weil yn eich erthyglau diweddar, ac yn ei defnyddio hi fel awdurdod yn y ddadl dros gymunedau gwledig. On'd yw hi'n ddewis od fel model i genedlaetholwraig Gymreig? Rhywun wedi ei rhannu yn ei herbyn ei hun, bydda i wastad yn meddwl.'

Yr un cwestiwn ag a ofynnodd yn yr ystafell werdd. Air am air, bron iawn. Beth oedd yn ei feddwl, tybed?

'Efallai,' atebodd Meinwen. 'Roedd hi'n sicr yn bersonoliaeth gythryblus. Ond wedyn, roedd hi'n Iddewes; roedden nhw dan bwysau i gymhathu i'r gymdeithas fwyafrifol ac mae hynny'n aml yn achosi'r hyn mae cymdeithasegwyr yn ei alw'n gywilydd diwylliannol, lle mae pobl yn gwadu eu diwylliant eu hunain ac yn arddel un y mwyafrif. Dyna un o'n problemau ni yng Nghymru, felly mae hi'n werth ei hastudio gyda hynny mewn golwg. Ac mae hi'n wych ar faterion yn ymwneud â gwreiddiau – yr angen am wreiddiau ac am berthyn.'

Ateb ychydig yn llawnach a mwy ffurfiol nag a roddasid yn yr ystafell werdd, ond yr un sgwrs yn union oedd hon yn y bôn. Teimlai fel pe bai'n rhan o *Groundhog Day*. Arhosodd am ba bynnag ergyd oedd i ddod. Ond y cyfan wnaeth Syr Anthony oedd nodio'n feddylgar, a phan siaradodd, roedd tinc o barch yn ei lais.

'Ie, rwy'n gweld be ry'ch chi'n feddwl,' meddai. 'Diolch.'

Parhaodd y cyfweliad, gyda'r cyfwelydd bellach wedi codi trywydd newydd y sgwrs yn ddeheuig ac yn holi Syr Anthony ynglŷn â phwy oedd wedi ei ysbrydoli ef yn wleidyddol.

Dim ond pan ddaeth y rhaglen i ben y sylweddolodd Meinwen beth yr oedd Syr Anthony wedi'i wneud – sef gofyn cwestiwn hawdd iddi er mwyn ei rhoi mewn goleuni ffafriol, ar ei draul ef. Pam wnaeth ef hynny?

Wrth i'r dyn sain ddatgysylltu ei meic, meddyliodd Meinwen y dylai adael i Syr Anthony wybod nad rhywun cwbl naïf a di-ras mohoni. Ni fyddai'n gwneud niwed iddi gydnabod yr hyn a wnaeth ef. Cerddodd draw i ble roedd y gwleidydd yn dad-fachu ei gôt fawr o'r stondin gotiau.

'Diolch ichi am y cwestiwn 'na,' meddai.

Ysgydwodd ef ei ben.

'Paid â sôn.' meddai. 'O'n i'n dechrau diflasu sôn am brisiau tai, beth bynnag. Well gen i drafod syniadau weithiau.'

Gwenodd arni, a ffarwelio.

Gweithiai Simone ar ei phen ei hun yn y cae uchaf, gan gribinio'r gwair yn bentyrrau. Roedd yn ddiwrnod poeth. Sychodd y chwys o'i thalcen, rhoddodd y rhaca i lawr a cherdded at ymyl y cae. Pigodd ychydig o aeron o'r gwrych, gan lenwi ei dwylo a bwyta wrth iddi gerdded. Oedodd wrth y giât a edrychai dros y dyffryn, ac eisteddodd i lawr, gan bwyso yn erbyn y pren garw. Caeodd ei llygaid a gorffwyso am ychydig, yna fe dynnodd ei llyfr nodiadau allan o'i bag a dechrau ysgrifennu.

'Ni allaf ddeall pam fod angen i Dduw fy ngharu, pan rwy'n teimlo, hyd yn oed gyda bodau dynol, mai camgymeriad yw pob teimlad cariadus tuag ataf. Ond gallaf yn hawdd ddychmygu ei fod yn caru'r safbwynt ar y cread nad oes modd ei weld ond o'r fan lle'r ydwyf. Ond rhaid imi gilio fel bod modd i Dduw gysylltu â'r creaduriaid y mae ffawd wedi eu gosod ar fy llwybr ac y mae ef yn eu caru. Ansensitifrwydd ar fy rhan i fyddai imi aros yno. Mae hi fel petawn i wedi cael fy ngosod rhwng dau gariad neu ddau gyfaill. Pe bawn i ond yn gwybod sut i ddiflannu, fe fyddai undod o gariad perffaith yn bodoli wedyn rhwng Duw a'r ddaear a rodiaf, a'r môr a glywaf . . . Boed imi ddiflannu fel y gall y pethau a welaf ddod yn berffaith yn eu prydferthwch drwy'r ffaith syml nad pethau a welir gen i mohonynt bellach. Nid wyf am eiliad yn dymuno bod y byd crëedig hwn yn diflannu o 'ngolwg, ond dymunaf nad i mi y dylai ddangos ei hun bellach. Ni fedr ef ddweud wrthyf fi ei gyfrinach, sy'n rhy uchel. Ond os af, bydd creadur a chreawdwr yn cyfnewid eu cyfrinachau. I weld tirwedd fel y mae pan nad wyf yno . . . pan fwyf yn unrhyw le, fe aflonyddaf ar dawelwch nefoedd a daear drwy fy anadl a thrwy guriad fy nghalon.'

Caeodd ei llygaid eto, ac yfed o dawelwch y cae uchel. Nid oedd erioed wedi teimlo tangnefedd fel y teimlai yn y fan hon, â gwaith y corff a'r meddwl mewn cytgord a chydbwysedd perffaith.

Sŵn traed. Sŵn traed trymion. Sŵn traed yn brysio. Agorodd ei llygaid. Roedd Thibon yn rhuthro ar draws y cae gwair tuag ati. Cododd hithau wrth iddo ddynesu. Edrychai'n aflonydd ac roedd ei wyneb yn goch. Oedodd am eiliad i gael ei wynt ato.

'Mae'r Natsïaid . . . yn meddiannu Vichy,' meddai.

Trodd Simone ymaith. Dyma ddiwedd ar gynaeafau, ar wylio'r machlud wedi gwaith y maes, o sgyrsiau hwyr gyda Thibon a Perrin. Fe allai fod mai dyma ddiwedd popeth.

'Mae'n ddrwg gen i, Simone,' esboniai Thibon. 'Gallwn i dy amddiffyn o dan Vichy, ond gyda'r Natsïaid yma, a dy gefndir Iddewig, alla i ddim gwarantu y byddi di'n ddiogel. Maen nhw'n rhoi dynion mwy dylanwadol na mi yn y carchar.'

Edrychai Simone allan dros y dyffryn fel pe bai'n ceisio ei amgyffred yn llawn, fel pe bai'n ceisio llwytho ei meddwl â'r atgof.

'Rhaid iti adael Ffrainc. Mae 'na longau'n mynd o hyd am Morocco o Marseilles. O fan'na hwyrach y gelli di gyrraedd America. Mae dy rieni'n pacio yn barod. Rhaid iti fynd. Mae'n ddrwg calon gen i.'

Trodd Simone ato. Er syndod iddo, nid golwg o ofid oedd ar ei hwyneb, ond un o dosturi. Roedd yn eglur ei bod hi'n meddwl mwy am ei ofid ef nag yr oedd hi am ei pherygl hi ei hun. Ymestynnodd i gyffwrdd â'i fraich yn reddfol er mwyn ei gysuro. Wrth iddi ei gyffwrdd, fe gofleidiodd ef hi'n syth. Gallai Simone deimlo ei anadl herciog wrth iddo wylo.

'Simone. Fy nghyfaill Iddewig.' Roedd ei lais yn gryg. 'Rwy wedi dysgu cymaint gennyt ti.'

Sibrwd yn unig wnaeth Simone: 'A finnau gennyt tithau.'

Wedi ychydig eiliadau, fe ymddatododd Simone o'r goflaid, ac estyn am ei bag.

'Dyma ti, cymer y rhain.' Rhoddodd ei llyfrau nodiadau iddo. 'Edrych ar eu hôl nhw. Ti yw fy nghyfaill gorau.'

Ceisiodd y ddau wenu ar ei gilydd. Roeddynt yn eu dagrau.

Rhedai Meinwen ar draws y bryniau gydag awyrennau rhyfel Americanaidd yn ei herlid. Syrthiodd ar ei hwyneb. Ond bob tro y ceisiai godi a rhedeg, byddai un arall yn plymio tuag ati, â'i pheiriant yn sgrechian, a'r sŵn yn llenwi'r holl awyr. Ni fyddai hi byth yn gallu cyrraedd yn ôl i'r Hafan.

Ond yn yr Hafan yr oedd hi. Yn y gwely. Deuai goleuni i fewn drwy'r llenni. Roedd hi hyd yn oed yn ymgyrchu yn ei chwsg erbyn hyn, mae'n rhaid, meddyliodd. Wel, o leiaf, doedd yr awyrennau ddim ar ei hôl hi go iawn. Ac eto, meddyliodd, roedd hi'n dal i allu clywed eu peiriannau.

Na, nid awyrennau; rhywbeth drws nesaf oedd achos y sŵn. Rhyw fath o beirianwaith.

Cododd, ac agor y llenni. Wrth draed hen gapel Hermon, gallai weld Connor yn brysur gyda rhyw beiriant, yn gweithio mewn cwmwl o lwch. Edrychodd ar y cloc. Dim ond hanner awr wedi wyth oedd hi, ar fore Sadwrn. Gallai beth bynnag roedd o'n ei wneud aros tan yn hwyrach, siŵr Dduw. Ac eto, meddyliodd, doedd Connor ddim yn credu mewn Duw. Siŵr Dduwies, felly, efallai. Gwisgodd ei chôt ac aeth allan.

Dynesodd at Connor ac aros nes i'w beiriant stopio cyn iddi siarad.

'Connor. Can't this wait until a bit later in the day?'

Trodd ef o amgylch, gan dynnu'r gogls gwarchodol oddi ar ei lygaid. Wrth i'r llwch glirio, fe welodd Meinwen beth fu'n ei wneud. Bu'n defnyddio *angle grinder* i sgwrio'r geiriau oddi ar gerrig sylfaen y capel. Lle gynt y coffheid, mewn tywodfaen oesol, gewri'r achos a lafuriodd ac a ymdrechodd i adeiladu Hermon, nid oedd ond carreg wedi'i sgwrio'n wag. Trodd y cwmwl tystion yn gwmwl llwch. Rhythodd Meinwen at y cerrig.

'What have you done?!'

Sythodd Connor, a gwenu'n gyfeillgar. Mae'n amlwg nad oedd ganddo'r syniad lleiaf beth oedd wedi ei wneud. *'Oh, those old inscriptions,'* meddai. *'Bad vibes, you know? Now this is a Wiccan shrine we needed a new start.'*

'But those were the people who built this chapel!' Prin bod Meinwen yn gallu dod o hyd i eiriau. *'Those people have relatives still living round here. That was our history.'*

'Yeah, but it's our house now, and, you know, a new start. A clean slate, like.'

Parlyswyd Meinwen. Ni fedrai hyd yn oed ddadlau gydag ef. Baglodd ei ffordd yn ôl i'r Hafan.

Taflodd ei hun i lawr ar y soffa, a gwasgu ei phengliniau i'w brest denau. Ddim hyd yn oed y geiriau ar y cerrig. Wnân nhw ddim hyd yn oed adael inni gael y geiriau ar y cerrig. Ry'n ni'n cael ein sgwrio allan o hanes â ninnau'n dal i fyw i'w wylio. Roedd fel hunllef. Doedd hyd yn oed yr Hafan ddim yn hafan ddim mwy. Roedd hi wedi cyrraedd y pen.

Meddyliodd am y pethau y gallasai eu dweud wrth Connor. Rhedodd y ddadl o gwmpas yn ei phen, gan geisio dod o hyd i'r geiriau a wnâi i'r sŵn beidio, a wnâi i bethau aros fel o'r blaen, a wnâi i bethau beidio â newid.

Saesneg oedd iaith y ddadl; y geiriau'n canfod llwybrau mwy cyfarwydd drwy ei hymennydd bob tro. Nid oedd hyd yn oed ei meddwl yn ddiogel mwyach. Roedd y Saesneg yn ymwthio iddo, yn ei goloneiddio, gell wrth gell, yn meddiannu ei lwybrau niwral, yn sacsoneiddio'r synapsau, yn diwreiddio, yn dadleoli, yn ail-enwi.

Tu allan, cychwynnodd yr *angle grinder eto*, y sŵn yn llachio drwy'r awyr, drwy furiau'r Hafan, yn atseinio ym mhen Meinwen. Rhoddodd ei dwylo dros ei chlustiau ac wylo.

Camodd Simone dros y rwbel a'r gwydr toredig ar y palmant. Fel rheol, cliriwyd llwybrau drwy weddillion y cyrchoedd awyr yn weddol fuan wedi'r ymosodiadau fel bod modd i gerddwyr fynd heibio. Ond bu'r cyrch Almaenig hwn neithiwr yn rhy ddiweddar. Erbyn hyn, yn 1943, roedd cyrchoedd awyr ar Lundain yn llai cyffredin, ond dalient i ddigwydd o bryd i'w gilydd, a phan ddeuent, fe ddeuent â marwolaeth ac â dinistr yn eu sgil.

Edrychai Simone ar fynedfeydd y swyddfeydd yr oedd hi'n eu pasio, gan chwilio am y rhif y chwiliai amdano. Ymhen tipyn, fe daeth o hyd iddo – pencadlys lluoedd y Ffrainc Rydd. Dangosodd ei cherdyn adnabod i'r gwarchodwr ar y drws, ac aeth i mewn.

Y tu fewn, fe'i cyfeiriwyd i fyny'r grisiau ac i lawr coridor hir. Ar y pen, edrychodd gwarchodwr arall ar ei cherdyn cyn ei harwain hi i mewn i'r swyddfa.

Roedd golwg dros-dro a blêr ar yr ystafell. Ar un wal, hongiai baner Ffrainc. Y tu ôl i'r ddesg anniben eisteddai swyddog yn lifrai'r Ffrainc Rydd. Cyflwynwyd Simone iddo, ac fe'i cyflwynodd yntau ei hun fel Henri Pascal, cynorthwy-ydd i'r Cadfridog Charles de Gaulle. Amneidiodd arni i eistedd, tra chwiliai ef ar ei ddesg am rai papurau. O ddod o hyd iddyn nhw, dechreuodd eu darllen yn uchel.

'Graddau eithriadol o'r Normale. Trydydd-uchaf yn Ffrainc i gyd. Wyth o ieithoedd. Athrawes ysgol . . .'

Edrychodd fel pe bai mewn penbleth braidd.

'. . . yn Le Puy, Auxerre, Roanne. Chwe mis o waith yn . . . ffatri Renault. Tri mis yng ngwaith peirianyddol Alsthom. Gohebydd i Lais y Gweithwyr, Cyfnodolyn y Syndicalwyr.*'*

Edrychodd i fyny, gyda dryswch ar ei wyneb.

'Dydych chi ddim yn aelod o unrhyw fudiad gwleidyddol?'

'Nac ydw. Dwi erioed wedi dod ar draws achos cwbl gyfiawn,' meddai Simone yn syml. 'Rwy'n gobeithio mod i wedi gwneud hynny nawr.'

Mewn embaras, fe ailgydiodd Pascal yn ei gywair swyddogol.

'Felly, beth fedrech chi ei wneud inni, Mademoiselle Weil?'

'Rwy eisiau bod yn nyrs.'

'Nyrs? Wel, ry'n ni'n sicr ag angen nyrsys yn ein hysbytai. Yn enwedig nyrsys sy'n gallu siarad Ffrangeg yma yn Lloegr.'

'Na. Nid yn Lloegr.'

'Beth y'ch chi'n feddwl?'

'Nyrs yn y rheng-flaen.'

'Does 'na dim y fath beth.'

'Nac oes. Ddim eto. Ond edrychwch. Dyma fy nghynllun.'

Tynnodd lythyr o'i chês a'i roi iddo. Parhaodd â'i hesboniad.

'Tîm o efallai ugain o ferched ifainc, yn ymroddedig, yn hunanaberthol. Wedi eu hyfforddi mewn technegau cymorth-cyntaf ar faes y gad. Yn barod i fynd i ganol y brwydro i roi cymorth a chysur i'r rhai sydd wedi eu clwyfo.'

'Ac i gael eu lladd a'u clwyfo eu hunain!' Roedd Pascal yn anghrediniol. 'Wyddoch chi beth yw'r raddfa farwolaeth i swyddogion meddygol rheng-flaen?'

'Gwn! Ond dyna'r pwynt. Am esiampl o arwriaeth, o aberth! On'd wyt ti'n gweld yr effaith fyddai hyn yn ei gael ar ein hysbryd? Merched ifainc, ym mlodau eu dyddiau, yn barod i ildio'u bywydau er mwyn helpu eraill a heb feddwl amdanyn nhw eu hunain. Am ysbrydoliaeth! Fe fyddai gennym fuddugoliaeth foesol lwyr dros y ffasgwyr!'

Bu bron i Pascal chwerthin, ond roedd rhywbeth yn nwyster agwedd Simone yn ei rwystro. Trodd at sarcastiaeth, gan deimlo, serch hynny, ei fod yn ei ddiraddio ei hun o'i anfodd wrth wneud.

'Felly, ble ry'ch chi'n credu y cewch chi hyd i ugain o ferched ifanc yn barod am ferthyrdod?'

'Wel, dyma un ichi i ddechrau.'

Roedd y sgwrs yma'n mynd yn fwy a mwy swreal, meddyliodd Pascal.

'Welais i ddim byd yn eich cais yn sôn bod hyfforddiant nyrsio gennych chi.'

'Naddo. Ond rwy wedi meddwl am hynny. Rwy wedi cychwyn heddiw. Rwy wedi prynu llyfr!'

Gwenodd yn ddiffuant, a thynnu llawlyfr Cymorth Cyntaf Milwrol allan o'i bag a'i ddangos i Pascal fel pe bai hynny'n esbonio popeth.

Roedd Pascal wedi cael digon.

'Mae hyn yn hurt! Ydych chi o ddifri'n disgwyl imi fynd at de Gaulle a chynnig gwasanaeth athrawes ysgol ddi-hyfforddiant sy eisiau cyflawni hunan-laddiad er mwyn codi ysbryd Ffrainc?!'

'Dangoswch fy nghynllun iddo,' meddai Simone, â difrifoldeb lond ei llais. 'Mae'n ddyn â gweledigaeth ganddo. Fe fydd yn deall.'

Ni fedrai Pascal ddal y trem anesmwythol hwnnw. Edrychodd ymaith. Cafodd ei hun yn edrych ar faner Ffrainc lle y pwysai yn erbyn y wal fel pe bai'n aros i ryw Jeanne d'Arc ei chodi a'i chario i ganol y drin.

Cerddodd Meinwen i fewn i orsaf heddlu Caernarfon, a chanodd y gloch ar y cownter. Nid oedd ateb. Chwarae teg, tri o'r gloch y bore oedd hi, ond onid oedden nhw i fod i weithio bedair awr ar hugain y dydd? Ble'r oedd yr heddlu pan oeddech chi eu hangen nhw? Canodd y gloch eto.

Edrychodd o amgylch yr ystafell aros. Cadeiriau plastig du yn llawn llosgiadau sigaréts, ac ewyn melyn yn tywallt o'r holltau yn y gorchuddiau. Posteri ar gyfer pobl ar goll. 'Misspers,' talfyriad o *'missing persons'* roedd yr heddlu'n eu galw nhw. Bu Meinwen yn westai mewn digon o orsafoedd heddlu iddi fod wedi dysgu peth o'r eirfa. Ond nid edrychai fel pe bai'n cael neb i siarad gyda nhw heno. Daliodd ei bys i lawr ar y gloch.

Wedi sawl munud, gwichiodd y drws yn yr ystafell y tu ôl i'r cownter, ac agorodd.

'Duw, Meinwen!'

Y Sarjiant Dafydd Williams oedd yno. Roedd yn adnabod Meinwen yn dda. Ef oedd y sarjiant ar ddyletswydd yn y ddalfa sawl gwaith pan ddygwyd hi i mewn ar ôl gwrthdystiadau. Roedd yn ddiacon yng nghapel Seion y dref.

Edrychodd arni gyda pheth pryder. Ar bob achlysur arall pan fu iddo ddelio â Meinwen yn rhinwedd ei swydd, yn ystod y dydd y bu hynny, ac ar ôl protestiadau cyhoeddus amlwg. Pam yn y byd oedd hi yma yr adeg hon o'r bore?

'Ydy popeth yn iawn, bach?' gofynnodd.

'Ddim rili,' meddai Meinwen. 'Dyw popeth ddim yn iawn o gwbl. Wnewch chi plîs fy restio fi?'

'Am be?'

'Fandaliaeth . . . be dach chi'n 'i alw fo? Difrod troseddol.'

'Yr adeg hon o'r nos? Posteri eto? O, ty'd 'laen, Meinwen, elli di ddim dod yn ôl yn y bore, d'wed? Bydd mwy o staff gynnon ni. Dim ond fi sy 'ma heno.'

'Nid posteri.'

'Wel, paent, beth bynnag. Gad inni wneud o yn y bore. Os bydda i'n dy gym'yd di mewn rwan, bydd rhaid imi dy jecio di ti bob chwarter awr i wneud yn siŵr bod ti ddim yn gwneud amdanat dy hun. Wir iti. Dyna'r ddeddf. Mi fydda i i fyny ac i lawr fel fflag drwy'r nos.'

'Dafydd, os na wnei di fy restio fi, mi a' i allan a defnyddio hwn eto.'

Gosododd forthwyl ar y cownter. Syllodd Sarjiant Williams ato. Doedd aelodau o'r Mudiad ddim yn defnyddio morthwylion. Edrychodd arni, o ddifrif yn awr.

'Meinwen, be wyt ti wedi'i wneud?'

'Well iti ddod i weld,' meddai.

* * *

Roedd hi wedi chwalu ffenestri siop pob un arwerthwr tai yng Nghaernarfon. Ac nid eu hollti nhw yn unig, ond eu chwilfriwio nhw nes bod y gwydr yn carpedu'r palmant. Ac roedd hi wedi rhwygo i lawr yr arddangosfeydd yn y ffenestri ac wedi darnio'r lluniau o dai ar werth. Edrychodd Sarjiant Williams a hithau ar y difrod. Roedd yn noson dda o waith, doedd dim dwywaith am hynny. Roedd goleuadau'r stryd yn gwneud i'r palmentydd gwydrog ddisgleirio fel crisial.

* * *

Ni chafodd yr un noson arall o ryddid ers yr ennyd honno. Nid oedd dewis gan Sarjiant Williams ond ei chymryd hi i'r ddalfa, ac fe ymddangosodd ger bron yr ynadon drannoeth. Gwrthododd gynrychiolaeth gyfreithiol; ni wrthwynebwyd y cais am gael ei chadw yn y ddalfa a gyflwynwyd gan Erlynydd y Goron, ac yr oedd hi mewn hostel mechnïaeth yn aros i sefyll ei phrawf cyn i'w chyd-ymgyrchwyr hyd yn oed wybod ei bod hi wedi ei restio. Am y tro cyntaf mewn ugain mlynedd o ymgyrchu, roedd hi wedi gweithredu ar ei phen ei hun, heb ddweud wrth neb ymlaen llaw, ac wedi dewis peidio â gofyn am gefnogaeth neb. Felly ni chafwyd yr un placard, na'r criw o gefnogwyr arferol, na'r un datganiad i'r wasg yn hysbysebu'r merthyrdod diweddaraf – dim oll o'r cyhoeddusrwydd arferol a ddilynai garcharu ymgyrchydd.

Clywyd ei hachos chwech wythnos yn ddiweddarach. Chwech wythnos o ansicrwydd ac anghysur i gyfeillion Meinwen. Ond, yn ystod y cyfnod hwn, roedd Meinwen ei hun yn ymddangos yn benderfynol, yn unplyg a hyd yn oed ychydig yn ffatalaidd. Pan ymddangosodd ger bron y fainc o'r diwedd, dywedodd nad oedd hi wedi gweithredu yn enw'r Mudiad ac mai gwrthdystiad personol oedd ganddi yn erbyn anghyfiawnder y farchnad dai yng nghefn-gwlad Cymru, a'r modd yr oedd cymunedau cynhenid yn cael eu disodli gan fewnfudwyr cefnog. Buasai'n derbyn dyfarniad y llys, meddai, a phan ddeuai'r amser i'w rhyddhau, ei bwriad oedd gwneud yr un peth yn union eto.

Cafodd dri mis o garchar. Roedd ei chyfres o ddedfrydau blaenorol yn caniatáu dedfryd mor hir, ac yr oedd natur ddychrynllyd o ddinistriol ei phrotest wedi arwain yr ynadon, nad oeddent yn anghytuno'n llwyr gydag amcanion Meinwen, i benderfynu serch hynny y dylent ei wneud yn eglur na chaniateid y fath weithredoedd.

Wrth i ddrws ei chell gau wedi i'r swyddogion fynd â hi i

lawr o'r llys, fe deimlodd Meinwen dangnefedd. Y fath dangnefedd na theimlasai ers blynyddoedd.

Curodd Pascal ar ddrws swyddfa'r Cadfridog de Gaulle, ac aeth i mewn. Roedd swyddfa ei bennaeth yn fwy agored, ac yn daclusach na'i eiddo ef, ond yr un oedd yr addurn, sef baner drilliw Ffrainc. Edrychodd y cadfridog i fyny o'i bapurau wrth i Pascal ddod i fewn.

Cyflwynodd Pascal y llythyr a gafodd gan Simone, yn esbonio ei chynllun ar gyfer criw o nyrsys rheng-flaen. Edrychodd de Gaulle drosto am ychydig eiliadau, cyn edrych i fyny â syndod a dryswch ar ei wyneb.

'Ond mae hi'n wallgof!' meddai'r cadfridog.

Edrychodd Pascal ar y llythyr eto. Gallai weld pam yr oedd y cadfridog wedi dod i'w gasgliad mor sydyn. Aeth de Gaulle ymlaen.

'Beth sydd ar ei phen hi'n fy mhoeni i gyda'r fath nonsens? O'n i'n meddwl ichi ddweud ei bod hi'n ysgolhaig gwych.'

'Mae hi,' meddai Pascal, mewn embaras. 'Mae'n ddrwg gen i, syr,' aeth ymlaen. 'Roedd hi'n mynnu gwneud rhywbeth dros Ffrainc. Fe wnaeth hi imi addo y byddwn yn dangos ei chynllun hi ichi. O leia nawr fe alla i ddweud mod i wedi ei ddangos a bod dim modd mynd ymlaen â'r peth . . .'

'Iawn.'

Trodd y cadfridog at ei bapurau eraill, ond ar ôl eiliad fe edrychodd yn ôl at Pascal. Roedd wedi cael syniad.

'Arhoswch funud,' meddai de Gaulle. 'Hwyrach y gall hi fod o ddefnydd inni wedi'r cyfan. Ond nid fel nyrs.'

Oedodd wrth feddwl am ychydig. Wedyn aeth ymlaen.

'Mae hi'n arbenigwraig ar bob math o fudiadau adain-chwith, meddech chi? Nid dyna fy nghryfder i. Ond bydd pob math o fudiadau'n gwthio am sylw ac am ddylanwad pan wnawn ni ryddhau Ffrainc. Maen nhw'n fy moddi i gyda'u

maniffestos yn barod. Mae 'na fwy nag sydd gen i o amser ac awydd i'w darllen.'

Amneidiodd ar bentwr uchel o bamffledi ar ei ddesg.

'Fe fyddai'n ddefnyddiol i gael golwg ar y byd 'ma o'r tu fewn. Rhowch rai o'r maniffestos felltith yma iddi; gofynnwch iddi eu crynhoi nhw a pharatoi erthygl fer imi ar ddyletswyddau a hawliau Ffrainc wedi'r rhyfel. Gallai hynny fod o ddefnydd imi.'

Cytunodd Pascal. Cymerodd y pamffledi ac aeth allan. Ag yntau wedi trechu un o'r byddinoedd o bapur ar ei ddesg, fe drodd de Gaulle ei sylw at y gweddill.

Er nad gweithred swyddogol ar ran y Mudiad fu protest Meinwen, ac er iddi wrthod gadael i'r Mudiad gynnal unrhyw wrthdystiadau yn ystod ei hymddangosiad llys, roedd hi serch hynny wedi derbyn llawer o negeseuon personol o gefnogaeth. Er bod ei gweithred yn cynnwys elfen o *sabotage* economaidd yn ogystal â symbolaeth, nid oedd hyn wedi atal y rhan fwyaf o gefnogwyr y Mudiad rhag teimlo cydymdeimlad a pharch at yr hyn a wnaeth. Yn wir, roedd llawer ohonynt yn dymuno am rywfaint o'i dewrder, ac yn gresynu nad oedd modd gweithredu hyd yn oed yn fwy effeithiol yn erbyn y rhai oedd yn gwerthu'r genedl Gymreig. Ond ni chopïodd neb ei gweithred. Bodlonent ar lythyra â'r wasg i'w hamddiffyn ac ar anfon cardiau a llythyrau personol ati yn y carchar menywod yn Lloegr lle roedd hi bellach dan glo.

Roedd Mallwyd wedi ysgrifennu, yn cymharu ei gweithred hi gydag un Saunders Lewis, D.J. Williams a Lewis Valentine ym Mhenyberth. Yn ei lythyr, fe'i sicrhaodd ei fod yn ei chefnogi, ac fe fynegodd ei ddymuniad a'i gred y byddai hithau hefyd yn dod yn symbol o ryddid Cymru ac o heddychiaeth Gristnogol. Mallwyd druan, meddyliodd Meinwen; Cymru, Cristnogaeth a heddychiaeth oedd ei drindod ddiwahân.

Roedd Mei wedi ysgrifennu, yn cynnig prynu rownd a chael sesiwn y diawl pan ddeuai hi allan. Cynigiodd ddod i'w nôl hi yn ei gar ar ddiwrnod ei rhyddhau. O nabod cyflwr car Mei, roedd hynny'n ddatganiad nodedig o ffydd. Beth bynnag oedd ei ddiffygion eraill, ffydd oedd yr un peth nad oedd Mei ddim yn brin ohono. Yn ei lythyr, roedd Mei wedi manteisio ar y cyfle o hysbysu Meinwen am ei ymgyrch ddiweddaraf – ymosodiad ar wefan newydd mudiad ieuenctid oedd yn defnyddio Cymraeg anffurfiol, yn frith o eiriau Saesneg, mewn rhyw ymgais wirion i gael sylw pobl ifanc wrth gyflwyno gwybodaeth addysg ryw. Roedd Mei a'i gyd-ymgyrchwyr am i'r wefan gael ei chau yn syth cyn y byddai'n llygru iaith ieuenctid Cymru. Ystryw ddieflig i ladd yr iaith oedd y cyfan, meddai. Meddyliodd Meinwen tybed a oedd gan y Mei di-gyfrifiadur unrhyw syniad sut beth *oedd* gwefan, ac ai gwell ganddo oedd bod pobl ifanc yn dal clefydau gwenerol yn hytrach na bod eu geirfa a'u cystrawen nhw'n rhydd o haint y Saesneg? Cwestiynau damcaniaethol. Roedd protest yr iaith yn rhan o DNA Mei. Boed ar arwydd ffordd neu mewn seiber-ofod, ni fyddai dim yn rhwystro'i ymgyrchu.

Roedd Dewi wedi ysgrifennu, wrth gwrs, bron bob dydd. I ddechrau, roedd wedi ei ddrysu a'i siglo gan weithredoedd Meinwen, ac roedd wedi ei frawychu gan y modd y'i rhwygwyd hi'n ddisymwth o'i fywyd. Ond nawr, roedd yn gefnogwr digwestiwn iddi; roedd wedi symud i fyw i'r Hafan er mwyn edrych ar ôl yr adeilad tra'i bod hi yn y carchar. Roedd yn eithaf hoff o'r *didgeridoo*, meddai wrthi, gan geisio codi gwên. Ond nid oedd Meinwen wedi gwenu ers y noson y penderfynodd bod ei hen ddulliau o ymgyrchu yn wastraff amser, a bod angen gweithredoedd mwy uniongyrchol, y noson pan fu iddi, am y tro cyntaf yn ei bywyd, anobeithio o ddifrif.

Roedd Arianrhod wedi ysgrifennu, ar bapur pennawd o'r

gwesty yn Efrog Newydd lle'r oedd hi'n aros tra'n ffilmio. Roedd ei llythyr yn llawn clecs chwareus o fyd y cyfryngau, a fwriadwyd er mwyn rhoi peth adloniant i Meinwen yn ystod ei charchariad. Serch hynny roedd hi wedi llwyddo i grybwyll ei thripiau – diweddar neu ar y gweill – i ddim llai na phump o wledydd tramor. Dan yr amgylchiadau, meddyliodd Meinwen, braidd yn ddifeddwl oedd adrodd y ffasiwn ddyddiadur taith i rywun y cyfyngwyd ei siwrneiau i gyffiniau buarth y carchar. Ond ni ddigiodd. Ni fynnai fod yn unman arall heblaw'r carchar hwn. Heblaw am Gymru Rydd, wrth gwrs. Ond roedd hi'n gwybod erbyn hyn mai dyna un daith na fyddai hi na neb arall fyth yn ei chymryd.

Roedd Bedwyr wedi ysgrifennu. Gan geisio codi ei chalon, siŵr o fod, fe grybwyllodd y ffaith ei fod wedi cychwyn sawl menter newydd yng Ngwynedd i gefnogi busnesau bychain a siopau mewn meddiant lleol. Doedd y darlun ddim yn ddrwg i gyd, meddai. Sylwodd Meinwen fod yr enw ar ei bapur pennawd bellach heb briflythrennau, er ei fod yn dal i defnyddio rheiny yn ei lofnod.

Roedd Gethin wedi ysgrifennu. Ohonyn nhw i gyd, ef yn unig, yn ôl pob golwg, oedd yn deall pam y gwnaeth hi'r hyn a wnaeth. Heb i Meinwen fod wedi dweud wrth neb am y sylweddoliad iasoer o fethiant a ddaeth drosti y noson yr aeth i nôl y morthwyl o'r sièd, fe soniodd Gethin am sut yr oedd anobaith yn beth marwol, fel yr oedd yn sugno'r gorfoledd a'r gobaith allan o fywyd gan eich gadael yn dyheu am ddim byd ond cwsg hir angau. Gwyddai sut yr oedd hynny'n teimlo, meddai, ac fe'i hanogodd hi i beidio ag ildio i'r demtasiwn honno. Gwerthfawrogai Meinwen ei feddylgarwch, ond fe deimlai – gan mai dyn a oedd yn amlwg wedi ei dorri gan anobaith oedd yn rhoi'r cyngor – fod y cyngor hwnnw'n swnio braidd yn aneffeithiol. Feddyg, iachâ dy hun, meddyliodd.

Roedd hyd yn oed Alwyn Dyfed wedi ysgrifennu, gydag

ymddiheuriad diamod am ei ymddygiad ar y noson pan wrthododd lofnodi deiseb Meinwen. Dywedodd ei fod wedi anfon siec am £2,000 at y Mudiad, sef y cyfan o'r taliad a dderbyniodd yn ddiweddar er mwyn datblygu ei ddrama newydd, *Urdd Uffern* – am y modd y mae Urdd Gobaith Cymru yn hybu caethwasiaeth plant. Roedd Meinwen, a wyddai fod y swm hwn yn golygu sawl mis o arian cwrw i Alwyn, yn gwybod yn union faint yr oedd hynny wedi ei gostio iddo. Dwy fil o bunnoedd o ras achubol.

Ac yr oedd Sayle wedi ysgrifennu. Ond nid yn uniongyrchol at Meinwen, ac yn sicr ddim i'w chefnogi. Yr eiliad y daeth yr achos i ben, gan ei ryddhau ef o rwystrau'r ddeddf dirmyg llys a'i cadwai rhag gwneud sylwadau cyhoeddus ar achos a oedd *sub judice,* fe drodd ei ynnau i gyd arni hi.

'On November 9, 1938, a new word entered the world's vocabulary,' he wrote. 'That was the night when Hitler's Nazi thugs smashed the windows of Jewish businesses, homes and properties right across Germany. It was the start of the persecutions that were to lead to the Holocaust. On that night, there was so much broken glass in the streets that they looked as if they were paved with crystal. So that night was given its beautiful-sounding, but unforgettably sinister, name – Kristallnacht.

'It seems a long time ago and a long way away. Wales could never breed hatred like that, could it? Wrong. On May 13, 2004, Wales had its very own Kristallnacht as a leading Welsh-language campaigner turned the streets of Caernarfon into a glass-paved warzone. Mad Meinwen Jones attacked estate agents' shop-fronts in order to stop them selling houses; houses Welsh people want to sell in order to put much-needed money in their own pockets. She wanted to deny the Welsh people the freedom to do what they like with their

own property. But most of all, she wanted to deny the English the right to do what they like with their money, which, in this case, is to use it to buy a share of the beauty of Wales.

'A war has started in Wales. Meinwen has warned that she and her fanatics will stop at nothing until they force their twisted vision of racial purity on Wales. It won't stop with estate agents. Next it will be newsagents selling English papers. Then every business owned by English people. Then the homes of peaceful English people themselves. On October 13, Meinwen Jones inaugurated the Final Solution to the English Problem in Wales. She and the crazed thugs who support her must not be allowed to win.'

Wrth ei ddarllen, cafodd Meinwen ei hatgoffa am eiriau Yeats yn 'The Second Coming': *The best lack all convictions, while the worst / Are full of passionate intensity.'* A fuasai pobl yn coelio'r math yna o beth? Roedd y colofnau llythyrau yn y papurau lleol a anfonwyd yn ffyddlon ati gan Dewi yn awgrymu bod llawer ohonyn nhw yn gwneud hynny.

Yn null arferol Simone, roedd y stafell yr oedd hi'n ei rhentu yn Holland Park yn llwm ac yn ddigysur. Roedd tâp wedi ei roi dros y ffenestri er mwyn eu hatal nhw rhag chwalu mewn cyrch awyr. Eisteddai Simone wrth y bwrdd yn ysgrifennu.

'Annwyl Mama a Papa. Gobeithiaf eich bod yn iawn. Rwy mor falch o feddwl eich bod yn ddiogel yn Efrog Newydd. Peidiwch da chi â phoeni amdana i. Mae'n ddrwg gen i fod yn destun pryder ichi drwy ddod yma, ond fe wyddwn fod rhaid imi wneud fy nghyfraniad. Fe wyddwn fod rhaid imi helpu Ffrainc yn ei gwendid; nid yw eich gwlad enedigol erioed yn ymddangos mor brydferth â phan mae dan sawdl goresgynwr, os oes gobaith o'i gweld yn gyflawn unwaith eto. Mae de Gaulle wedi gofyn imi ysgrifennu adroddiad ar lywodraeth Ffrainc wedi'r rhyfel. Os gwna i waith da, hwyrach y bydd yn cytuno i weithredu fy nghynllun nyrsio,

neu efallai y bydd yn rhoi gwaith cudd imi ei wneud yn Ffrainc. Rwy wedi bod yn anfon fy ngwaith ato fesul pennod.'

* * *

Wrth i Simone ysgrifennu, eisteddai Pascal wrth ei ddesg yntau yn swyddfa'r Ffrainc Rydd, gan ddarllen y bennod ddiweddaraf o waith Simone. Fel crynodeb, roedd braidd yn hir. Pe bai'n mynd ymlaen fel hyn, fe fyddai'r crynodeb yn hirach na'r pamffledi i gyd gyda'i gilydd. Ond ni fyddai ots gan Pascal am hynny. Roedd wedi ei gyfareddu.

'Mae cyfrifoldeb arswydus arnom,' darllenodd. 'Gan nad yw'n ddim llai na chwestiwn o ail-lunio enaid y genedl, ac mae'r demtasiwn i wneud hyn drwy droi at gelwydd neu at hanner-celwydd mor gryf fel bod angen arwriaeth anghyffredin er mwyn aros yn ffyddlon i'r gwirionedd.

'Cyn belled ag y mae ein gwlad yn y cwestiwn, mae'r syniadau o wreiddiau, o'r cyfrwng bywiol, yn holl bwysig. Yn union fel y ceir rhai amgylcheddau arbennig ar gyfer creaduriaid meicrosgopig, yn union fel y ceir mathau arbennig o bridd ar gyfer planhigion arbennig, felly hefyd y ceir rhan arbennig o'r enaid ymhob un, a rhai dulliau arbennig o feddwl a gweithredu sy'n cael eu trosglwyddo o un person i'r llall ac sydd ond yn gallu bodoli mewn cyd-destun cenedlaethol, ac sydd yn diflannu pan ddinistrir cenedl.

'Mae ymrwymiad i'n gwlad yn beth amlwg. Nid yw'n mynnu ein bod yn rhoi popeth bob amser; ond ein bod yn rhoi popeth weithiau.'

Eisteddai Dewi wrth ei gyfrifiadur yn yr Hafan, i ysgrifennu. Ond, am unwaith, nid llythyr at Meinwen oedd hwn, na chwaith ddatganiad i'r wasg na thaflen ymgyrchu. Roedd yn ysgrifennu at John Sayle.

Fel Meinwen, roedd yntau bellach wedi alaru ar ddulliau ymgyrchu traddodiadol; nid oeddent ond fel petaent yn creu mwy o elyniaeth. Fel Meinwen, fe benderfynodd am y tro cyntaf yn ei fywyd i weithredu ar ei ben ei hun, heb gyfeirio at neb arall.

Ni allai ddioddef yr hyn yr oedd Sayle yn ei ddweud am Meinwen. Roedd wedi ei hadnabod hi am ugain mlynedd. Ni ynganodd hi erioed yr un gair gwrth-Seisnig; roedd hi wedi ymgyrchu dros bob achos adain-chwith ar y blaned; roedd hi'n byw ar y nesaf peth i ddim ac yn rhoi ei holl arian sbâr i'r tlodion; buasai'n well ganddi farw na gadael i syniad hiliol groesi ei meddwl. Braidd yn fygythiol oedd y sôn hwnnw am farw, meddyliodd. Ond eto, nid oedd yn ddim mwy na'r gwir plaen, felly fe fyddai'n dweud hynny.

Penderfynodd wneud apêl bersonol i Sayle. Marciodd ei e-bost '*Private and Confidential*', ac roedd am ei hanfon at y cyfeiriad e-bost a roddodd Sayle ar ddiwedd ei erthyglau – arfer yr oedd y papur newydd a'i cyflogai yn ei arddel ar gyfer ei holl gyfranwyr staff. Roedd Dewi am apelio at gydwybod Sayle. A chymryd bod un ganddo. Fe allai ei fod yn rhywun cynddeiriog o wrth-Gymraeg, ond roedd serch hynny'n fod dynol. Felly roedd Dewi am ofyn iddo ystyried mai bod dynol oedd Meinwen hefyd ac i geisio deall pam roedd hi'n gwneud yr hyn roedd hi'n ei wneud. A oedd Sayle yn ceisio ei lladd hi drwy ennyn yr holl gasineb yma yn ei herbyn? A fuasai ef ond yn fodlon pan fyddai Meinwen a'r iaith Gymraeg yn farw? Onid oedd yn hen bryd iddo roi'r gorau i'r casineb?

Edrychodd ar y neges orffenedig, a chribo drwyddi unwaith yn rhagor am unrhyw wallau arddull neu iaith. A oedd yn gwneud y peth iawn yn ei hanfon? Nid wyddai. Ond roedd wedi marcio'r neges fel un breifat, ac roedd hynny'n golygu na châi ei chyhoeddi. Felly ni allai wneud unrhyw niwed. Beth oedd y gwaethaf allai ddigwydd? Byddai Sayle yn gwybod faint yr oedd yn eu brifo nhw, ac fe allai gael pleser allan o hynny a chael ei annog i ymosod arnynt hyd yn oed yn fwy. Ond go brin y gallai wneud mwy nag yr oedd yn ei wneud ar hyn o bryd, felly faint gwaeth fydden nhw?

Pwysodd 'Send.'

Eisteddai Simone yn ei gwely gan ysgrifennu yn ei llyfr nodiadau. Treuliai fwy a mwy o amser yn y gwely; er mai'r haf oedd hi, fe deimlai'n oer drwy'r amser, ac roedd fel petai ganddi lai o egni bob dydd. Efallai mai hinsawdd ogleddol Lloegr oedd yn gyfrifol. Efallai ei bod wedi bod yn gorweithio. Efallai mai straen alltudiaeth oedd yn effeithio arni.

Daeth cnoc ar y drws. Straffagliodd Simone o'r gwely, a chan daflu ei chlogyn o amgylch ei hysgwyddau aeth i weld pwy oedd yno.

Yn y drws safai hen ddyn blinedig yr olwg. Roedd allan o wynt ar ôl dringo'r grisiau.

'Mrs Evans?' meddai, yn ansicr.

'Mae'n ddrwg gen i, na,' meddai Simone. Roedd hi'n rhugl ei Saesneg, er bod ei hacen Ffrengig yn gref. 'Mae hi'n byw yn y fflat islaw.'

Edrychodd gyda phryder ar gyflwr blêr y dyn.

'Ydych chi'n iawn?' gofynnodd iddo.

'Ydw,' meddai'r henwr. 'Y peth yw, dwi erioed wedi bod yn yr adeilad yma o'r blaen. Welwch chi, fe gafodd fy nhŷ ei fomio neithiwr. Mrs Evans yw cyflogwr fy merch, ac mae hi wedi cynnig, yn garedig iawn, imi ddod i aros gyda hi. Mae'n rhaid mod i wedi cael y rhif anghywir. Mae'n ddrwg gen i darfu arnoch chi, miss.'

'Mae'n iawn.'

Trodd i fynd. Roedd Simone ar fin cau'r drws, wedyn yn sydyn fe alwodd ar yr hen ddyn. 'Arhoswch.'

Aeth i'w hystafell a chodi ei llyfr dogni oddi ar y bwrdd. Rhwygodd fwy na hanner y tocynnau allan ohono gan eu rhoi nhw i'r hen ddyn.

'Dyma chi, cymerwch y rhain.'

'Alla i ddim cymryd y rhain i gyd, miss! Dy'ch chi ddim yn gadael digon i fwydo aderyn.'

'Na, wir ichi, mae'n ddigon imi.' Gwenodd. 'Rwy o ddifri, cymerwch nhw.'

Caeodd y drws, gan adael yr hen ddyn i syllu arno. Rhoddodd y tocynnau dogni yn ei boced yn ddiolchgar ac aeth i lawr y grisiau.

Roedd Meinwen wedi hen arfer â gorfod paratoi ei hun cyn agor y papur newydd ar ddiwrnod cyhoeddi colofn John Sayle. Nid oedd heddiw'n eithriad, wrth iddi agor y papur a dechrau ei ddarllen uwchben brecwast. Agorodd y papur ar dudalen Sayle a dechrau darllen. Rhewodd. Darllenodd y golofn eto. Ni fedrai gredu'r peth! Ond dyna lle'r oedd, mewn du a gwyn.

Roedd Sayle wedi cyhoeddi, yn llawn, destun e-bost a anfonwyd ato gan Dewi yn ymbil arno i adael llonydd i Meinwen. Y teitl a roesai'r papur ar yr erthygl oedd '*Don't Kill my Green Virgin*,' ac roedd Sayle wedi rhagflaenu'r testun drwy ddweud bod dau ymgyrchydd ffanatigaidd wedi cyfaddef o'r diwedd eu bod yn cracio o dan straen eu gweithgareddau sinistr.

Teimlodd Meinwen y gwarth yn ei throchi fel y dŵr oer o gawodau'r carchar. Beth yn enw Duw oedd yn bod ar Dewi yn gwneud y ffasiwn beth? Dim ond am fis y buodd o allan o'i chwmni, ac roedd o wedi gwallgofi. Gallen nhw anghofio'u hymgyrch deddf eiddo nawr. Roedden nhw'n edrych fel cwpwl o actorion opera sebon eilradd yn llusgo'u carwriaethau drwy'r wasg. Caeodd y papur. Doedd hi ddim eisiau ei ddarllen eto. Doedd hi ddim eisiau darllen unrhyw beth eto. Gwthiodd ei phlât brecwast oddi wrthi. Doedd hi ddim eisiau bwyta dim byd eto, na gweld neb eto, na gwneud unrhyw beth byth, byth eto.

* * *

Y noson honno, tra'n gorwedd ar ei gwely bync, dechreuodd Meinwen feddwl tybed pam nad oedd hi'n teimlo'n llwglyd, er ei bod wedi gwrthod pob pryd o fwyd y diwrnod hwnnw. Roedd fel petai'r anobaith llwyr a deimlai wrth feddwl am dwpdra affwysol Dewi a chreulondeb Sayle wedi lladd yn llwyr y mymryn o awydd bwyd oedd arni. A oedd modd marw o golli ffydd, tybed, meddyliodd.

Dyna pryd daeth y syniad iddi. Fe allai hi ennill o hyd. A gallu dianc rhag yr holl boen ar yr un pryd. Roedd y cyfan yn syml.

Fe fyddai'n cyhoeddi ei bod am ymprydio i farwolaeth oni bai bod deddf eiddo'n cael ei phasio er mwyn diogelu cymunedau Cymraeg. Roedd hi'n ffigwr mor adnabyddus fel y byddai'n cael cyhoeddusrwydd eang iawn. A byddai pobl yn gwybod, gan mai hi oedd yn dweud, nad brygowthan yn wag yr oedd hi, ond bod bwriad sefydlog ganddi. Fe âi mater y ddeddf eiddo yn syth i'r tudalennau blaen. A byddai'r cydymdeimlad cyhoeddus ar gyfer merch ifanc – neu gymharol ifanc – yn ymprydio i farwolaeth dros ei hachos yn dileu holl eiriau Sayle ar un strôc gan gau ei geg am byth. A beth oedd yn well, fe wyddai hi'n union sut y byddai'r cyfan yn gweithio allan. Ni fyddai'r llywodraeth yn ildio i bwysau yn syth. Roedd ymgyrchoedd yn cymryd amser i fagu momentwm, ac fe fyddai unrhyw newid polisi yn cymryd misoedd o leiaf. Ni fynnai Meinwen roi amser iddyn nhw. Byddai'n cychwyn ei hympryd yn syth. Faint o'i dedfryd oedd ar ôl? Deufis. Hen ddigon. Erbyn i'r llywodraeth fod yn barod i ganiatáu i'r ddeddf gael ei thrafod yn gyhoeddus mi fyddai hi allan ohoni. Yn farw. Byddai ei chefnogwyr, gyda'i hesiampl i'w hysbrydoli, a chyda'r grym moesol a brynwyd gan ei marwolaeth, yn gwneud yn siŵr bod y ddeddf yn cael ei phasio. Hi fyddai'n ennill. Ac mi fyddai wedi canfod tangnefedd o'r diwedd.

Dringodd i lawr o'r bync, estynnodd am ei phapur

ysgrifennu, a dechreuodd gyfansoddi llythyr i'r cyfryngau Cymreig. Ei hewyllys olaf, a fyddai'n prynu bywyd Cymru. Dechreuodd gyda dyfyniad gan Simone Weil. Gwyddai'r darn ar ei chof:

'Y cyfan yw ein bodolaeth mewn gwirionedd yw Efe yn aros am inni gydsynio i beidio â bodoli. Y mae bob amser yn crefu gennym ni'r fodolaeth honno a roddir ganddo yn y lle cyntaf. Mae'n ei rhoi inni er mwyn ei gofyn yn ôl gennym drachefn. Ni feddwn ar un dim yn y byd hwn heblaw'r gallu i ddweud 'Fi'. Dyma'r hyn y dylem ei ildio i Dduw, a dyma'r hyn y dylem ei ddifa.'

Pan gyrhaeddodd ei bost y diwrnod hwnnw, fe aeth Pascal drwyddo'n gyflym gan chwilio am y pecyn y gobeithiai ei gael gan Simone. Pan ddaeth o hyd iddo, gadawodd y gweddill o'r llythyrau heb eu hagor ac aeth â llawysgrif Simone at y ffenestr er mwyn ei darllen.

'Y mae pob Ffrancwr wedi dod i deimlo realaeth Ffrainc drwy gael eu hamddifadu ohoni,' darllenodd. 'Y mae'r teimlad hwn tuag at rywbeth prydferth, gwerthfawr, bregus a marwol yn deimlad poenus o dyner, ac mae cynhesrwydd yn perthyn iddo nas ceir o gwbl tuag at y teimlad o fawredd a rhwysg cenedlaethol. Mae'r ffynhonnell fywiol sy'n ei ysbrydoli yn un berffaith bur, ac mae wedi ei llenwi â dwyster eithriadol. Onid yw dyn yn gallu cyflawni pethau arwrol er mwyn amddiffyn ei blant neu ei rieni oedrannus? Ac eto ni pherthyn yr un rhithyn o fawredd i'r pethau hynny.'

*   *   *

Yn Holland Park, rhoddodd Simone ei chynllun nyrsio rheng-flaen i fewn i'w bag. Ymestynnodd am ei llawlyfr cymorth-cyntaf o'r silff, ond bu raid iddi oedi wrth i bwl creulon o besychu ysgwyd ei chorff tenau. Yn y man, pan dawelodd y peswch, fe gydiodd yn y llyfr, ei roi yn y bag, a mynd allan o'r fflat. Ar waelod y grisiau, bu'n rhaid iddi oedi er mwyn cael ei gwynt ati cyn agor y drws i'r stryd. Tynnodd ei chlogyn amdani ac aeth i chwilio am y bws a fyddai'n mynd â hi i swyddfa Ffrainc Rydd.

* * *

Yn y swyddfa honno, daliai Pascal i ddarllen, gan wynebu'r ffenestr, a'i gefn at ei ddesg.

'Gall y teimlad o wendid ennyn cariad yn yr un modd ag y gall y teimlad o gryfder wneud hynny, ond yn yr achos cyntaf y mae'r fflam yn burach o lawer. Mae'r tosturi a deimlwn tuag at freuder yn cael ei gysylltu bob amser â chariad at brydferthwch go iawn, a hynny gan ein bod ni'n boenus o ymwybodol o'r ffaith y dylai'r pethau gwirioneddol brydferth fodoli am byth, ac nad yw hynny'n digwydd.

'Gallwn naill ai garu Ffrainc oherwydd y gogoniant a fyddai fel petai'n sicrhau ei bodolaeth ym myd amser am gyfnod hirach; neu fe allwn ei charu fel rhywbeth sydd, gan ei bod yn ddaearol, yn gallu cael ei ddinistrio, ac sydd yn fwy gwerthfawr oherwydd hynny. Pontydd at y dwyfol yw'r gwir fendithion daearol . . . os ydym am barchu gwledydd tramor, rhaid inni wneud ein gwlad ein hunain nid yn eilun ond yn hytrach yn garreg i gamu tuag at Dduw.'

Agorodd de Gaulle y drws heb guro arno. Ni sylwodd Pascal – oedd â'i gefn at y drws, ac a oedd wedi ymgolli yn ei ddarllen.

'Synfyfyrio, Pascal?'

'Na, Syr!' Trodd Pascal o amgylch a sefyll yn syth. Ac yntau wedi ei synnu, fe siaradodd yn fyrfyfyr.

'Mademoiselle Weil . . . yr astudiaeth y gofynnoch chi iddi ei hysgrifennu.'

Ni ddangosai wyneb de Gaulle ei fod yn cofio'r sgwrs. Esboniodd Pascal ymhellach.

'Yr Iddewes ifanc oedd eisiau bod yn nyrs rheng-flaen.'

Gwawriodd yr adnabyddiaeth ar de Gaulle. Nodiodd, gyda golwg o eironi yn cyrlio'i wefus.

'Yr astudiaeth roeddech chi wedi gofyn amdani ar ddyletswyddau Ffrainc ar ôl y rhyfel. Mae hi wedi bod yn ei hanfon hi ata i fesul pennod. Rwy newydd ddarllen y bennod ddiweddara.'

'Ac?'

'Ac mae'n . . . syfrdanol. Dyfnder, eglurder ei gweledigaeth o'r hyn y dylai cenedl fod. Ei phwysigrwydd i'r enaid dynol. Mae'n gwneud i'r pethau hyn . . .' Edrychodd o amgylch ar y faner a'r mapiau ar y waliau. 'Maddeuwch imi, mae'n gwneud iddyn nhw edrych fel teganau plant.'

Crychodd talcen de Gaulle, ond gallai weld bod Pascal wedi ei gyffwrdd gan rywbeth y tu hwnt i'r cyffredin. Roedd y cadfridog yn ormod o bragmatydd i fod yn barod i wastraffu rhywbeth mor ddefnyddiol, hyd yn oed os nad oedd ef ei hun yn rhannu'r brwdfrydedd . Meddyliodd am ychydig.

'Felly. Os gall hi ysgrifennu mor rymus â hynny, gadewch inni wneud yn sicr ei bod hi ar ein hochr ni. Bydd angen i Ffrainc ail-lunio ei henaid ar ôl y rhyfel. Gofynnwch i'r ferch yma ddod i fewn. Dwedwch wrthi y bydda i'n cwrdd â hi'n bersonol.'

Nodiodd Pascal.

* * *

Yn y stryd tu allan, fe dynnodd y bws at y palmant. Daeth Simone allan, ac edrych i lawr y stryd i ble'r oedd y faner drilliw yn dynodi pencadlys y Ffrainc Rydd, ryw ganllath i ffwrdd. Dechreuodd gerdded i'r cyfeiriad hwnnw ond, yn sydyn, fe deimlai fod yr adeilad yn ymddangos yn bellach i ffwrdd. Ciliai oddi wrthi. Roedd yr adeiladau o'i hamgylch hefyd yn newid eu hagwedd; yn siglo. Ysgydwyd corff Simone gan bwl arall o besychu. Cododd düwch fel llanw i'w hymennydd. Cwympodd i'r palmant. Rhuthrodd y bobl gyfagos i'w helpu. Roedd hi y tu allan i adeilad y Ffrainc Rydd. Uwch ei phen, roedd y faner drilliw yn cyhwfan yn yr awel.

Eisteddodd Meinwen ar ei bync yn ailddarllen ei llythyr. Yn y bore, gallai ofyn i'r swyddog ar ddyletswydd ei bostio drosti. Roedd hi'n llwyr ymwybodol y deuai'r llythyr hwn yn destun sanctaidd. Hwn oedd ei *Buchedd Garmon*, ei *Gettysburg Address*, ei pheroriaeth '*I have a dream*'. Roedd rhaid iddo fod yn dda. Ac mi oedd. Gwyddai Meinwen fod ei harddull ryddiaith yn effeithiol, a bod hon yn enghraifft dda ohoni. Y gwaith gorau iddi ei wneud erioed, o bosib. Y gwaith olaf a wnâi, yn sicr.

Teimlodd ias o falchder wrth feddwl sut y deuai'r geiriau hyn yn rhan o ymwybyddiaeth y Cymry, yn cael eu cadw ar y cof, eu hadrodd, eu troi'n bosteri ac yn gardiau post. Hwyrach y byddai ei hwyneb yn ymddangos ar nwyddau hefyd, fel rhyw fath o Che Guevara Cymreig. Mei Guevara, efallai. Cyfle masnachu gwych, meddyliodd. Dylai sefydlu *franchise*. Biti na fyddai'n elwa arno.

Teimlodd bang o euogrwydd hefyd. Byddai pobl yn meddwl ei bod wedi gadael y byd hwn o'i hanfodd. Byddent yn crio ac yn galaru drosti. Byddai pobl nad oedden nhw erioed wedi cwrdd â hi yn wylo o'i phlegid. Ac eto roedd hi'n falch o gael marw. Nid oedd hi'n gresynu gadael Cymru, na gadael bywyd, a'r ddau erbyn hynny yn golygu yr un peth yn union. Pe byddai'n byw, byddai'n rhaid iddi weld yr iaith yn marw, ac ni allai ddioddef hynny. Pe byddai'n marw, fe allai'r iaith fyw. Doedd dim dadl mewn gwirionedd. Doedd hi ddim yn arswydo o feddwl am galedi'r ympryd hyd yn oed. Ers blynyddoedd ni chafodd unrhyw bleser mewn bwyd. Dim ond dilyn pethau i'w casgliad naturiol yr oedd hi.

* * *

Roedd ffenestri'r ward yn Sanatoriwm Ashford ar agor, a'r llenni gwynion yn chwythu'n araf. Wrth y ddesg ar un pen i'r ward, roedd y meddyg yn trafod gyda'r nyrs hŷn achos y claf ifanc rhyfedd o Ffrainc. Ym mhen arall y ward, lle'r agorai'r ffenestri ar gefn-gwlad gogoneddus Swydd Caint, roedd gwely; ynddo roedd ffigwr tenau gyda gwallt tywyll. Edrychodd y meddyg ar nodiadau'r claf gyda phryder ar ei wyneb.

'Y diciâu. Yn ddifrifol. Darlithydd athroniaeth yw hi, meddech chi?' Ysgydwodd ei ben. 'Ers pryd mae hi fel hyn?'

'Ers misoedd, mae'n rhaid,' meddai'r nyrs. 'Mae hi wedi bod yn esgeuluso'r cyflwr. Os oedd hi'n gwybod bod y cyflwr arni o gwbl. Mae'n sicr wedi bod yn esgeuluso'i bwyta. Allwn ni mo'i pherswadio hi i fwyta dim. Dim ond tri deg pedair oed yw hi. Mae fel petai hi wedi colli'r ewyllys i fyw.' Edrychodd i lawr y ward at y ffigwr yn y gwely.

'Gobeithio ddim,' meddai'r meddyg. 'Fe wna i rai ymholiadau pellach. Hwyrach bod teulu neu ffrindiau ganddi. Gweithio i'r Ffrainc Rydd mae hi, yn ôl ei cherdyn adnabod.'

Rhoddodd y nodiadau yn ôl i'r nyrs cyn mynd allan o'r ward. Cerddodd y nyrs i lawr i'r lle y gorweddai Simone, ei llygaid yn wynebu'r ffenestr agored. Edrychodd y nyrs gyda gofid ar y fowlen o fwyd oedd heb ei chyffwrdd ar hambwrdd Simone. Eisteddodd i lawr.

'Da chi, Miss Wile, ceisiwch fwyta rhywbeth.'

Dim ond gwenu wnaeth Simone. Ceisiodd y nyrs gynnig rhywfaint o gawl iddi ar lwy, ond trodd Simone ei phen ymaith. Rhoddodd y nyrs y gorau i'w hymgais, ac aeth â'r hambwrdd allan. Daliodd Simone i edrych allan o ffenestr y sanatoriwm at y cefn-gwlad hyfryd, a'r awyr las, agored.

Beth feddylien nhw ohoni? Ystyriodd Meinwen sut y buasai ei marwolaeth yn effeithio ar ei chyfeillion. Byddai Mallwyd yn gwneud santes ohoni, roedd hynny'n sicr. Byddai hi yno gydag Ann Griffiths a Mari Jones y Bala. Byddai'n cael cerflun, siŵr o fod. Llyfr yn sicr. Beth am Bedwyr, Arianrhod a Gethin? Bydden nhw'n cael mwy o *gravitas*, ac yn derbyn rhyw awyrgylch o dynged trist drwy eu hir gyfeillgarwch â Meinwen Ferthyr. Wnâi hynny ddim niwed iddyn nhw, debyg iawn. I'r gwrthwyneb. Merthyrdod dirprwyol; caent yr holl barch heb orfod marw eu hunain. Y gorau o ddau fyd. A beth am Dewi?

Dewi.

Beth fyddai'n digwydd i Dewi? Roedd o'n ei charu; roedd hi'n gwybod hynny'n awr. Dyna ffaith a wthiwyd o'i hymwybyddiaeth tan yn awr; rhywbeth a ohiriwyd i aros diwrnod gwell pan fyddai'r frwydr ar ben. Diwrnod na ddoi byth. Rhaid oedd iddi gymryd y cariad hwnnw o ddifrif. Roedd hi wedi gweld yn barod yr effaith a gafodd ei habsenoldeb ar Dewi am gyn lleied â mis, a'r hyn a wnaeth ef o'r herwydd. Beth petai'r absenoldeb yn un parhaol? Fyddai Dewi byth yn maddau iddo'i hun. Byddai Meinwen yn ei ladd ef yn ogystal â hi ei hun. A oedd ganddi'r hawl i wneud hynny?

Yn ei chell dywyll, meddyliodd Meinwen sut, cyn hir, y byddai tywyllwch parhaol yn cau o'i hamgylch wrth i un ar ôl y llall o'i synhwyrau gau i lawr drwy ddiffyg maeth. Fe ddoi'r amser hwnnw ymhen ychydig wythnosau. Pe dymunai, gallasai amcangyfrif faint o oriau oedd yn weddill cyn y byddai ei chalon yn peidio â churo ac y byddai'r tywyllwch yn ei llyncu. Ac wedyn . . .? Ni fyddai unrhyw wedyn. Ni fyddai yna ddim. Yn sydyn, fe ysai am deimlo breichiau Dewi o'i hamgylch, a'i ddal o, a chael ei dal ganddo, am byth.

Gorwedd yn ei gwely yr oedd Simone, yn ddiweddarach y diwrnod hwnnw, pan ddaeth ymwelydd arall, gan gerdded ar hyd y ward hir i lawr ati.

'Mademoiselle Weil?'

Cododd Simone ei llygaid o glywed acen Ffrengig. Offeiriad Catholig oedd yno, yn gwisgo lifrai caplan ym myddin y Ffrainc Rydd. Eisteddodd i lawr a gafael yn ei llaw.

'Dywedon nhw wrtha i eich bod chi yma,' meddai. 'Oes unrhyw beth y galla i ei wneud i chi?'

'Mae'n ddrwg gen i, Tad. Dwi ddim yn perthyn i'ch eglwys chi.'

Gwyddai'r offeiriad reolau ei eglwys yn drylwyr. Ond caplan rheng-flaen oedd ef. Gwyddai fod yr hyn a ddigwyddai ar faes y gad yn flêr ac yn amhosib i'w rag-weld, ac nad oedd yn cyd-fynd â'r llawlyfr milwrol; gwyddai hefyd nad oedd gan awdurdodau canolog yr eglwys unrhyw ddylanwad dros yr hyn a fyddai rhwng enaid in extremis *ar faes y frwydr ac un o weinidogion Duw. Roedd wedi rhoi gollyngdod maddeuant i'r cableddwyr butraf, ac wedi iro anffyddwyr rhonc ag olew sanctaidd wrth iddynt ymadael â'r byd hwn. Roedd wedi gweddïo gyda milwyr Almaenig wrth iddynt farw. Byddai Duw yn deall. Efallai nad maes y gad oedd y sanatoriwm hwn. Ond, Duw a ŵyr, roedd ar yr enaid hwn ei angen ef.*

'Fy merch, dyw eich cefndir chi ddim o bwys. Rwy wedi clywed am eich awydd i gael eich bedyddio. Mewn achos fel hwn . . . Dydyn ni byth . . . dydyn ni byth yn gwybod pryd y daw ein hawr. Ga i gynnig ein sagrafennau sanctaidd ichi?'

Edrychodd Simone allan o'r ffenestr eto. Sibrydiad yn unig oedd ei llais.

'Diolch ichi. Ond dyw hynny ddim wedi'i ganiatáu imi. Pe bawn i'n dymuno eu derbyn, fyddwn i ddim yn deilwng o'u derbyn nhw. Gallaf weld y sagrafennau o bell. Dyna'r cyfan y gallaf i ei ddisgwyl.'

Chwythodd yr awel y llenni'n dyner. Eisteddodd yr offeiriad, gan ddal llaw Simone. Ni ddywedodd air. Edrychai Simone fel petai wedi anghofio ei fod yno. Ar ôl rhyw bum munud, cododd yr offeiriad o'i sedd a dechreuodd ryddhau ei law, dim ond i deimlo bysedd tenau'r ferch yn cau am ei rai ef.

'Os gwelwch yn dda,' meddai hithau, heb agor ei llygaid. 'Pan oeddwn i'n eneth fach, fe ddaliais law milwr. Roeddwn i'n cofio'r peth yn awr.'

Eisteddodd yr offeiriad eto. Cymerodd ei llaw denau hi yn ei rai ef.

Aeth llais Simone yn ei flaen, gan siarad nid â'r offeiriad mwyach, ond â hi ei hun, fel pe bai'n parhau â rhyw ddeialog fewnol. Deialog a oedd bellach yn cyrraedd ei therfyn.

'Gweld tirwedd pan dwi ddim yno . . . ble bynnag bydda' i, bydda i'n tarfu ar dawelwch y nefoedd drwy anadlu, drwy fod 'y nghalon yn curo.'

Gwyddai'r offeiriad nerth geiriau. Gwyddai hefyd pan oedd geiriau'n ddi-rym. Arhosodd yn dawel. Edrychodd ar law welw Simone yn ei law yntau. Yn ei feddwl gweddïodd dros yr eneth ryfedd hon.

Ni fedrai gofio am faint y bu'n eistedd yno pan sylwodd fod y llaw yn ei law yntau wedi oeri. Edrychodd i fyny ar Simone. Roedd hi wedi mynd, yn ddisylw ac yn dawel. Fe ryddhaodd ei law yn araf o'i gafael, gan osod ei llaw hi ar ei brest. Gwnaeth yr un peth â'i llaw arall. Wedyn, fe ymsythodd, a gwneud arwydd y groes.

Bu'n noson hir. Gyda chwsg marwolaeth yn ddim ond ychydig o wythnosau i ffwrdd, ni theimlai Meinwen unrhyw awydd i wastraffu gormod o'r oriau gwerthfawr oedd yn weddill iddi drwy gysgu. Roedd hi wedi gorwedd ar ddihun am oriau, gydag atgofion am yr holl bethau da yr oedd yn eu gadael ar ôl yn rhedeg fel ffilm cartref ar sgrin ei chof. Roedd y busnes marw yma'n mynd i fod yn anos nag yr oedd hi wedi tybio. Roedd hi wedi rhag-weld y llenni'n cau'n osgeiddig, nid y rhwyg alltudiol hon oedd yn ei chacthgludo o'i chartref fel un o bentrefwyr Capel Celyn; y dynged hon oedd yn ei gyrru o'i haelwyd, yn dinistrio'r adeilad o'i hôl wrth iddi wylio, heb fedru gwneud dim. Roedd hi'n dymuno i bopeth aros yr un fath. Hermon i aros ar agor am byth; y Criw i aros gyda'i gilydd; y Mudiad i fod yn dal i ymgyrchu ac yn dal i ennill; Cymru i fod y gymuned gynnes a fu'n gynefin iddi ers ei phlentyndod; Dewi i fod yno o hyd.

Cysgodd o'r diwedd, ond yn ddiorffwys. Gwelodd benawdau'n sôn am ei haberth. Gwelodd luniau ohoni'i hun ar bosteri a chloriau cylchgronau, yr atgynyrchiadau parchus o'i llythyr dirdynnol olaf. Roedd yn rhy hwyr i dynnu'n ôl. Roedd y dyfroedd yn codi a phopeth a fu'n gyfarwydd iddi yn troi'n llyn llonydd, ac ni fyddai'n adnabod dim byd arall, am byth. Ceisiodd feddwl am ei cheraint: ei rhieni, Dewi. Ond roedd eu hwynebau wedi pylu fel pe baent yn cael eu gweld drwy ddŵr. Boddwyd yr Hafan, gyda'i holl bosteri, ei holl lyfrau a gobeithion. Boddwyd Hermon, gyda'i seddi a'i lyfrau emynau. 'Achub fi, O Dduw, canys y dyfroedd a ddaethant i mewn hyd at fy enaid.' Ceisiodd ddwyn wyneb Iesu o flaen ei meddwl. Ble'r oedd ef nawr pan oedd hi, o'r diwedd, yn dilyn ei esiampl hyd yr eithaf? Wedi pylu roedd ei wyneb yntau hefyd. Yr holl weddïau a glywodd hi erioed, yr holl obeithion a'i hysbrydolodd – roedden nhw i gyd yn ddiwerth. Nid oedd gan yr un ohonyn nhw gysur iddi. Dim ond sŵn oedden nhw, fel y drymio undonog a glywsai yn y brotest yn Hwlffordd, pan oedd wedi pwyso'n ôl yn erbyn y dderwen gyda Thomas Ozark.

Gallai weld wyneb y shaman yn eglur. *'Don't lose heart,'* meddai. *'Everything must change.'*

Rhaid i bopeth newid. Dim ond yn awr, pan oedd yn rhy hwyr, y deallodd Meinwen beth roedd hyn yn ei olygu. Ni olygai y dylai dderbyn ei dinistr personol yn ffatalaidd; ni olygai gred y Mudiad fod modd gorfodi amgylchiadau i ffitio eu hideoleg, yn groes i bob tystiolaeth; ni olygai ychwaith sefyll fel castell tywod a mynnu mai'r tonnau fyddai'n gorfod ildio yn y pen draw. Golygai gydnabod bod newid yn anochel; golygai farchogaeth ar donnau trawsffurfiad, gweithio gyda grymoedd newid, eu sianelu nhw i gyfeiriadau a fyddai'n gydnaws â goroesiad, a newid gyda nhw pan oedd angen. Dim ond marwolaeth fyddai'n deillio o fod yn ddigyfnewid. Bod yn hyblyg, addasu eich hun, dyna sut oedd goroesi.

Nid y dŵr oedd y gelyn. Symbol goroesiad oedd y dŵr. Nid oedd un dim yn ildio mor hawdd, ond ar yr un pryd nid oedd un dim mor ddyfalbarhaus, mor hydreiddiol, mor ddiwrthdro â dŵr. Gallai hyrddio, gallai anwylo, gallai foddi, gallai buro. Ond dŵr ydoedd o hyd, yn mynnu ei ffordd drwy dda neu ddrwg. Pe bai hi ond wedi gwybod hyn yn gynt. Pe câi ei hamser eto, tactegau'r dŵr nid tactegau'r castell tywod fyddai piau hi – ildio yma, ennill draw, weithiau'n ddiferyn, weithiau'n don, weithiau'n llyn hudolus, weithiau'n storom fygythiol, weithiau'n bur, weithiau'n llygredig, ond bob amser yn aros yr hyn ydyw, a phob amser yn goroesi. Roedd y peth mor greiddiol â greddf bywyd a oedd wedi llusgo gyntaf oll o'r dyfroedd i'r tir – esblygu, addasu ond, er mwyn popeth, byw.

Ond iddi hi, roedd y wers wedi dod yn rhy hwyr. Roedd Cymru gyfan bellach yn gwybod am ei phenderfyniad i farw. Sôn am ddoethineb drannoeth.

Deffrodd.

Y gell. Y bwlb golau. Y drws gyda'r ffenestr wylio. Y bwrdd erchwyn gwely, gyda'i llythyr i'r cyfryngau yn gorwedd arno.

Heb ei bostio.

Eisteddodd Meinwen i fyny. Medrai weld o hyd broffil

Thomas Ozark yn ei meddwl. Beth arall a ddywedodd o wrthi? Ie. 'Bydd gall fel sarff, ddiniwed fel colomen.'

Nawr roedd hi'n deall. Nawr roedd hi'n gwybod beth roedd yn rhaid iddi hi ei wneud.

Estynnodd am y llythyr, a'i rwygo'n ddau.

Gadael y capel wedi'r offeren yr oedd y Tad Perrin wrth i Thibon gerdded dros y clwysty tuag ato. Dan fraich y tirfeddiannwr roedd casgliad trwchus o lyfrau nodiadau. Amneidiodd Perrin ar i Thibon ddod drwodd i'r festri. Eisteddodd y ddau gyfaill. Rhoddodd Thibon y llyfrau nodiadau ar y bwrdd.

'Gweddïo dros ei henaid hi yr oeddwn i,' meddai Perrin.

'Rwy'n gwneud yr un peth,' meddai Thibon. 'Ac enaid mawr ydoedd hefyd.'

Edrychodd Perrin ar y llyfrau nodiadau.

'Ei rhai hi,' meddai Thibon. 'Fe wnaeth hi eu gadael nhw gyda mi. Rwy'n mynd i'w golygu nhw a'u cyhoeddi nhw. Meddwl roeddwn i efallai yr hoffet ti helpu?'

Cododd Perrin un o'r llyfrau ar hap, a darllenodd iddo ef ei hun am rai eiliadau. Wedyn edrychodd i fyny.

'Wrth gwrs,' meddai. 'Fe gawson ni'r fraint o adnabod santes. Mae'n ddyletswydd arnon ni i'w chyflwyno hi i eraill.'

Edrychodd ar y llyfr nodiadau unwaith eto, a darllenodd y geiriau'n dawel: 'Pan deimlwn yng nghalon ein bodolaeth yr angen am sŵn ystyrlon; pan grïwn am ateb a phan na chawn ateb, dyna pryd y cyffyrddwn â thawelwch Duw.'

Edrychodd y ddau ffrind ar y pentwr o lyfrau, gan gofio.

Dewi oedd ymwelydd cyntaf Meinwen. Cyn gynted ag y cafodd hi ei dedfrydu, roedd hi wedi anfon ato gerdyn angenrheidiol y Gwasanaeth Carchar yn rhoi hawl iddo ymweld. Roedd yntau wedi treulio'r mis canlynol yn tacluso trefniadau bywyd Meinwen, a adawyd ganddi mewn modd mor ddisymwth. Yn ogystal, wrth gwrs, roedd hefyd wedi anfon y neges e-bost drychinebus honno at Sayle. Yn awr, gyda'r tasgau hynny – y rhai defnyddiol a'r un ddinistriol – ar ben, roedd wedi gwneud y daith hir i'r man lle'r oedd Meinwen dan glo.

Dymunai Meinwen ei weld am lu o resymau. Ond y rheswm pwysicaf oedd er mwyn iddi ddweud wrtho ei bod wedi maddau iddo am yr e-bost. Er mor annoeth fu ei weithred, roedd hi'n deall pam yr oedd wedi ei chyflawni, ac roedd yn rhaid iddi roi gwybod iddo fod popeth yn iawn. Roedd hi wedi ysgrifennu ato i ddweud hynny, wrth gwrs, ond roedd rhaid iddi ddweud wrtho wyneb-yn-wyneb hefyd. Mae'n rhaid bod Dewi druan yn teimlo'n erchyll. Rhyfedd fod y carcharor yn teimlo tosturi dros yr ymwelydd, ond dyna sut yr oedd pethau y tro hwn. Gallai materion eraill, megis sut yr eid ati i adfer yr ymgyrch deddf eiddo, aros am y tro.

Arhosodd amdano wrth y bwrdd yn yr ystafell ymwelwyr. Aeth sgyrsiau eraill rhagddynt ar y byrddau cyfagos. Teimlai Meinwen mor gyffrous â phe bai ar ddêt am y tro cyntaf. Ac fe fu'n amser hir iawn ers iddi deimlo felly. O fod wedi edrych i wyneb angau, ac heb edrych ymaith, fe deimlai fywiogrwydd rhyfedd erbyn hyn. Teimlai fel pe bai wedi ei hachub o'r crocbren. Roedd ei bywyd i gyd o'i blaen. Ond yn gyntaf, rhaid oedd adfer Dewi.

Gwelodd Meinwen ef yn dod i fewn gyda'r swyddog carchar, a bwyntiodd at ei bwrdd hithau. Daeth Dewi draw ac eisteddodd. Er syndod i Meinwen, nid edrychai mor edifar nac mor benisel ag a ddisgwyliai, a hithau wedi darllen ei lythyrau ymddiheuriol ers y drychineb gyda cholofn Sayle. I'r gwrthwyneb, edrychai fel pe bai ganddo ryw gyffro i'w guddio.

'Mae'n iawn,' meddai yntau, wrth iddo dynnu cadair at y bwrdd. 'Fedran ni siarad Cymraeg. Dwedon nhw dy fod ti ddim yn *high security*, felly does dim rhaid dy fonitro di.'

'Da iawn.' Daeth Meinwen yn syth at y pwynt. 'Dewi, plîs

paid â phoeni am yr e-bost 'na. Dwi'n gwybod pam wnest ti 'i sgwennu o, a dwi'n gwybod mai dim ond trio fy helpu i oeddet ti. Dwi ddim yn dal dig am un eiliad.'

Edrychodd Dewi i lawr.

'Diolch iti, Meinwen,' meddai, yn ddarostyngedig. 'Rwyt ti'n fwy hael na dwi'n haeddu. Diolch iti am faddau imi.'

Cyffes, gollyngdod. Roedd y cyfan yn y gorffennol nawr.

Edrychodd i fyny ati.

'Mae gen i rywbeth i'w ddangos iti,' meddai.

Tynnodd ddarn o bapur o boced tu fewn ei gôt, a'i basio ar draws y bwrdd i Meinwen.

Darllenodd hithau'r geiriau. E-bost wedi'i allbrintio oedd o. E-bost gwahanol y tro hwn. Un a anfonwyd at Dewi, nid ganddo fe. Dim ond un paragraff oedd o, a dim ond ychydig eiliadau oedd eu hangen ar Meinwen i'w ddarllen ac i ddeall ei arwyddocâd. Caeodd ei llygaid.

'Diolch iti, Dduw,' meddai.

* * *

Ddeufis yn ddiweddarach, fe ddaeth diwrnod rhyddhau Meinwen o'r carchar. Fe fyddai'n ddiwrnod prysur. Roedd hi wedi cael ei bwcio i wneud cyfweliad *Wales on Wednesday.* Sôn am yr argyfwng tai gwledig y bydden nhw, a'r mentrau newydd a gyhoeddwyd gan Lywodraeth y Cynulliad y diwrnod hwnnw er mwyn mynd i'r afael â'r broblem.

Roedd Meinwen wedi darllen manylion y mentrau newydd yn y papur wrth iddi deithio yn y trên i Gaerdydd. Roedd Pwyllgor Cymunedau'r Cynulliad am ystyried mesur a gyflwynwyd gan y llywodraeth – mesur a oedd, i bob pwrpas, yn ddeddf eiddo. Mae'n debyg mai er mwyn ymddangos mor wahanol â phosib i 'Ddeddf Eiddo' y Mudiad yr oedd y llywodraeth wedi dewis i'r mesur y teitl 'Deddf Perchnogaeth Gyffredin Unffurf'. Tipyn o lond ceg, ond byddai'r ddeddf, a fyddai'n berthnasol i Gymru gyfan, yn cynnwys tair prif elfen. Yn y lle cyntaf, fe fyddai modd sefydlu *condominium* mewn strydoedd, pentrefi, blociau o fflatiau ac ystadau tai. Unrhyw gymuned ddaearyddol agos. Pe gwneid cais, gallai'r cymunedau hyn bleidleisio p'un ai a oeddynt yn dymuno dod yn gondominiwm ai peidio. Pe byddai mwyafrif o blaid, byddai pwyllgor o bobl leol yn creu'r rheolau eiddo cymunedol. Cytundeb cyfreithiol fyddai hwn. Ac un grymus hefyd. Byddai'r gymuned yn cael penderfynu ar ba ddyddiau y gellid rhoi'r sbwriel allan, i ba safonau y dylid cynnal a chadw'r tai, pa fath a pha nifer o anifeiliaid anwes y caniateid eu cadw, ac – yn allweddol – pwy oedd yn gallu prynu i mewn i'r gymuned. Egwyddor Americanaidd oedd hi, ond un na fuasai'r un pleidiwr y farchnad rydd yn gallu ei gwrthwynebu, gan mai trefniadau preifat fyddai'r rhain bob un. Ac yr oedd y goblygiadau ar gyfer y cymunedau hynny a oedd yn benderfynol o gadw'r Gymraeg fel iaith y mwyafrif yn amlwg iawn. Menter breifat yn hytrach na gorfodaeth y wladwriaeth oedd wrth wraidd hon. Ond fe fyddai'n gweithio.

Ail elfen y ddeddf oedd hyrwyddo Ymddiriedolaethau Tir Cyffredin, lle byddai grwpiau cymunedol, gan gynnwys cynghorau lleol, yn gallu prynu tai ar gyfer darpariaeth gymdeithasol, gan osod y cartrefi am bris fforddadwy drwy dynnu pris y tir allan o'r ddêl. Gallai'r cartrefi fod yn brydles neu'n rhydd-ddaliad. Unwaith eto, roedd yr arwyddocâd i gymunedau Cymraeg yn amlwg. Nid Deddf Eiddo'r Mudiad oedd hon mewn enw ychwaith, ond, er gwaethaf ei strwythur cyfreithiol gwahanol, fe fyddai'n sicr o gael rhywbeth yn debyg iawn i'r un effaith.

A'r drydedd elfen oedd addasiad o gynllun oedd eisoes yn weithredol mewn rhannau o Loegr – cynllun i adael i gynghorau adeiladu tai ar gyfer pobl leol yn unig, gan eu cynnig am bris fforddadwy ar yr amod na werthid y tŷ wedyn ond i berson lleol, ac am bris fforddadwy eto.

Roedd Meinwen wedi ei phlesio'n arw gyda'r newydd yma, oedd yn cyd-fynd yn agos â'r weledigaeth a gafodd hi yn y carchar, sef o droi dyfroedd hanes i felin yr iaith, gan wneud i rymoedd y byd modern weithio o'i plaid. Ond a hithau heb fod wedi cael cyfle i hyrwyddo'r syniad eto, roedd Meinwen wedi drysu sut y gallasai ymgyrch herciog y Mudiad fod wedi cael y llwyddiant ysgubol hwn, a hynny mor sydyn. Rhygnodd y trên ymlaen tuag at Gymru, tuag at y dyfodol, tuag at Dewi.

* * *

Wrth i Dewi a Meinwen arwyddo'r llyfr diogelwch yn nerbynfa'r stiwdio deledu, fe gawson nhw eu hunain yn sefyll yn ymyl Syr Anthony Thomas. Dychwelyd ei gerdyn adnabod ymwelwyr yr oedd y Ceidwadwr.

'Helô, Meinwen,' meddai. 'Croeso'n ôl i'r llwybr cul. Rwy'n falch o'ch gweld chi'n edrych mor dda. Ry'ch chi wedi magu pwysau os nad ydw i'n camgymryd – ac os nad yw hwnna'n beth *ungallant* i'w ddweud, wrth gwrs.'

Swniai'n ddiffuant, ond roedd ei arddull mor llyfn, roedd yn anodd gwybod.

'Diolch ichi. Ry'ch chi'n gadael yn barod?'

'Ydw. Dwi wedi bod yn gwneud cyfweliad am y ddeddf eiddo newydd. Y ddeddf eiddo *arfaethedig* ddylwn i ddweud.'

Meddyliodd Meinwen am haelioni Syr Anthony tuag ati ar y rhaglen deledu honno rai misoedd yn ôl. Ond nid oedd hi'n dymuno iddo feddwl bod un weithred garedig, gweithred ychydig yn nawddoglyd at hynny, yn golygu eu bod bellach yn ffrindiau. Hyd yn oed yn ei chyflwr newydd o ryddhad, roedd hi'n cadw at yr arfer o adael i faterion cyhoeddus benderfynu cyfeillgarwch personol. Felly fe ddywedodd, gyda thinc o sarcastiaeth: 'Ei gwrthwynebu hi fyddwch chi, mae'n debyg.'

'Wel, dwn i ddim am hynny,' meddai. 'Dipyn o *own-goal* fyddai hynny, a dweud y gwir, gan mai fi ddaru ei chael hi ar agenda'r Pwyllgor Cymunedau yn y lle cynta.'

Rhythodd Meinwen a Dewi arno. Aeth Syr Anthony ymlaen yn sgyrsiol.

'Wrth gwrs, doedd Haydn Davies ddim yn awyddus iawn i adael i'r mesur fynd drwodd at yr agenda o gwbl. Ond pan ddywedais i wrtho fo y bydden ni'n tynnu'n ôl ein cefnogaeth i'w fesur i gynyddu lwfansau'r aelodau oni bai iddo roi lle i'r mesur, fe newidiodd ei feddwl.'

'*Chi* ddaru ei gael o ar yr agenda? O'n i'n meddwl eich bod chi'n gwrthwynebu deddf eiddo!'

'Mi ydw i. Yn y ffurf roeddech chi'n ei bwriadu. Ond rwy'n cytuno gyda'r amcanion, ac os medrwn ni gyrraedd yr amcanion drwy ddulliau gwahanol, mae hynny'n iawn, yn tydy? Roeddech chi isio cael y peth ar yr agenda drwy anufudd-dod sifil. Mi ddefnyddiais i dipyn bach o *civility*. Roeddet ti isio'i wneud o drwy *sit-down protest*. Mi wnes i o drwy *sit-down meal*. Mae Haydn yn ddyn reit ddifyr unwaith ry'ch chi'n dod i'w nabod. Cwmni da. Ac yn llawn cydymdeimlad at y Gymraeg. Synnech chi. Hoff iawn o 'sgota, hefyd. Mae 'na ddarn o afon bysgota reit dda ar ystâd fy rhieni, a dwi wedi cynnig i Haydn ei ddefnyddio yn ystod y gwyliau.'

Roedd Meinwen yn ceisio treulio'r hyn yr oedd hi'n ei glywed. Botymodd Syr Anthony ei gôt. Swniai fel pe bai'n gwneud dim mwy na sgyrsio'n boléit am y tywydd.

'Ac wrth gwrs, os bydd yn treulio tipyn o amser mewn cymuned wledig Gymraeg, mi fydd Haydn yn deall arwyddocâd y mesur yn well pan ddaw i fyny ger bron y Cynulliad yn yr hydref. Mae'n sicr eisoes mai ei syniad o oedd y cyfan, ac mi fydd o'n swnio'n llawer mwy argyhoeddiadol ynglŷn â'r peth ar ôl iddo dreulio ychydig o amser yn Sir Ddinbych.'

Nid oedd Syr Anthony yn un am ddangos ei deimladau, ond roedd ei sioncrwydd wrth sôn am y strôc hon o bolisi cyhoeddus yn dangos ei fod yn teimlo'n ddigon balch o'i gamp. Gwyddai na fedrai ddisgwyl llongyfarchiadau gan Dewi a Meinwen, ond roedd yn amlwg fod ei longyfarchiadau mewnol ef ei hun yn ei gynnal. Roedd mwy o oleuni nag arfer yn ei lygaid. Gwenodd yn hunanfodlon ar y ddau ymgyrchydd.

'Rhaid imi fynd,' meddai. Cododd ei gês a mynd am y drws.

'O'n i ddim yn gwybod,' oedd y cyfan y medrai Meinwen ei ddweud.

Trodd Syr Anthony ati gyda gwên eironig. 'Gwleidyddiaeth, Meinwen,' meddai. 'Dyna be dwi'n 'wneud. Triwch o ryw dro.'

* * *

Dal i geisio dod i delerau â'r hyn a ddywedodd Syr Anthony oedd Meinwen wrth iddi eistedd yn yr ystafell werdd.

Meddyliodd Jayne, a oedd newydd goluro Meinwen, fod ei gwestai hyd yn oed yn fwy tawedog nag arfer. Ond, am y tro cyntaf erioed, nid oedd Meinwen wedi gwrthwynebu cael colur ar gyfer y sioe. Roedd hynny bron iawn yn destun pryder ynddo'i hun. Y beth fach, meddyliai Jayne; mae ei hysbryd wedi torri o'r diwedd.

Roedd Meinwen yr un mor dawel yn yr ystafell werdd ag y bu yn yr ystafell golur. Ni olygai hynny unrhyw beth i'r ddau banelydd arall, John Sayle a Max Fielding, AS. Nid oeddent mor ystyriol o les Meinwen ag yr oedd Jayne. Yn sicr, yn achos Sayle, ni phoenai am ei lles hi o gwbl. Ac nid oedd Fielding erioed wedi clywed amdani o'r blaen.

* * *

Er mai aelod seneddol Llafur dros etholaeth yn y Cymoedd oedd Max Fielding, nid edrychai fel pe bai'n perthyn i'r blaid honno na'r ardal honno chwaith. Fel cyfaill personol i'r Canghellor, fe gafodd ei roi ar y rhestr fer ar gyfer un o seddi mwyaf diogel y blaid, gan gael ei ddewis a'i ethol heb drafferth. Bu'r cyfan braidd yn sydyn, fe deimlai. Mewn gwirionedd, roedd wedi dweud wrth nifer o'i ffrindiau yn Llundain mai yn y Rhondda oedd ei sedd newydd, cyn iddo ganfod mai ugain milltir i ffwrdd o'r cwm hwnnw yr oedd hi mewn gwirionedd. Roedd wedi meddwl fod pob cwm yn y de yn rhan o'r Rhondda. Wel, mae rhywun yn dysgu rhywbeth newydd o hyd. Ond daethai i adnabod yr ardal yn raddol. Ac roedd yn benderfynol o wneud ei orau dros ei etholwyr, wrth gwrs. Roedd wedi prynu tŷ teras dwy-lofft yn gartref etholaethol. Roedd hyd yn oed wedi ystyried byw yno. Am tua hanner awr. Ond mewn gwirionedd, ni fuasai'r peth yn deg ar Hermione, a gan fod Cosmo ac Isobel mewn ysgol dda yn Islington mi fyddai'n anghyfrifol i'w tynnu nhw allan a'u rhoi nhw mewn rhyw . . . rhywle arall. Ond roedd yn ymweld â'r etholaeth bob dydd Gwener, yn rheolaidd. Oni bai ei fod ar daith dramor, wrth gwrs.

Roedd wedi ymateb i'r alwad i gymryd rhan yn y rhaglen heno gan nad oedd llefarydd arferol y blaid ar gael. Ceisiodd wrthod, gan na wyddai'r nesaf peth i ddim am yr iaith Gymraeg, ond roedd swyddfa ganolog y blaid wedi dweud y byddai'n iawn, dim ond iddo beidio â chael ei dynnu i fewn i fanylion. Y cyfan oedd yn rhaid iddo ei wneud oedd dweud y dylai'r pwyslais fod ar ysgolion ac ysbytai, a bod yr iaith yn ddiogel o dan y drefniadaeth ddeddfwriaethol bresennol. Byddai'r cyfan yn brofiad da iddo, meddai'r swyddfa. Penderfynodd Fielding mai gwell fyddai cytuno. Roedd e'n llygadu cadeiryddiaeth un o is-bwyllgorau Pwyllgor Polisi Tramor y Senedd, ac roedd yn rhaid iddo blesio'r blaid er mwyn gwneud hynny. Dim ond cadw at y neges am yr hanner awr fyddai ei angen, meddyliodd. Edrychodd ar y cloc yn yr ystafell werdd. Chwarter awr i fynd.

Ni ddywedodd air wrth Meinwen. Ni wyddai pwy oedd hi. A barnu wrth ei gwisg, fe dybiodd mai un o'r staff stiwdio oedd hi, yn cael hoe o'r gwaith.

Ni fu Sayle erioed yn un am lonyddwch na thawelwch. Teimlai'n anesmwyth gyda'r naill gyflwr a'r llall. Edrychodd yn ddiamynedd ar ei oriawr. Roedd bob amser yn fwy cyffyrddus pan oedd yn siarad. Edrychodd ar Meinwen, ac edrychodd i ffwrdd unwaith eto. Nid oedd hi'n edrych mor arw ag y disgwyliai iddi wneud ar ôl tri mis yn y carchar. Roedd hynny'n gryn siom iddo. Roedd hi dipyn yn fwy gwydn nag yr oedd ei chariad, y ffŵl Dewi 'na, wedi'i ofni, mae'n rhaid. Ond fe wrthsafodd Sayle y demtasiwn i'w phryfocio hi'n awr. Gallai wneud hynny pan oedd y camerâu'n rhedeg. Edrychodd draw at Fielding, ond roedd yntau bellach yn cael ei goluro ac yn siarad gyda Jayne. Clywodd Fielding yn dweud wrth Jayne, yn hanner-ymddiheuriol, nad oedd e'n gwybod hyd yn oed faint o bobl oedd yn siarad Cymraeg. Y ffŵl gwirion, meddyliodd Sayle. Gobeithio na wnaiff e gyfaddef hynny ar raglen heno. Am beth amhroffesiynol i'w ddweud. Ni fyddai'n fwy na'i haeddiant pe bai Meinwen wedi ei glywed. Ond roedd Meinwen, fel arfer, yn syllu i'r pellter, heb gymryd dim sylw o'r un ohonyn nhw. Doedd hi ddim hyd yn oed yn gallu trafferthu gwneud sgwrs boléit gyda nhw. Yr ast ffroenuchel. Ni fyddai Sayle yn gwneud defnydd o gyfaddefiad twp Fielding yn y ddadl oedd ar fin cychwyn. Nid oedd ganddo ddiddordeb mewn ymosod ar aelodau canol-y-ffordd. Eithafwyr oedd ei dargedau. Cododd bapur newydd oddi ar y bwrdd. Ffliciodd drwyddo nes cyrraedd ei golofn ei hun. Gwenodd wrtho'i hun wrth ei darllen. Os byth y bu colofnydd yn feistr ar ei grefft, ef oedd hwnnw.

* * *

'Tonight on Wales on Wednesday, we're discussing the future of the Welsh language. Things have moved on quite a bit since we last tackled this subject. The property act being advocated by language activists is now the subject of an Assembly committee investigation, and since she was last on our programme, one of our panellists, Meinwen Jones, has spent three months as a guest of Her Majesty.'

Chwaraewyd ffilm fer yn darlunio hanes yr ymgyrch ac yn rhoi manylion yr hyn oedd yn yr arfaeth yn y pwyllgor. Wedyn trodd Rees at y panelwyr, gan gychwyn gyda'r Aelod Seneddol.

Roedd Max Fielding wedi ymarfer yn ofalus.

'Of course, whilst I appreciate the strength of feeling on this issue, the Welsh language is secure within the Assembly Government's strategy for bilingualism, and we really must remember that resources of public money are finite, and our top priorities must always be health and schools – factors which affect the lives of all of us in Wales, whatever language we speak.'

Trodd Jonathan Rees at Meinwen. Byddai'n rhoi cwpl o funudau iddi cyn gadael i Sayle ymosod arni. Wedyn byddai pethau'n mynd yn flêr iddi, druan.

'So, schools and jobs are more important than the language. What do you say to that?'

Arhosodd am yr araith bolisi ddwy-funud arferol.

Yn groes i'w harfer, fe oedodd Meinwen am ennyd cyn ymateb. *'I'd like to ask Mr Fielding a question,'* meddai, gan droi at yr Aelod Seneddol, a edrychai arni'n syn. Nid dyma'r hyn yr oedd ef wedi ei ddisgwyl. Iechyd ac addysg, meddyliodd. Iechyd ac addysg. Fe fyddai'n iawn.

'How many people speak the Welsh language?' meddai Meinwen.

Edrychodd Fielding fel pe bai wedi ei frawychu. *'Excuse me?'* oedd yr ymateb gorau y llwyddodd i'w gynnig.

'How many people speak the Welsh language?' meddai Meinwen eto, yn llednais. *'The language we're all talking about tonight and which your party have asked you to speak about. How many?'*

'How many exactly*?'* meddai Fielding, gan geisio gwneud i gais Meinwen swnio'n afresymol o bedantaidd.

'Roughly is fine. How many?'

'Well, if you want exact figures, I'm not sure anyone could tell you the precise number.'

'You don't know, do you?'

'It's not that, it's just that this is a complicated issue. And we should really be talking about health and schools.' Edrychodd ar Jonathan Rees gydag apêl fud am ymwared yn ei lygaid. Y cyfan a wnaeth Rees – a oedd, yn dawel bach, yn mwynhau bob eiliad o hyn – oedd gorfodi ei hun i edrych yn ddifrifol ac yn feddylgar.

'How many, Mr Fielding?' meddai Meinwen.

'Surely, I . . .' meddai Fielding, gan edrych ar Jonathan.

'It's a fair enough question, Mr Fielding,' meddai Rees. *'Do you know the answer?'*

Ildiodd Fielding. *'I'm afraid not,'* meddai. Lleihau'r difrod oedd y nod nawr, meddyliodd. Pe bai ddim ond yn gallu dychwelyd at ei neges ganolog am ysgolion ac ysbytai.

Nid oedd Meinwen wedi gorffen. *'I'll make it easier for you. How many people can speak Welsh in your constituency?'* gofynnodd.

'In my constituency . . .?' Pryd deuai'r hunllef hon i ben? Gallai deimlo'r gadeiryddiaeth polisi-dramor honno'n llithro o'i afael bob munud. Pam na fyddai Rees yn ymyrryd? Ond roedd y cyflwynydd yn dal i wisgo'i olwg *gravitas*, ddifynegiant.

'Yes. In your constituency.'

Roedd Sayle wedi cael digon o hyn. *'Come on Jonathan,'* ymyrrodd. *'You can't let Meinwen take over like this.'*

Roedd Rees ar fin dweud wrth Sayle am aros tra bod Fielding yn ystyried ei ateb, ond fe drodd Meinwen at Sayle ei hun.

'I've got some questions for you in a minute, too,' meddai. *'But let's just finish this first. How many, Mr Fielding?'*

Penderfynodd Fielding gamblo. Yng Nghymoedd y De oedd ei sedd. Ni chredai iddo glywed neb yn siarad Cymraeg yno erioed, er mai anodd oedd dweud weithiau gydag acenion y brodorion. Onid iaith wledig y gogledd a'r gorllewin oedd hi? Doedd ganddo ddim byd i'w golli. Ceisiodd edrych yn ddi-hid: *'Virtually nobody,'* meddai.

Gwenodd Meinwen. Cadwodd hi Fielding yn aros am eiliad neu ddwy cyn ymateb.

'Five thousand, three hundred and fifty three people, according to the 2001 census,' meddai Meinwen. *'That's thirteen per cent of the population, and double the number in the 1991 census. Thirteen per cent of your constituents you didn't even know that simple fact about. What if you'd represented an inner-city constituency in England and you said there were virtually no ethnic minorities there, when more than one in ten people belonged to them? You call yourself a socialist. I could tell you the names of the five Welsh-medium schools in your constituency, and the names of their head teachers. I could probably tell you the names of most of the English-medium schools there as well. You can't even* pronounce *the name of your own constituency.'* Oedodd am eiliad. *'Sorry, you wanted to say something about schools and hospitals didn't you?'*

Ddywedodd Fielding ddim byd. Roedd hi wedi gorffen gydag ef, diolch i Dduw. Ond roedd ei yrfa uchelgeisiol ef wedi gorffen hefyd. Gallai weld penawdau tudalennau blaen y papurau drannoeth. *'The Member for Nowhere'*, *'The Spokesman for Ignorance'*. Gallai anghofio am y gadeiryddiaeth. Roedd hynny'n sicr.

Trodd Meinwen at Sayle. Er ei fod wedi ei ysgwyd o weld Meinwen mor hyderus ac mor ymosodol, nid oedd am adael i neb wybod hynny. Ac ni fyddai hi'n ei gael ef yn darged mor hawdd pe bai hi'n ceisio dyfynnu ffigurau. Roedd y rheiny ganddo ar ei gof. Tyrd ymlaen 'te, meddai ei lygaid culion. Jyst tria hi.

Ond ni ddywedodd Meinwen air am ychydig. Y cyfan a wnaeth oedd mynd i boced ei siaced a thynnu pedwar darn o bapur allan ohoni. Yn hamddenol ddigon, rhoddodd un i Rees ac un i Fielding, ac, yn olaf oll, un i Sayle. Gwyddai Rees fod y rhaglen hon yn torri pob rheoli, ond fe wyddai hefyd ei fod yn deledu godidog. Byddai pawb yn sôn am ei sioe yn y bore. Mi fyddai hyn ym mhapurau Llundain, gan fod Fielding yn adnabyddus fel ffrind i'r Canghellor. Drwy ei declun clust, roedd ei gynhyrchydd yn ei annog: 'Jyst gad iddo redeg, Jonny, gad iddo redeg.' Nid oedd ganddo fwriad i wneud unrhyw beth arall. Roedd yn mwynhau'r cyfan lawer gormod.

'Do you recognise this piece of paper?' meddai Meinwen wrth Sayle.

Edrychodd ef ar y darn papur. Roedd yn ei adnabod yn iawn. Ni ddywedodd ddim, ond gwelwai dan y colur.

'I'll read it to you,' meddai Meinwen yn sionc. *'It's addressed to Dewi Williams, the video librarian in the Welsh Broadcasting Records Centre. It says 'Hello Dewi. How's things? Look, I need a favour. Did you see that silly sod Mallwyd Price on* Under Fire *last night? I've been told he said something about my columns being racist. But I didn't catch the programme and I need a copy so I can make my response. If it's true, I'm really bloody annoyed about it. I saw Sohail Mohammed at a book launch this morning, and he said he'd been told about it. At least, I think that's what he said. Trying to understand him speaking English is almost as excruciating as trying to understand Mallwyd. Bloody cultural diversity. Send them all on elocution courses, I say,*

ragheads and sheepshaggers all! Anyway, if you can get me the tape I'd be grateful. I owe you one. Cheers, John."

Oedodd. Roedd pawb yn edrych ar Sayle. Roedd yna saib hir.

'This really was sent by you?' gofynnodd Rees. Swniai fel prifathro yn siarad gyda phlentyn disglair a wnaethai rywbeth anfaddeuol. Ond roedd ei gwestiwn yn ddiangen. Roedd tawelwch Sayle yn dweud y cyfan.

'That e-mail,' meddai Sayle o'r diwedd, a'i lais yn crynu, *'that e-mail was a private correspondence between friends. It's out of context. I can't understand how you could have had access to it. Dewi Williams would never have given it to you.'*

'Dewi Williams of the records centre never got it,' meddai Meinwen. *'You sent it to Dewi* Wiliams – one L – *of the Mudiad by mistake. You'd corresponded with them both on e-mail. Your e-mail system would have kept a record of both addresses and would have offered you a choice of both when you typed 'Dewi' in the address field. You sent this message to the wrong Dewi. One L of a mistake, you might say, Mr Sayle.'*

Teimlai Sayle yn oer drosto. Bu'n gohebu â Dewi Williams ers blynyddoedd. Roedden nhw'n hen ffrindiau, ac roedd wedi mynd i'r arfer o yrru neges gyflym at 'Dewi' a gadael i'r cyfrifiadur lenwi gweddill y cyfeiriad cyfarwydd. Ni thrafferthodd edrych yn y ffenestr gyfeiriad gan mai un Dewi yn unig oedd ymhlith ei ohebwyr e-bost. Roedd wedi anghofio am yr un neges honno roedd wedi ei derbyn yn ddiweddar gan Dewi, ffrind Meinwen. Y diawl twp! Roedd Meinwen yn dal i siarad, â goslef geryddgar a bwriadol nawddoglyd yn ei llais.

'You really should be more careful with new technology. And with what you say, too: "ragheads" and "sheepshaggers". Is that really how you think about ethnic and linguistic minorities in Wales? In case any of the viewers

don't know, Sohail Mohammad is the chairman of the Commission for Racial Equality in Wales. And you call him a . . . "raghead". This is one of the worst examples of racism I've ever seen.'

'It's not racism,' meddai Sayle, heb edrych i fyny. *'It was banter. Jokes between old friends. It was just irony. I'm not a racist.'*

'Rag-heads. Sheep-shagg-ers,' darllenodd Meinwen eto yn araf. *'Do your bosses at the newspaper know that you use your work computer to send hate mail like this?'*

Ni ddywedodd Sayle air. Camodd Jonathan Rees i fewn. Roedd yr amser ar ben. *'Well, this has been a debate to remember,'* meddai, ei lais yn esmwyth, a'i lygaid yn dawnsio. *'My thanks to the panellists, Meinwen Jones, Max Fielding and,'* fe adawodd i'w hun oedi am ychydig, fel pe bai'n awgrymu rhyw newid mewn categori: *'John Sayle.'*

Gwenodd Meinwen yn siriol at Sayle wrth iddi dynnu ei meic. *'Cheer up, John,'* meddai. *'It might never happen.'*

Dim ond syllu ar y darn o bapur yn ei law yr oedd Sayle.

'Except, of course, in your case,' meddai Meinwen, *'it has.'*

Cododd, a cherdded oddi ar y set.

Ymledodd embaras o amgylch Sayle fel pe bai wedi baeddu ei hun. Symudodd Rees a Fielding ymaith heb ddweud gair. Ystyriodd Fielding a ddylai gynnig cydymdeimlad, ond penderfynodd beidio. Roedd eisoes wedi cael ei niweidio'n ddifrifol heno. Doedd dim pwynt cyfeillachu gyda rhywun esgymun yn y fargen. Roedd hyd yn oed y technegwyr yn betrus o ddynesu at Sayle i dynnu ei feic. Roedd yn anghyffyrddadwy. Eisteddodd yno, yn ddisymud, wrth i oleuadau'r stiwdio gael eu diffodd fesul un.

Daliodd Jonathan Rees i fyny â Meinwen yn y coridor. Am unwaith, meddyliodd, jyst am unwaith, fe fyddai'n mynegi ei deimladau personol, ei foddhad at yr hyn yr oedd hi wedi ei wneud.

'Meinwen,' meddai, 'roedd hwnna . . .' Wedyn fe oedodd. Beth pe bai hi'n ailadrodd ei sylwadau? Roedd hi wedi dangos pa mor ddidrugaredd y gallai fod. Byddai ei yrfa mewn peryg pe deuai'n hysbys ei fod wedi cyfaddawdu ei ddyletswydd i fod yn ddiduedd. 'Roedd hwnna . . .' chwiliodd am air niwtral priodol.

'Paid poeni, Jonathan,' meddai Meinwen, gan roi llaw ar ei fraich. Edrychodd arno fel pe baent yn hen gymheiriaid. 'Does dim angen risgio ei ddweud o. Dwi'n gwybod beth rwyt ti isio ddweud: "Roedd hwnna'n blydi ffantastig".'

Ymledodd rhyddhad dros wyneb Rees. Roedd hi wedi ei ddeall. Roedd hi'n gwybod. Rhoddodd Meinwen eiliad arall o'r olwg 'ti'n-un-ohonon-ni' iddo, ac wedyn fe drodd hi ymaith a cherdded i lawr y coridor. Gwenodd Rees wrth ei gwylio hi'n mynd.

Gwyddai Meinwen nad oedd Sayle ddim yn hiliol yn yr ystyr yr oedd hi wedi ei chyfleu. Gwyddai mai'r cyfan oedd yn yr e-bost honno oedd yr hyn a ddywedodd ef, sef cellwair rhwng hen ffrindiau yn chwarae'n eironig gydag ieithwedd hiliaeth. Ond nid oedd hi am adael i hynny ei hatal hi rhag ecsploetio'n llawn y ffordd ddamniol yr oedd y geiriau yna'n edrych mewn du a gwyn. Roedd copïau o'r llythyr wedi cael eu postio y bore hwnnw at y Comisiwn Cydraddoldeb Hiliol, at Gomisiwn Cwynion y Wasg, at benaethiaid Sayle ar y papur newydd, at bob papur newydd a gorsaf ddarlledu yng Nghymru, ac at bob AS ac AC yng Nghymru. Ac roedd cwmni o gyfreithwyr yn gweithio ar ran Dewi a Meinwen wedi anfon llythyr at Heddlu De Cymru yn gofyn iddyn nhw ymchwilio i'r amgylchiadau fel achos o hyrwyddo casineb hiliol. Fe fyddai hynny'n cwblhau gwaith dinistriol y rhaglen deledu.

Beth ddywedodd Sayle wrthi un tro? *'All's fair in love and politics.'* Roedd hi wedi dysgu nid yn unig sut i ymladd ond sut i ennill. Nid sut i ymladd a marw, ond sut i ymladd a byw.

Roedd honno'n reddf gryfach. Buddugoliaeth oedd y ddadl orau bob amser. Gallai ddiolch i Sayle am y wers honno – Sayle a oedd bellach wedi ei drechu, wedi ei drechu'n llwyr ac am byth.

Teimlai Meinwen fel pe bai wedi gadael fersiwn gynharach ohoni hi ei hun ar ôl yn y stiwdio, fersiwn wyryfol, gysetlyd. Roedd fel cael rhyw am y tro cyntaf erioed: nid oedd yr awyr wedi syrthio ar ei phen, ond roedd y byd yn lle gwahanol, ac yn lle'r teimlad disgwyliedig o euogrwydd, roedd atgof o bleser ac ias o ryddid. Nid y forwyn werdd mohoni mwyach. Meddyliodd am Simone. Ni fyddai hi byth wedi gwneud dim byd fel yna. Ond unwaith eto, er syndod iddi, ni theimlai Meinwen yn euog; roedd y darlun o Simone yn ei meddwl bellach yn ymddangos yn llai fel delwedd mewn drych, llai fel delwedd ymchwilgar a diorffwys ohoni hi ei hun. Bellach roedd yn fwy fel eicon o rywun o oes wahanol. Peth i'w hedmygu oedd yr eicon yn sicr, ond, yn ei phurdeb llym, nid oedd disgwyl ichi glosio ati. Wrth iddi gerdded ymlaen ar hyd y coridor, daeth geiriau Thomas y shaman yn ôl iddi: 'Bydd gall fel sarff, ddiniwed fel colomen.'

* * *

Roedd Dewi'n aros amdani yn y dderbynfa.

Cofleidiodd hi. Doedden nhw erioed wedi cofleidio. Roedd atgasedd Meinwen tuag at unrhyw fath o gyffwrdd corfforol wedi atal hynny. Yn awr, wrth i'w freichiau ei dal hi, fe synnodd mor denau oedd ei chorff; synnodd hefyd at y tynerwch rhyfeddol a deimlai tuag ati. Gwasgodd Meinwen ef yn ôl, fel pe bai i ddweud na fyddai hi'n ei ollwng ef mwyach. Pwysodd Dewi yn ôl ychydig er mwyn edrych arni; eto, ni thynnodd hi ei hun allan o'i afael.

'Roedd hwnna'n ffantastig, Meinwen,' meddai. '*Ti'n* ffantastig.'

Dyna fo. Roedd o wedi ei ddweud. Gwenodd hi'n ôl arno. Roedd y ffaith ei bod hi yn dal ei gafael ynddo o hyd yn dweud mwy nag y gallai unrhyw eiriau.

Llithrodd ei llaw hi i'w law ef wrth iddynt gerdded at y tacsi.

*　　　*　　　*

'Be wnawn ni i ddathlu?' meddai Dewi, wrth i'r tacsi yrru i lawr Heol yr Eglwys Gadeiriol tuag at y dref.

Gorwedd â'i phen ar ysgwydd Dewi yr oedd Meinwen. Edrychodd i fyny.

'Dwi'n gwybod yn union be dwi isio neud i ddechrau,' meddai. 'Dos â fi i *Rhyddid*, a phryna stecan imi.'

Gwenodd hi o weld ei syndod.

'Ac wedyn,' aeth ymlaen. 'Wedyn . . . allwn ni siarad am beth fedrwn ni wneud ar ôl hyn.'

Roedd rhywbeth mawr wedi newid y tu fewn i Meinwen, meddyliodd Dewi. Roedd hynny'n amlwg. Roedd rhywbeth yn wahanol yn ei golwg hi hefyd.

'Meinwen,' meddai'n sydyn. 'Ti'n dal i wisgo dy golur!'

'Dwi'n gwybod,' chwarddodd. 'Ydy o'n fy siwtio i?'

'Ydi,' meddai, a chusanu'r gwefusau minlliwiedig.

*　　　*　　　*

Stopiodd y tacsi y tu allan i *Rhyddid*. Talodd Dewi y gyrrwr a gofyn am dderbynneb.

'Welsh speakers aren't you?' meddai hwnnw wrth ymestyn am ei bin ysgrifennu. *'My grand-children go to the Welsh school in Canton.'* Roedd ei acen Caerdydd mor llydan â'r afon Taf. *'Bloody marvellous. Best thing that could have happened to them.'*

Cymerodd ychydig yn fwy o amser na'r disgwyl wrth

ysgrifennu ar y dderbyneb. Diolchodd Dewi a Meinwen iddo wrth gymryd y darn papur ganddo.

Wrth i'r tacsi yrru i ffwrdd, ac wrth iddynt droi at ddrws *Rhyddid*, edrychodd Dewi ar y nodyn a ysgrifennwyd ar y dderbynneb yn ei law. At ei gofnod o'r dyddiad a'r pris, roedd y gyrrwr wedi ychwanegu un llinell arall.

'Diolch yn fawr iawn.'